AᵗV

MARTIN MOSEBACH, geboren 1951, lebt als Schriftsteller in Frankfurt am Main. Neben diversen Aufsätzen zu kunst- und kulturhistorischen Themen veröffentlichte er u. a. die Romane »Westend« (1992), »Die Türkin« (1999), »Eine lange Nacht« (2000) und »Der Nebelfürst« (2001) sowie den Prosaband »Die schöne Gewohnheit zu leben. Eine italienische Reise« (1998). 1999 erhielt er den Heimito-von-Doderer-Preis, 2002 den Kleist-Preis.

Obwohl er am Beginn einer großen Karriere steht, ist der junge Mann voll unerklärlicher Melancholie. Da begegnet er in einer Wäscherei einer jungen türkischen Frau. Er hat kaum ein Wort mit Pupuseh gewechselt, doch sofort ist sie unauslöschbar in seine Gedanken eingedrungen. Aber eine ehrbewußte Familie wacht über sie. Kaum daß Pupuseh dem jungen Mann nähergekommen ist, wird sie gezwungen, nach Hause an die Küste Lykiens zurückzukehren.

Besessen von seiner Obsession, läßt der junge Mann alles hinter sich und folgt ihr. Die Dörfer, in denen Pupuseh und ihre skurrile Familie wohnt, bilden eine geschlossene Welt, ein phantastisches orientalisches Wunderland, in dem seine Pupuseh wie eine Prinzessin gefangen scheint. Aber je mehr seine Seele der wilden, bunten Landschaft und der wundersamen Entourage seiner Geliebten ausgesetzt ist, desto mehr verfällt er der fremden Magie der jungen Frau. Die Familie jedoch duldet keinen Eindringling, und kurzerhand wird Pupuseh verheiratet.

Martin Mosebach, dem Meister des modernen Gesellschaftsromans, ist eine gleichermaßen zauberhafte wie ironische Variation über ein klassisches Thema gelungen: das der großen, unmöglich scheinenden Liebe, die das Leben verändert. Sein Roman, voller Poesie und Lust am Detail, ist von derselben farbenprächtigen Opulenz wie die Welt, in der er spielt.

»... ein kleines, horizonterweiterndes Meisterwerk.« *Die Welt*

Martin Mosebach

Die Türkin

Roman

Aufbau Taschenbuch Verlag

ISBN 3-7466-1793-6

3. Auflage 2003
Aufbau Taschenbuch Verlag GmbH, Berlin
© Aufbau-Verlag GmbH, Berlin 1999
Umschlaggestaltung Preuße & Hülpüsch Grafik Design
Druck Elsnerdruck GmbH, Berlin
Printed in Germany

www.aufbau-taschenbuch.de

Ein großes braunes Blatt flog in einer weiten Kurve durch das Lampenlicht und legte sich neben mein Glas auf den lackierten Blechtisch. Ein schönes Blatt, verfärbt, aber noch nicht verdorrt, wie aus weichem Leder ausgeschnitten, lappig, saftig, porig, noch nicht die gekrümmte entfleischte Mumienhand. Und dennoch ärgerlich: für welkes Laub ist es noch zu früh im Jahr. Seit wann dürfen im Juli in Frankfurt die Bäume die Blätter verlieren? Es ist das unpassende Betragen der Platanen, im Sommer schon zu altern. Wie manche Frauen im Orient haben sie, was die äußere Erscheinung angeht, keine Ausdauer. Das Leben steht in voller Pracht, in altrömischer Juli- und August-Machtentfaltung, und diese Blätter verabschieden sich schon. Platanen gehören übrigens gar nicht nach Frankfurt, nirgendwohin in Deutschland, auch nicht nach Italien. In meinen Jahren in Rom, als ich mit dem Stipendium, das mir Professor Ryschen verschafft hatte, an der Hertziana arbeitete – eine unglückliche Zeit, ich fürchtete nicht zu unrecht, zu Hause etwas zu verpassen, und habe ja dann auch den Aufenthalt sehr abgekürzt –, ist mir durch ein altes Mitglied der deutschen Kolonie dort bezüglich der Platanen ein Licht aufgesteckt worden, und in diesem Licht muß ich sie nun immer betrachten. Niemand kann ein Land so gut hassen wie einer, der dort dreißig Jahre lebt, ohne dort hinzugehören. Man kennt dann alles, alle Fehler, alle schwachen Stellen. Die Schönheiten verachtet man besonders, denn sie haben einst den duftenden Lockstoff enthalten, der einen verzaubert hat.

»Die schlimmste Zerstörung, die die Piemonteser Könige dem päpstlichen Rom zugefügt haben, ist die Pflanzung der Platanen, schlimmer als all die Abrisse, die Straßendurchbrüche und Prunkbauten. Die Platanen sind republikanische Freimaurer-Bäume. An den langen Tiberquais mit ihren Platanenalleen wirkt Rom wie eine südfranzösische Provinzstadt. Wie lächerlich das jugendliche Hellgrün der Platanenblätter vor römischen Häusern aussieht! Und die hilflose Dramatik der kahlen Äste im Winter! Das staubige tote Schwarzgrün der Pinien war die einzige floreale Garnierung, die Rom duldete, zu allen Jahreszeiten gleich angemessen.«

Der Mann war Zeichner, kein Maler. Peinture-Feuerwerke mit zahllosen weißen und gelblichen Lichtpünktchen, Platanenlichtemulsionen ließen ihn kalt. Mich stießen eher die Stämme ab. Dies fremdartige Weiß, wie unter unmäßiger Sonne gebleicht, dazu die tropische Gefräßigkeit, dem Eukalyptusbaum verwandt, die den letzten Wassertropfen aufspürt und aussaugt, ein unverschämtes Wasserreservoir im ringsum Ausgetrockneten und nicht zuletzt durch die Gier dieses Baumes unfruchtbar Gewordenen. Gefleckte muskelharte Reptilienkörper waren diese Stämme, von geradezu unanständiger Nacktheit. Und dann nicht ungefährlich. Haushoch aufschießend, kraftverzehrend und letztlich dann doch schwach. Ein schlimmer Sturm packte eine weithin ausgebreitete Platanenkrone mit der ganzen Faust und spannte den Baum wie einen Flitzebogen, der dann eben nur scheinmuskulös und scheinbiegsam war und mit grausigem Krachen zerbrach.

Flieder und Rosen und Roßkastanien sind mit den türkischen Armeen nach Europa gekommen, als sei »Birnams Wald« mit den muslimischen Eroberern vorgerückt, und zwar auch noch, als die menschlichen Heere längst zurückgeschlagen waren. Eine Roßkastanie sieht heute wie eine ureuropäische Erfindung aus. Eine Kastanienallee erhebt jedes Landhaus zum Schloß, die Einverleibung ist vollständig, obwohl weder Claude Lorrain noch Watteau Roßkastanien gemalt haben, die wichtigste Voraussetzung für das Europäischwerden also fehlt. Den Platanen haben die Impressionisten dann später nicht mehr helfen können. Gerade ihre Riesengröße wird immer an ins Kraut geschossenen Spargel denken lassen, an fremdartige Farblosigkeit, ein anderes Licht.

Verstanden habe ich die Platanen erst in Lykien in diesem Frühling. Diese saufende und hemmungslos Nahrung aufnehmende Kraft muß eingedämmt, eingebunden, gestaucht, gepreßt, verstümmelt und gefesselt werden, um dicht und imposant zu sein. Platanen sind Eunuchenbäume, riesige finstere Sklaven, denen die Verschneidung zu maßlosem Wachstum in die Breite, zu einem Gewicht, das Kraft ebenbürtig ersetzt, verholfen hat. Mit bedenkenloser Grausamkeit wird in Lykien ein Baum einfach in der Mitte abgesägt. Wie ein Krüppel steht er dann da, schrecklicher noch, denn der Krüppel hat seinen Kopf, während hier nur der Beinstumpf weiterlebt. Und nun kocht es in diesem Stumpf, so stelle ich mir das vor. Der Saft steigt hoch und läuft zunächst einfach über, schaumig, blasig, wie dünner Speichel, der einem Kranken aus den Mundwinkeln rinnt. Aber dann schließt sich die mächtige Wunde, sie verkrustet und verholzt und trocknet aus, die Löchlein, aus denen die Lebenskraft entweichen kann, werden geschlossen. Und dafür dehnt und tobt und reckt und stößt es sich im Innern unter der glatten hautartigen Rinde. Der Stamm beult sich und bläht sich. Die Haut weitet sich wie ein übervoller Ballon. Dann ist es, als laufe über den Stamm wie aus einem Baumvulkan Baumlava hinab, die ihn dicker und dicker werden läßt. Alles, was der Baum an Hoffnung auf Höhenwachstum verloren hat, sucht sich nun seinen Weg in die Breite. Die Platane faßt den Entschluß, so dick zu werden, wie sie eigentlich hoch werden wollte. Ihr glatter Leib bedeckt sich mit Warzen. Sie ist jetzt umfangreicher als eine Litfaßsäule, vielleicht doppelt so dick, ein in sich zusammengesunkener und dann versteinerter Baumkuchen. Wie in einer Riesentonne, einer gigantischen Blumenvase oder einem Kübel stecken die Äste oben in dem schrundigen Baumfleisch. Sie sind lang und kräftig, aber eine Baumkrone kann man sie nicht mehr nennen. Es fehlt ihnen die Basis aus Blattmassen, auf denen die Krone kissenartig liegt. Sie spenden ein wenig Schatten, aber sie wogen nicht, sie sind ein starrer Schmuck auf einem Kopffüßerhaupt. Kein Sturm wird dieser Platane noch etwas anhaben können. Ihre Äste werden sich in Taifunen wie flatternde Fahnen oder Bänder bewegen, während der Stamm wie ein Felsen steht. Zu diesen enorm mißgestalteten Wesen gehört in Lykien dann oft ein harmloses Bachgeriesel. Von irgendwoher plätschert und rauscht es dort meistens. Der Schnee von den Bergen, den großen weißen Häuptern, läuft in unzählige Wasserfädchen, in kleinere und größere Kaskaden, Rinnsale und Bächlein aus. Da haben die Platanen das Feuchte. Und darunter im Schatten findet sich dann menschliches Gewusel ein. Die Platane ist hier wie ein großer Ofen, um den man sich versammelt. Ihre Wurzeln haben mit Leichtigkeit, aber fast unmerklich das Felsgestein gehoben und beiseite geschafft. Das liegt nun kreuz und quer herum, die Wasser umspielen es und waschen es aus, und zwischen Wurzeln und Fels und Quelle wird gelagert. Gurken und Tomaten und Zwiebeln liegen auf karierten Tüchern, und ein dicker Mann mit kupferrotem kahlem Schädel geht ernsthaft und besorgt mit einer großen Salzdose zwischen den Lagernden auf und ab.

Es war wie ein an mich adressierter Brief, dies Blatt, das in einem Frankfurter Apfelweingarten so deutlich verfrüht zu mir heruntergeschwebt kam. Ein schönes Stück Natur, größer als mein leergegessener Teller. Der Kellner ergriff es abwesend und wischte damit über den Tisch, als sei es ein feuchter Lappen. Über uns schwankte die Lampe im Himmelsschwarz. Ich war noch nicht lange wieder zu Hause.

War ich eigentlich wieder zu Hause? Ich habe ja nicht den kleinsten Versuch gemacht, wieder anzuknüpfen, wo die Fäden abgerissen sind durch meinen Aufbruch, der eigentlich sogar ein Abbruch sein sollte, begleitet vom Anbruch glücklicher Zeiten. Alles sollte glücklicher, strahlender, von innen leuchtender werden, als was ich hier zu erwarten hätte. Ryschen hatte, wie er gern sagte, »etwas mit mir vor«. Er mochte mich nicht, jedenfalls immer weniger, wie ich deutlich spürte, aber zum Vorführen und Angeben war ich ihm unentbehrlich, und er seinerseits ist mir vollständig unentbehrlich gewesen – da kann man sich dann auch beherrschen. Den meisten Leuten bin ich nicht besonders sympathisch. Das hat mich nie beunruhigt, weil auch mir fast niemand jemals angenehm gewesen ist. Frauen mit Töchtern blicken mich manchmal milde und weich an. Das wäre ein netter, erfolgversprechender, niedlicher Schwiegersohn. »Niedlich« – dieses Wort fällt gelegentlich, in freundlicher Absicht, von mir natürlich dennoch nicht gern gehört; ich bin nicht so dumm zu widersprechen, aber man merkt sich's doch, daß man zu jung wirkt, um schon Anspruch auf Autorität zu besitzen. Ich habe mir deshalb angewöhnt zu gucken, als blende mich etwas, ein geradezu schmerzverzerrtes Augenzusammenkneifen, das von selbst die Mundwinkel hinabzieht und Falten ins Gesicht bringt und Gereiztheit und schlechte Laune ausdrückt, auch wenn ich ganz gleichgültig bin. Heute psychologisiert jeder gern herum. Allen Leuten, die einem irgendwie in die Quere kommen, weil sie an ihrem eigenen Vorteil festhalten und sich seltsamerweise zu keiner für sie nachteiligen Konzession bewegen lassen, wird nachgesagt, daß sie komplexbeladen, ichgestört, geisteskrank oder doch zumindest schwer neurotisch seien. Daß ich als ein solcher schwerer Neurotiker gehandelt wurde, von »allen«, vom »ganzen Institut«, wäre mir selbst dann bekannt und bewußt gewesen, wenn es Ryschens Sekretärin nicht herausgerutscht wäre. Aber es stimmt nicht, ich bin kein Neurotiker. Das sagt jeder Neurotiker, wird man mir vorhalten. Aber das sagt keineswegs jeder Neurotiker. Viele Neurotiker sind heute hochzufrieden mit ihrem Neurotikerdasein, sie haben sich darin eingerichtet und laben sich an der Aufmerksamkeit und dem Verständnis, das ihnen zuteil wird. Ich besitze den Beweis für die Richtigkeit meiner Überzeugung. Ich benehme mich oft abstoßend, ganz bewußt, launisch, sinnlos herablassend, regelrecht anmaßend – das kann schon sein, oft so beiläufig, wie das Augenzusammenkneifen, das schon ganz Gewohnheit geworden ist und ein angenehmes Krampfgefühl erzeugt –, aber, und jetzt kommt der entscheidende Punkt, der alles verändert: ich kann mich kontrollieren. Wenn es um etwas Wichtiges geht, habe ich mich in der Hand, und genau das leistet der Neurotiker nicht, ihm steht es eben nicht frei, den Käfig seiner Ungezogenheit zu betreten und zu verlassen, wie es gerade angemessen ist, er ist eingeschlossen und blickt zähnefletschend aus den Gitterstäben seiner Aggressionen und Phobien heraus. Daß ich, was meine Ziele angeht, niemals, auch Ryschen gegenüber, ein Hehl aus meinem Ehrgeiz gemacht habe, war erst recht nicht neurotisch, sondern entsprach meiner Wahrheitsliebe. Im Umgang mit Professor Ryschen entsprach solche Offenheit geradezu der Höflichkeit. Er durfte ruhig sehen, daß er seine Förderung nicht einer akademischen Schlafmütze zuteil werden ließ. Wenn ich nicht wie meine begabten Klassenkameraden Jura oder Betriebswirtschaft studiert habe, um Rechtsanwalt oder Bankier zu werden, dann deshalb, weil ich darauf setzte, daß auf einem weniger klassischen Weg zum Geld möglicherweise mehr davon zu erobern ist. In Deutschland ist es zwar nie wie in England gewesen, wo man Ägyptologie studierte, um Merchant Banker zu werden. Ist es noch so in England, war es überhaupt jemals so? Wird die Ausnahme von der Regel bei uns vielleicht nachdrücklicher honoriert? Ganz gewiß hätte ich Ryschens Angebot, nach der Promotion sein Assistent zu werden, nur im Notfall, wenn gar nichts Attraktiveres zur Hand gewesen wäre, ergriffen, und auch nur vorläufig und mit ständiger Bereitschaft zum Absprung. Ryschens Verständnis für meine Haltung hatte etwas Großes. Er war gar nicht beleidigt. Er selbst wollte mir den Weg zum Erfolg eröffnen. In demselben Wirtshaus, dessen Platanen damals allerdings noch nicht belaubt waren – Ryschen pflegt, trotz stattlicher Nebeneinkünfte aus seinen Veröffentlichungen, mit Studenten den bescheidenen akademischen Stil –, kündigte er mir die Ankunft eines alten Bekannten an.

»Kein Freund, der alte Doktor Hirsch würde sofort sagen: Ich habe keine Freunde! Sie kennen diese Art?«

Mit Hirsch zu prunken, unterläßt Ryschen nie. Hirsch ist die mondänste seiner Verbindungen. Wenn Ryschen in New York ist, empfängt Hirsch ihn stets einmal zum Abendessen. Diese kleinen Abendessen – »*en petit comité*«, wie Ryschen sagt –, nur die fünfzigjährige strenge blonde Engländerin ist noch dabei, Hirschs Sekretärin und Begleiterin, werden in Hirschs Bibliothek eingenommen, und diese Bibliothek sei »der glänzendste Raum, den ich je betreten habe«, so Ryschen, »vom Boden bis zur Decke – einer hohen Decke, denn Hirsch wohnt in einem prächtigen alten Brownstone House – mit den kostbarsten Ausgaben vollgestopft. Auf dem Boden türmen sich Stapel von Zimelien, Edelsteinhaufen aus Papier, Leder und Pergament, eine Schatzhöhle. Hirsch läßt dort Kerzen brennen – ich möchte wissen, was seine Versicherung sagte, wenn man dort von den Kerzenleuchtern in der Bibliothek erführe –, und er bietet Zigarren an und nimmt während des Essens einen Manutiusdruck aus dem Regal und reicht ihn dem Gast, der sich gerade etwas Butter auf den Teller genommen hat. Bei ihm freilich kann nichts passieren. Seine Hände sind trocken wie ein neues Blatt Löschpapier.«

»Sie sprechen vom Antiquariat Hirsch Bros. in New York?« fragte ich, als Ryschen zum ersten Mal von seinen Erlebnissen schwärmte. Das wirkte, als hätte er mich in der Hirschschen Bibliothek erst eigentlich kennengelernt. Ich kam ihm auf unbestimmte Weise eingeweiht vor. Er vergaß niemals, daß mir das Antiquariat Hirsch ein selbstverständlicher Begriff war. Ryschen ist sehr ungenau, etwas weltfremd und fahrig, er sieht nicht richtig hin. Und ich, sehe ich denn richtig hin?

Das lederne Platanenblatt hätte ich gern mitgenommen. Es war so schön unversehrt. Jetzt lag es im Abfalleimer, wo ein welkes Blatt auch hingehört.

ZWEITES KAPITEL

Alles war anders, reiner, frischer, deutlicher an dem Vormittag, an dem ich Doktor Hirsch zum ersten Mal begegnen sollte. Schicksalsluft – das gibt es wirklich. Die Zahnpasta schmeckte besser. Der Kaffee stand provozierend schwarz in der weißen Tasse. Es war der Kaffee eines Mannes, der im Begriff war, von dieser Tasse, von dieser Studentenwohnung und ihrem heiteren Ausblick auf schwankende, frühlingshaft glitzernde Ahornzweige einen gewaltigen Schritt weg zu tun, und zwar ohne etwa zuvor unter »beengenden Verhältnissen«, wie es dann pauschal gern heißt, um ganze Bündel abstoßender Details unter der Haube der Abstraktion zu verstecken, gelitten zu haben. Überhaupt keine Leiden oder Unzufriedenheit oder drängelnde Erwartung schien es hier jemals gegeben zu haben, heute morgen. Die zurückliegenden, schon bald völlig überwundenen Stationen besaßen etwas Angemessenes, sie waren mit Anstand absolviert, sogar mit einem gewissen Glanz – soweit in Ryschens Kreis Doktoranden glänzen durften –, man konnte gelassen auf sie zurückblicken, ohne Scham und Graus über die Unfertigkeit und Verlegenheit langer Jahre. Sie bestanden jetzt im Grunde nur noch aus launigen Anekdoten, dem wissenschaftlichen Nachwuchs zu Ermutigung oder Einschüchterung, wie jeweils erforderlich, vorzutragen. Es war heiß, wie es in Frankfurt vor Ostern manchmal sein kann. Das ist dann, als solle der Frühling nach Art eines Dampfkochtopfs beschleunigt hervorgetrieben werden. Die Natur kommt der klimatischen Heftigkeit kaum nach. Was da so blüht oder kurz vor dem Aufplatzen steht, wirkt besonders kläglich. Aber diese Kläglichkeit von vereinzelten Krokussen und Forsythien mußte ich mir nicht zurechnen lassen. Damit hatte ich nichts mehr zu tun. Ich sah gut aus im Spiegel, nicht peinlich hübsch, sondern angenehm und reif, und das auch ohne dieses Augenkneifen, das plötzlich weg war. Ich konnte das ebensogut lassen, stellte ich jetzt fest.

Im Städelschen Kunstinstitut, wo ich Hirsch und seine Engländerin abholen sollte, um sie zum Mittagessen mit Ryschen zu führen, erkannte ich die beiden sofort, obwohl ich sie noch nie gesehen hatte. Ich war auf dem Weg in Schweiß geraten, denn die Sonne stach, es war ganz unvernünftig heiß. Hirsch war klein, schien in seinem dicken schwarzen Kaschmirwintermantel aber noch kleiner, wie ein in dicke Decken eingepacktes greisenhaftes Kind. Ein schwarzer Hut und eine schwere Schildpattbrille mit dicken grünlichen Gläsern verbargen sein Gesicht wie ein Helm mit Visier, aber das wenige, was an Haut hervorsah, die rechte Hand etwa – die linke trug einen schwarzen Handschuh –, das Kinn, die zerbrechlichen übergroßen und fledermausflügelfeinen Ohren, ließ schon auf Abstand die von Ryschen hervorgehobene Ausgetrocknetheit erahnen, ein Körper wie aus hartem Sahnebaiser, das durch einen Stoß zu Staub zerbröselt. Die Engländerin war sogar noch ein wenig größer als ich, was mir als gutes Omen erschien, wie Hirsch mußte ich zu ihr aufschauen. Auch ihre Hand war kühl bei der Begrüßung, aber anders als Hirschs Hand, die die objektive Kühle einer Türklinke besaß. Die englische Hand hingegen war dicklich und hatte die angenehme Temperatur von gepflegtem Frauenfleisch. Sie trug einen jungmädchenhaft wirkenden bleichen Saphir mit kleinen Brillanten, ein wenig zu festlich für ihre sonst sehr gedämpfte Erscheinung. Sie schreckte ja nicht einmal vor einer großen Brille zurück, die jeden Gedanken, sie begleite den alten Herrn aus anderen als streng professionellen Gründen, sofort erstickte. Die beiden befanden sich im Museum in ihrer natürlichen Umgebung. Sie gingen darin spazieren wie andere in einem Park, so achtlos gegenüber dem, was da an den Wänden hing, als seien die Bilder Büsche und Bäume, dann plötzlich aber wieder mit einer akribischen Hinwendung zu einem Werk, als habe der Gärtner hier etwas vergessen, oder als sei eine Pflanze von einer unbekannten Krankheit befallen oder überraschend früh aufgeblüht.

Zu meinen Schwächen gehört die Sorge, nicht genügend zu essen zu bekommen. Eine Lage, in der ich befürchten muß, längere Zeit nicht zu essen, versetzt mich leicht in Panik. Ich bestelle und verschlinge dann oft mehr, als mir guttut. Allem, was mit Nahrungsaufnahme zu tun hat, fehlt bei mir die Harmonie. Ich bin dabei eher schlank, dieses ständige Nahrungsvertilgen ist ohne jede Ökonomie. In einem Museum, in diesen Sälen, in denen man sich nicht setzen kann und die jede Lebensnotwendigkeit des Menschen zu leugnen scheinen, erwacht mein Hunger doppelt heftig. Ich muß bekennen, daß ich in bedeutenden Museen, auf deren Besuch ich mich lange gefreut habe, trotz nur noch knappester Öffnungszeit zuerst in die Cafeteria geeilt bin, um dort ein Thunfischmayonnaisebrot schnell aufzuessen, ja, in Wahrheit teile ich in meinem tiefsten Innern die Museen nicht nach ihren Schätzen, sondern nach der Qualität ihrer Restaurants ein, die, was dem Ganzen seine Lächerlichkeit verleiht, im gastronomisch-kulinarischen Sinn weder gut sein wollen noch können. Solche Schwächen machen hellsichtig, gerade wenn es gilt, sich nicht zu blamieren, was bei mir eigentlich immer der Fall ist. Schon deswegen bin ich am liebsten allein. Aber der neuartige Zustand an diesem heißen vorösterlichen Tag, der wirklich etwas von neuer, auferstandener Natur an sich hatte, bestand nun darin, einerseits augenblicklich zu erkennen, daß weder Hirsch noch seine nicht schlecht genährte Begleiterin auch nur den kleinsten Gedanken auf den Besuch einer Cafeteria richteten, von jedem Ernährungs- und Erfrischungswunsch vielmehr grundsätzlich entfernt waren, nicht nur augenblicklich, sondern vielleicht auch später noch, ja, daß sie vielleicht sogar niemals Hunger und Durst verspüren und das Essen mit Ryschen als bloßes Ritual aus Höflichkeit über sich ergehen lassen würden – andererseits aber im selben Augenblick gleichfalls von allen irdischen Nöten, von allen Sehnsüchten, etwas zu kauen, zu schlucken, in den Mund zu stecken, frei zu sein. Auch ich war jetzt, wie Hirsch, saturiert, weniger fein gesagt: satt, ohne die Ängste des Zukurzkommens und Zuwenigbekommens. Schon als ich auf ihn zuging, stand ich auf seiner Seite. Geld schafft freie und gute Menschen, und ich hatte an diesen moralischen Segnungen schon jetzt Anteil, als ich Hirsch gelassen und leise begrüßte, ohne Aufhebens, aber sehr höflich und mit dem inneren Freudestrahlen, das nichts beabsichtigt und niemanden besonders im Auge hat und nur aus dem eigenen Wohlbefinden, der Freude, in der eigenen Haut zu stecken, stammt. Auch Hirschs Nichtachtung störte mich nicht darin, und schon gar nicht der deutlich skeptische Blick der Engländerin. Diese Leute ließen solche Heerscharen von Menschen an sich vorüberziehen, daß sie sich nicht früher mit den Erscheinungen befaßten, als es notwendig war. Aber dieser Zeitpunkt stand bevor. Sie wußten es bloß noch nicht. Ich wurde gleich noch ein wenig unverbindlicher und noch etwas besser gelaunt.

Es sind manchmal ganz kleine Dinge, die mir ein Hochgefühl vermitteln. Man versuche einmal, mit Handtasche und im

Mantel an einem Museumswächter vorbei die Säle zu betreten. Waren die Privilegien, die Hirsch und seine Begleitung selbstverständlich überall fordern durften, hier schon bekannt, hatte ein Anruf die Direktion auf den hohen Besuch vorbereitet? Ich schwamm im Kielwasser sehr selbstverständlich mit und warf dem Wächter einen leutselig lächelnden Blick zu, den er, fürchte ich, nicht richtig verstand. Wir ließen uns durch die Säle treiben. Hirsch ging mit kleinen Schritten, aber ohne Mühe. Er war so leicht, daß er sich zum Ausruhen nicht setzen mußte. Gelegentlich nur blieb er stehen. Die Engländerin und ich neigten uns dann leicht, um seinen Blick unter der Hutkrempe zu erhaschen. Das grünliche Glas ließ sein Augenweiß wie durch eine Entzündung verdunkelt erscheinen. Um zu charakterisieren, wie richtig ich alles in seiner Gegenwart machte, wie genau ich den erforderlichen Ton traf, muß man die Gesetzmäßigkeit dieser Gespräche kennen, die ich schon in den ersten wenigen Worten ganz zutreffend erriet. Hirsch sagte etwas, häufig auf englisch, manchmal aber auch auf deutsch, was die Engländerin offenbar verstand, ohne allerdings jemals selbst ein deutsches Wort in den Mund zu nehmen.

»Berühren Sie die Frage der Herkunft nicht«, sagte Ryschen vorsorglich, als ob es bei mir solcher Ratschläge bedürfte, »Hirsch spricht zu perfekt Deutsch, um es erst als Erwachsener gelernt zu haben, aber er macht auch Fehler, die man in seiner Muttersprache nicht macht.«

Das war ja die offensichtliche Leistung der Hirschschen Existenz: sich von jedweder Abkunft, allen nationalen und soziologischen Fesseln gründlich befreit zu haben. Auf diesem Weg des numinosen, außerordentlichen Erfolgs der bindungsfreien Monade sollte er mein Führer sein. Er war ein wirklich freier Mann. Hirsch forderte keinerlei Zustimmung zu dem, was er befand. Er sagte etwas zu den Bildern, die er kaum aus dem Augenwinkel angesehen hatte, die er aber offenbar gut kannte, und die Engländerin antwortete eigentlich immer »nein«, sie waren sich in keinem Punkt einig. Was ihn interessierte, langweilte sie, was er gut fand, fand sie schlecht, was er schlecht fand, lobte sie. Das ging ohne die mindeste Aufregung vor sich. Womöglich sprach eine gewisse Gleichgültigkeit gegen die Anschauungen der Engländerin aus seinem Verhalten, obwohl er die dreißig Jahre Jüngere stets »Darling« nannte und auch von ihr so genannt wurde, ohne Zärtlichkeit und Liebesüberschwang, wie sich von selbst versteht, sondern mit der Sachlichkeit einer neu eingestellten hochbezahlten Gouvernante.

»Darling, da ist sie ja endlich, die Lucca-Madonna«, sagte Hirsch in einem Ton, als warne er die Engländerin vor einer Bodenunebenheit.

»I do not like madonnas very much«, antwortete die Engländerin und sandte einen leidenschaftslosen Blick in das van Eycksche Palastgehäuse hinein, das von dem Mantel der Jungfrau wie von einem großen roten ausgelegten Federbett ganz ausgefüllt wird.

»Erklären Sie mir den Reiz dieses Bildes«, sagte Hirsch. Ich hütete mich ein Wort zu sagen.

»Die Madonna ist doch eigentlich keine schöne Frau. Sie ist genaugenommen häßlich. Der ausrasierte Haaransatz entspricht der Mode, gut, darüber kann man nicht urteilen. Aber das restliche Haar wirkt dünn und etwas fettig, die Haut unfrisch, ermüdet; man kann sich schon vorstellen, wo die demnächst zu erwartenden Falten erscheinen werden. Die Madonna hat etwas Ältliches. Sie ist jungfräulich in einem sehr unvorteilhaften Sinn, eine alte Jungfer. Wahrscheinlich hat sie eiskalte Finger. Augen, Nasenlöcher und das Mündchen – alles ist auf eine schwächliche, kränkliche Weise überfein. Soll ich Ihnen sagen, wie die Lucca-Madonna aussieht? Wie ein vor Jahrzehnten in Spiritus eingelegter Embryo.«

Ich lachte bewußt nicht, ich hätte es unverzeihlich naiv gefunden, über eine die analytische Richtigkeit beanspruchende Äußerung zu lachen.

»Und doch ist sie schön. Im Zusammenhang des Ganzen ist sie vollendet schön. Es ist, als lerne man eine Sprache kennen, die die Wörter der uns bekannten Sprachen umdreht und aus ihnen das Entgegengesetzte macht, bis man schließlich nur noch die neue Sprache und die von ihr okkupierten Bedeutungen vernimmt. So ging es mir, als ich fünf Jahre in Shanghai lebte. Übrigens hat sie etwas Chinesisches, nicht wahr, Darling?«

»Not at all, my dear, she looks British.«

Plötzlich hob Hirsch den Kopf, faßte mich ins Auge und lächelte ganz leicht. Das Glitzern der Augen hinter den hellgrünen Gläsern war übrigens nicht angenehm. Sein Blick hatte etwas Wundes, Krankhaftes, etwas, das man eigentlich nicht sehen sollte. Die Lucca-Madonna habe durchaus etwas mit seinem Aufenthalt hier in Frankfurt zu tun, sie stehe in einem historischen, gar welthistorischen Zusammenhang mit den Gründen seines Besuches hier.

»Hat Ryschen nichts erzählt?«

Was, glaubt man, hätte ich geantwortet, wenn Ryschen mich, schwatzhaft, wie er ist, eingeweiht hätte? Wenn er geschwiegen hatte, ging es wohl um viel Geld. Ich wisse von nichts, sagte ich mit solchem Nachdruck, daß ein Menschenkenner aufhorchen mußte. So legte ich meine Minen.

»Der Teppich, betrachten Sie den Teppich, das war eine gute Zeit für persische Teppiche, das fünfzehnte Jahrhundert. Dann die türkisfarbenen Kacheln, die am Sockel herumlaufen – vorzügliche Fayence! Damals konnte man vom Orient noch etwas lernen. Der Import lohnte sich. Da war eine vielleicht nicht überlegene Kultur – die Kathedralen sind ja auch kein Pappenstiel –, aber doch eine außergewöhnliche Höhe des Niveaus. Was wollen Sie jetzt einführen aus den Ländern, aus denen dieser Teppich und diese Fayencen stammen? Statt dessen versuchen sie nun von dort an ihre in Europa und Amerika gesammelten Kunstwerke heranzukommen.«

»I don't like the Arabians very much«, sagte die Engländerin.

»Für Araber gebe ich dir recht, aber Türken haben wir sehr kultivierte kennengelernt«.

»Whom? Mr. Özdemir?«

»Zum Beispiel auch Mr. Özdemir.«

»Mr. Özdemir is horrible.«

Beim Mittagessen mit Ryschen kam Hirsch noch einmal auf seine Andeutungen zurück. Ich verfolgte etwas beklommen, wie der Oberkellner eine Rotweinflasche vorsichtig in eine Glaskaraffe leerte und dabei mit der Kerze den in den Hals fließenden Wein prüfte. Solche Manöver gelangen in Frankfurt nie ganz glaubwürdig. Ryschen liebte so etwas, hatte es dem Kellner womöglich einmal beigebracht. Hirsch zuckte nicht, wie ich beruhigt feststellte.

»Asiatischer Luxus«, zitierte Hirsch, aus Puschkin, wie er schnell hinzufügte: das sei eine romantische Verklärung, richtiger spreche man von asiatischem Schweinestall, der Luxus sei europäisch. Vom Persischen Golf sei ein Sammler herbeigeeilt, dem er morgen einen Koran aus dem siebten Jahrhundert für einen, wie er in kokettem Bedauern sagte, leider sehr hohen Preis überreichen werde.

»Und dann bringt er diesen Koran, wundervoll geschrieben, in religiöser Strenge, keine überbordende Dekoration, in seinen von amerikanischen Innenarchitekten ausgestatteten Palast. Und er begreift nicht, daß dieser Koran noch jahrzehntelang den üblen Geruch an sich tragen wird, ein Gegenstand des Kommerzes gewesen zu sein. Ich habe mich von allen Religionen gelöst, aber soviel erkenne ich an: das Phänomen der Unreinheit. Es gibt unreine Dinge, die man nicht ohne Gefahr berührt.«

Das war der Geist, in dem diese Gespräche abliefen. Von Ryschen hatte ich, mit der Feierlichkeit und Wichtigkeit, die er seinem hochherzigen Protektorentum schuldig war, erfahren, daß Doktor Hirsch, der »weltweit bedeutendste, weltweit einflußreichste, weltweit erfolgreichste Antiquar« – in diesem häßlichen Superlativstil glaubte er mich beeindrucken zu müssen, der ich aufgrund gelegentlicher Informationen und Einblicke doch wahrhaft beeindruckt genug war – einen Assistenten suche, einen hochbegabten jungen Wissenschaftler, aber nicht ohne geschäftliche Neigungen, keinen Bewohner des Elfenbeinturms, wie er selbst, Hirsch, es allzulange gewesen sei – die Miete dort sei hoch, fast unbezahlbar. Er sei alt, das sei er im übrigen schon lange, jetzt aber fühle er sich auch alt. Er entdecke beispielsweise neuerdings väterliche Gefühle für seine englische Sekretärin. »Wenn ich mit ihr in einem Museum auftrete, fühle ich mich wie der geblendete Ödipus mit seinen Töchtern, jedes Haus, in dem wir absteigen, wird mir zum Hotel Kolonos.« An solcher Art Scherze merke man hinreichend, daß der alte Hirschsche Ehrgeiz noch nicht eingeschlafen sei, aber schwächer werde: das früher Undenkbare, daß ein fremder Mann in die Hirschschen Angelegenheiten hineinschaute, sei jetzt eben denkbar. Und bei einem solchen Realisten bedeute das nur eines: der Mann, der diese Einblicke dann *malgré lui* schließlich doch erhalte, dem werde, in naher Zukunft, konsequenterweise der ganze Laden übergeben werden, wenn er es nicht allzu ungeschickt anstelle.

»Hirsch Bros. successor« – das können Sie sein!« sagte Ryschen und legte sofort danach mit geradezu drohender

Miene den Finger auf die Lippen: immer daran denken, nie davon reden, sollte das heißen.

»Und die Engländerin?« fragte ich.

»Die ist längst abgefunden«, antwortete Ryschen, als sei ihm dieser Streich selbst eingefallen.

Drittes Kapitel

Die Wäscherei lag drei Häuser von meiner Wohnung entfernt, und das ist der einzige Grund dafür, daß ich so lange meine Wäsche dorthin gebracht habe. Es wurde in dieser Wäscherei im Grunde nichts so gemacht, wie ich das haben wollte. Ich möchte, daß man meine Hemden zusammenfaltet und in ein Paket packt. Wenn ich verreise, ist das angenehm: ich nehme das gefaltete Hemd aus der Kommode und lege es in den Koffer. Aber auch ohne diesen Gedanken an die Reise ist ein Hemd für mich etwas, das liegt, und nicht etwas, das hängt. Es ist widersinnig und im eigentlichen Gebrauch des Wortes geschmacklos, ein frisches Hemd auf einen Kleiderbügel in den Schrank zu hängen, weil Hemden zur Wäsche gehören und Wäsche immer etwas Gefaltetes ist, mit diesen starren Falten vom Bügeln und Zusammenlegen, die ein Anzeichen der Frische und Reinheit und Gepflegtheit sind; das unterscheidet ein Wäschestück von einem Lappen, der nicht diese exakten Falten hat; seine Faltenlosigkeit ist ein Ausdruck seiner Schmuddeligkeit. Eines Tages dann hatten sie in dieser Wäscherei eine Zaubermaschine, die sicher teuer war und deren Anwendung die Frauen dort entzückte. Man hängte ein Hemd auf einen Bügel, drückte einen Hebel, und schneller, als das Auge es verfolgen konnte, war das Hemd in eine schillernde Haut aus Kunststoff eingepackt. Wenn einem solch ein wundersam eingehülltes Hemd überreicht wurde, geschah das stets mit dem Anspruch, hier sei etwas Besonderes geleistet worden. Meine Hemden sollen aber in ein starres, laut raschelndes, krachendes, blau-weiß bedrucktes Papier eingepackt werden, so sieht ein klassisches Wäschereipaket aus. Davon konnte man in meiner Wäscherei natürlich nichts wissen. Der Besitzer war Türke und gewiß nicht in einer Wäscherei groß geworden. Wer weiß, was er in seinem Leben schon alles betrieben hatte. Nie hätte man ihn für einen Türken gehalten. Er hatte nicht diese asiatische Knochigkeit, die Schmallippigkeit und Schiefäugigkeit der turkmenischen Reitervölker, denen der Gegenwind immer scharf um die Nase zu wehen scheint, ja, deren Gesichter durch dauernde Winderosion geradezu geformt wurden wie manche Berglandschaften mit scharfen Graten und tief eingeschnittenen Furchen. Der Wäschereibesitzer – der vielleicht außerdem ein Photokopierladenbesitzer, ein Sonnenstudiobesitzer, ein Reisebürobesitzer, ein Massagesalon-, ein Dönerkebab-, ein Gebrauchtwagenfirmenbesitzer war, vertrat im großosmanischen Zusammenhang den ägyptischen Typus: bräunlich, gequollen, säuglingshaft sinnlich, großäugig und dicklippig. Er war immer unterwegs, dabei aber höchst gelassen, ja melancholisch. Er traf immer gerade erst ein, wenn ich meine Wäsche brachte oder, häufig vergeblich, nach der fertigen Wäsche fragte. Diese Wäscherei war ganz deutlich nicht sein Hauptquartier. In seiner Nachlässigkeit war er ein eleganter Mann, mit weiten Flanellhosen und weiten hellblauen Hemden, die bequem um den runden Bauch herum saßen und oft auch aus der Hose heraushingen als Zeichen einer herrenhaften Sorglosigkeit, auch Privatheit. Es sah nie aus, als arbeite er. Er trat nur immer hinzu, ließ die nachdenklichen Augen über die Kakteen und die langen Gestelle mit kunststoffverpackten Kleidern schweifen, bewegte die Lippen, als kalkuliere er etwas, und ging mit langsamen Schritten wieder zu seinem schönen großen Auto, das zum Zeichen der Flüchtigkeit seines Aufenthaltes stets schräg geparkt war, die Türen nicht abgeschlossen. In der Wäscherei arbeiteten immer andere Frauen und füllten die Kärtchen aus, mit deren Hilfe sie die Wäsche wiederfinden sollten und doch oft nicht fanden. Dann zeigte der Chef, was in ihm steckte. Er gehörte eben nicht zu dem Personal seines Geschäfts. Er stand auf der anderen Seite der Barriere, auf meiner Seite. Es war eine grundsätzliche Sympathie zwischen uns, so deutete er das an. Er sah, wie ich, den Geschäftsbetrieb der Wäschereiannahme von außen, und zwar mit dem kritischen Blick des heiklen Kunden, der über vieles, was er dort vorfand, nur den Kopf schütteln kann. Und doch gab er den ausweglosen, gereizten und stumpfsinnigen Dialogen zwischen mir und der Frau hinter der Theke – »Ich habe die Hose aber vor einer Woche abgegeben«, »Die Hose ist aber nicht da, ich kann auch nichts machen«, »Ich habe sie aber abgegeben« – häufig eine überraschende Wendung.

»Ich weiß, wo Ihre Hose ist«, sagte er dann. »Eine graue? Nein, eine weiße? Grau – weiß, anthrazit? Hell – dunkel, aus Wolle oder aus Leinen? Ich habe sie gesehen. Ich weiß, wo sie wahrscheinlich ist. Ich werde sie suchen. Ich muß sowieso wieder suchen. Nicht heute, bitte. Am Sonntag. Am Montag können Sie die Hose abholen.«

Den Zettel mit der Nummer wies er stets zurück. Danach könne er nicht gehen. An der Hose sei ohnehin wahrscheinlich keine Nummer mehr dran. Einmal nahm er mich in den Keller mit. Der große Raum war mit einem Berg von Kleidern gefüllt, ein widerwärtiger Anblick. Obwohl alles gewaschen war, glaubte ich, dieser Haufen müsse von fremden intimen Lebensspuren stinken. Auf Socken watete der Türke in diesem Meer oder Sumpf und zog immer neue Hemden und Unterhosen daraus hervor, wiegte den Kopf und ließ sie wieder fallen. Er war wie der Hirte einer riesigen Schafherde, der jedes Tier darin kennt und weiß, wem es gehört. Aber der bäuerlich ländliche Vergleich ist unpassend, dazu war der Mann zu städtisch, levantinisch-kaufmannshaft mit seiner lose um das Handgelenk geschlungenen goldenen Uhr und seinen bohèmeartigen Nackenlocken.

»Es geht mir nicht gut«, sagte er vor gar nicht langer Zeit zu mir, als ich ihn ganz konventionell nach seinem Befinden fragte. Er stand unter Druck, das mußte heraus, auch wenn ich mit dem, was ihn da belasten mochte, gar nichts anfangen konnte. Den Frauen in seinem Laden teilte er seine Sorgen offenbar nicht mit, auch wenn sie ihn wie eine dunkle Wolke auf Schritt und Tritt umgaben.

»Der Verkehr in Istanbul! Zu viele Menschen, zu viele Autos, eine vergiftete Luft – Sie können nicht atmen!« Nun war er schon wochenlang wieder in Frankfurt, in dieser toten unfruchtbaren Straße mit ihren sentimentalen Vorgärten und ihren am Mittag zu kleinen Imbißstuben ziehenden Angestellten als einzigem Verkehr, und immer noch schnürte ihm »die Stadt«, wie schon die Griechen ihr Konstantinopel nannten, die Kehle zu. Der Türke hatte tiefe dunkle Ringe unter den Augen in seinem freundlich fetten Gesicht.

»Er hat Ärger im Geschäft mit dem Kompagnon, aber vor allem mit den Frauen«, sagte der Wasserhäuschenbesitzer aus seinem Loch heraus zu einer Frau mit kleinem Hund, die eine

Zeitung kaufte, und ich wußte sofort, daß er von dem Türken aus der Wäscherei sprach. Es war mir jetzt plötzlich klar, daß ich an dem Türken schon immer etwas Erotisches gespürt hatte, eine erotische Art von Müdigkeit, eine erotische Zerschlagenheit, eine aus erotischer Knechtschaft stammende Erschöpfung, das Sorgenvolle, Milde und friedlich Sachliche eines von erotischer Fesselung und Qual um alle Streitsucht und Illusion gebrachten Menschen, und ich vermute, daß die distanzierte Sympathie, die ich für ihn empfand, eine Geschlechtsgenossensolidarität ausdrückte, ein von meiner gelebten Erfahrung aus gänzlich unangemessenes »Ich weiß schon, wie dir zumute ist«, das in Wahrheit eine Neugier und einen Neid verbarg, die ich mir in meiner Unwissenheit freilich auch gar nicht eingestand.

Daß die Frauen hinter der Theke im Leben ihres Chefs eine Rolle spielten, darauf kam ich nie. Sie waren nicht reizvoll – eine überaus dümmliche Feststellung, als seien Reize etwas Objektives und als sei ich allein dazu ausersehen, das Vorliegen dieses Objektiven zu registrieren. Ich habe sie mir nicht genau angesehen. Meist waren es wohl Frauen mit kurzgeschnittenen gefärbten Haaren in Hosen, mit abgebrochenen Fingernägeln, geschmückt mit einem um den Nacken gelegten gelben Metermaß. Kleine Änderungen führten sie an der Nähmaschine im Hintergrund des Ladens durch, Kompliziertes vertraute man den Frauen besser nicht an. Eine enttäuschte Ehefrau mochte sich unter diesen Gehilfinnen, die allesamt etwas Unfrohes hatten, aufhalten. Ich bin davon überzeugt, daß der Wäschereibesitzer ohne häusliches Unglück, nagende seelische Misere, gefühlsmäßige Überanstrengung und andere seelische Beeinträchtigungen das berühmte schlechte Klima von Istanbul überhaupt nicht wahrgenommen hätte. Wer kümmert sich denn schon ums Klima, solange die Pulse noch kräftig schlagen und die Hoffnungen nicht gestorben sind?

Dem neuen Mädchen in der Wäscherei begegnete ich am Wasserhäuschen, wo es sich mit der Frau des Wasserhäuschenmannes unterhielt und eine Zigarette rauchte. Sie sprach viel flüssiger Deutsch als ihr Chef, wenngleich nicht besonders schön, aber wer tut das heute schon. Ich sah sie zunächst nur von hinten, einen jungen, in dehnbarer enger Hose und Kunststoffspitzenoberteil vollständig sichtbar gemachten Körper von einer straffen, runden Gesundheit, die schon ans Charakterlose grenzte. Nur das vielsträhnig gefärbte, zu einer unordentlichen Schlangenfrisur hochgesteckte Haar ließ an einen speziellen Geschmack denken, an eine Schauspielerin, die sich zum Vorsprechen einer leidenschaftlichen Szene vorbereitet. Das Mädchen hatte das Vertrauen der Wasserhäuschenfrau gewonnen. Ich verkehrte in den Läden der Umgebung zu unregelmäßig, um über die Veränderungen in den jeweiligen Besatzungen immer auf dem laufenden zu sein. Das erste, was ich hörte, war ihre Stimme, hell und rauh, von der Heiserkeit eines Buben im Stimmbruch. Man kann sich nicht vorstellen, daß solche Stimmen anders als gellend und durchdringend singen, aber als Sprechstimmen sind sie zwar vibrationsarm, doch nicht ohne Anmut. Sie wirken redlich, und das kann sehr rührend sein.

»Ich rauche nie im Geschäft«, sagte das Mädchen, »das gibt es bei mir nicht! Wo frische Wäsche und gereinigte Kleider hängen, da muß die Luft sauber sein. Eine einzige Zigarette zieht sofort in alles ein, da hilft kein Plastik. Wir haben da ganz schlimme Erfahrungen gemacht.«

Ihre Vorgängerin hatte geraucht, um die Nähmaschine herum waberten ständig stille bläuliche Wolken, und auch der Wäschetürke stand oft vor der Tür und konsumierte konzentriert eine Zigarette, als führe er sich ein Stärkungsmittel zu. Der Zigarettenrauch störte mich viel weniger als die Duftstoffe, die hier den Waschmitteln beigegeben waren und die einem aus der Folie befreiten Wäschestück die gemeinsten Gerüche entströmen ließen, einen süßen Vanille- und Bananen- und Rosenduft.

Daß frische Wäsche vollständig geruchlos zu sein hat, oder allenfalls schwach nach Stärke oder höchstens ganz entfernt und ahnungsweise nach etwas Bitterem, Lavendelartigem riechen darf, war hier nicht begreiflich zu machen. Wer weiß, welche abscheuliche Flasche man wohl geöffnet hätte, wenn jemand aus der Kundschaft unvorsichtigerweise jemals das Wort Lavendel hätte fallenlassen.

Plötzlich drehte sich das Mädchen um und sah mir in die Augen. Hatte sie gefühlt, daß hinter ihr jemand stand, an dem unerklärlichen Kitzel zwischen den Schulterblättern, der einen mitunter eine fremde Gegenwart ahnen läßt? War der Wasserhäuschenfrau eine durch mich hervorgerufene Zerstreutheit anzumerken? Diese Frau hielt ich für völlig unempfindlich. Sie ließ sich in ihren Unterhaltungen auch durch viele Wartende nicht stören.

»Sie wollen zu mir?« sagte das Mädchen, aber dies war weniger eine Frage an mich als vielmehr ein geradezu militärischer Appell an sich selbst; ihr junges Fuchsbellen sollte sie selbst zu Eifer und Beflissenheit im Umgang mit Kunden mahnen. Ihr Gesicht war herzförmig: ein spitzes kleines Kinn und weit auseinanderliegende weiße Wangen. Die Augen waren graugrün, etwas Milchbraunes war auch darin, hellgefleckt könnte man sagen, und mir fiel sofort auf, wie richtig und glücklich die etwas brandigen roten Locken, die sie sich in das tiefbraune Haar hineingebleicht hatte, zu diesen Augen standen.

»Bis später, Jasmin!« sagte die Wasserhäuschenfrau. Das Mädchen ging mir ernst voran.

»Ich habe hier ein Chaos vorgefunden. So kann das unmöglich weitergehen. Und die Kaktee fliegt auch raus. Ich brauche am Fenster den Platz.« Das waren Worte, die sich gewiß nicht an mich richteten, vielleicht nicht einmal an den abwesenden, wie ich erfuhr jedoch längst erwarteten Chef.

»Entschuldigen Sie«, sagte sie wie aufschreckend und nun unzweifelhaft an mich gewandt, »ich spreche nicht mit Ihnen. Ich spreche mit mir selbst. Sie müssen wissen, ich kann nicht denken, wenn ich nicht spreche. Ich kann nicht!« Das klang wie ein Schwur. Sie sah mich dabei mit einer schrankenlosen Offenheit an. Ich fühlte, daß sie mich von oben bis unten ansah. Sie sah mich an, wie man einen Berg oder einen Baum ansieht. Dann war sie mit etwas anderem befaßt, mit meinen Zetteln. Sie studierte sie mit rückhaltloser Hingabe und wurde dabei von einem immer tieferen Staunen überwältigt.

»Woher haben Sie denn diese Zettel? Wer hat Ihnen denn diese Zettel gegeben? Diese Zettel gibt es gar nicht! Diese Nummern kann es gar nicht geben. Wann haben Sie die Sachen abgegeben?«

»Vorige Woche.«

»Vorige Woche.« Das Staunen machte sie für eine Weile stumm. »Dann kann nur folgendes sein …« Das war wiederum nicht an mich gerichtet, das war wieder ihr Denken. »Wir wissen nämlich hier nicht, was wir reinkriegen. Wir haben sowieso keine Kontrolle, was hier rein- und rausgeht. Was reinkommt, kann auch später kommen oder manchmal auch gar nicht und dann nächste Woche dabeisein. Fragen nützt jedenfalls überhaupt nichts. Wenn die Wäsche hier weg ist, kann sowieso nichts festgestellt werden. Oder nur später. Es ist eine gute Chance, daß alles noch da ist. Oder wiederkommt.« Nun wieder mit festem aufrichtigem Blick zu mir: »Das sind doch auch wirklich Ihre Zettel?«

Wer das liest, mag das komisch finden. Aber die komische Person war ich. Was riß mich dazu hin, in dieser Wäscherei wütend zu werden und mit schneidender Stimme Drohreden zu führen: daß ich augenblicklich die Herausgabe meiner Wäsche verlange, daß ich die Unzuverlässigkeiten dieses Ladens schon lange leid sei, daß man glauben könne, diese Wäscherei betreibe einen Verleih mit der eingelieferten Wäsche. Zu dem Besitzer hätte ich das alles jedenfalls nie gesagt. Er stand ja auf meiner Seite, in kopfschüttelnder Illoyalität zu seinem Geschäft. Während meiner Schimpfkanonade sah sie mich ruhig und fest an. Sie ließ sich nicht zum Zorn reizen, aber sie empfand mich, nachdem sie mich offen in all ihre Überlegungen eingeweiht hatte, als ungerecht. Ihre Festigkeit hatte etwas Flammendes, so wollte mir scheinen.

Der Wäschetürke trat auf. Sie wandte sich von mir ab, reichte ihm stumm meine Zettel und ging weg, ohne mich noch einmal anzusehen. Er wußte sofort Bescheid.

»Die Sachen kommen morgen.«

»Das macht gar nichts, morgen reicht auch noch«, sagte ich lauter als nötig und geradezu herzlich. Im Hintergrund saß das Mädchen über der Nähmaschine und hielt den Kopf tief gebeugt.

VIERTES KAPITEL

Man versteht schon, daß dieser peinliche kleine Skandal in der Wäscherei überhaupt nur Bedeutung in meinem seelischen Haushalt erlangen konnte, weil ich mich geistig bereits in ganz anderen Bezirken bewegte. Auf solche Einbrüche der Banalität war ich bei allem, was ich unmittelbar vor mir sah, einfach nicht mehr gefaßt. Ich war durch die Begegnung mit Hirsch bereits ein anderer Mensch geworden. Die Haut, die mich umgeben hatte, platzte, und ich stieg aus ihr hervor als der, der ich eigentlich zu sein bestimmt war. Das war nicht nur ein inneres Erlebnis, auch Ryschen stellte so etwas fest, wie ich an seiner verdutzten und recht unangenehm berührten Miene nicht ohne Triumph wahrnahm.

Bei allen ganz großen Laufbahnen scheint sich im nachhinein und aus einer gewissen Distanz jede Station mühelos und zwangsläufig aus der vorhergehenden ergeben zu haben. Eine solche Karriere liest sich in ihrer Nahtlosigkeit dann wie die Folge der englischen Könige seit Eduard dem Bekenner, wo auch immer einer nach dem anderen kam, aber eben, wie wir wissen, keineswegs so naht- und bruchlos, wie das in einer solchen Liste für Schulkinder erscheint. Meine Promotion war glanzvoll gewesen, so glanzvoll, wie ein akademisches Ereignis nun einmal zu sein vermag, also in den engsten Grenzen. Das zeigte schon der kleine Empfang in den muffigen Räumen der Institutsbibliothek mit einigen halb mißgünstigen, halb desinteressierten Kollegen, die aus Plastikbechern warmen Sekt tranken. Daß ich nicht an der Universität bleiben wollte, machte mich augenblicklich zur Unperson. Gewiß, ich wollte nicht an der Universität bleiben, und ich wollte schon gar nicht unter Ryschen dienen, aber ich hätte – bei nüchterner Betrachtung – diese Option wohl auch gar nicht besessen. Mit Ryschen und mir war es zu Ende, da nützte kein weiteres Analysieren. Er fühlte sich verpflichtet, mich auf irgendeine ordentliche Schiene zu setzen, weil ich ihm in seiner Nähe auf die Dauer bedrückend geworden wäre. Daß er mich mit Hirsch zusammenbrachte, ging über sein tatsächliches Wohlwollen hinaus, ein paar Stufen drunter hätte er mich lieber gesehen, und er bereute auch schon seine väterliche Freundschaft und war deutlich stiller in meiner und Hirschs Gegenwart.

Nach außen hin sah das alles indes ganz einfach und geradezu logisch aus: Ryschens bester Mann ging nach New York zu Hirsch Brothers und arbeitete sich dort ein, um dort zu bleiben. Wenn nun Hirsch seinen Koran an den Sammler aus Oman nicht zufällig gerade jetzt hätte übergeben müssen, wenn er statt dessen seinen besten Freund und Gewährsmann in Caracas oder Boston um einen hilfreichen Assistenten befragt hätte, man kann auch früher anfangen: wenn Ryschen nicht zufällig Schweizer gewesen wäre – ich glaube nämlich, daß seine gesamte Autorität bei Hirsch vor allem darauf beruhte, daß er

Schweizer war –, dann hätte ich mit meiner stolzen Promotion – wer redet denn schon von der Qualität einer Promotion, Promotionen sind Selbstverständlichkeiten, die darf man kaum einmal anekdotisch erwähnen – noch nicht einmal in den Schuldienst gehen dürfen, so schwierig, wie das inzwischen geworden ist.

Ich war, wie man sieht, zum außergewöhnlichen, zum triumphalen Aufstieg geradezu verurteilt. Der stupende Erfolg oder das Nichts – eine napoleonische Alternative, so darf man das auch in den engeren Grenzen einer Philologenbiographie einmal nennen. Im übrigen kommt es ja nur aufs Subjektive an. Ich fühlte mich nach verzehrender und mich weitgehend unbefriedigt und unsicher stimmender Arbeit an dem nun bald hoffentlich zum letzten Mal erwähnten Doktorthema zunächst tief niedergeschlagen, hoffnungslos, zur Freude außerstande und eigentlich sogar verloren und nun wie von Adlerklauen ergriffen und in reinliche frostige Höhen, in lapislazulifarbene Bläue gehoben, von wo ich den kleinen von Wolkengespinst umwobenen Erdball aus sehr großer Entfernung betrachtete. Wie überlegen in dieser Welt Fragen behandelt wurden, um die dem Vernehmen nach – Geschäftserfahrungen besitze ich ja noch keine – anderswo zäh und übellaunig gestritten wird! Was mein Gehalt anging, sah Hirsch nicht die kleinste Schwierigkeit. Wahrscheinlich wolle ich erst einmal sehen, wessen ich in der neuen Umgebung bedürfe. Ich müsse mich ja erst einmal installieren. Man sehe dann, was ich bekommen müsse.

»Ich veranlasse jetzt zunächst, daß Ihnen eine gewisse Summe zur Verfügung steht, und wenn Sie mehr brauchen, sagen Sie es der Buchhaltung.« Die Buchhaltung – er hatte bei diesem Wort mit ironischem Lächeln der Engländerin die Hand getätschelt – blickte nicht alarmiert: so schienen die Dinge dort zu laufen.

Die Welt, in der ohne weiteres zur Verfügung steht, was man eben so braucht, lag zum Greifen nahe, aber noch umgab mich die Welt, die mich zwar niemals hatte Not leiden lassen, aber viel mehr als das unbedingt Erforderliche – und zwar nicht nach meinem Maßstab gemessen – auch nicht herausrücken wollte.

Da hatte ich nun ein besonders schönes Hemd, ein englisches Hemd, von dessen Art ich bald schon Dutzende besitzen würde, und dieses Hemd hätte ich begreiflicherweise zu dem abendlichen, dem zweiten Treffen mit Hirsch gern angezogen. Und nun war ausgerechnet dieses Hemd in der Hölle meiner türkischen Wäscherei, die mich ohnehin niemals zufriedenstellte und der ich nur aufgrund meiner Überarbeitung treu geblieben war, verschwunden. Jetzt mußte ich die Rechnung für meine Unfähigkeit, in solchen ökonomischen Entscheidungen schnell und gründlich Ordnung zu schaffen, bezahlen. Durfte ich nicht empört sein, wie rücksichtslos und schlampig dort die Geschäfte betrieben wurden? Und war es nicht dreist, wie sich in dem jungen Mädchen mit dem mir unbedingt kitschig vorkommenden Namen Jasmin schon das spezifisch deutsche Schlampwesen und die spezifisch deutsche Ungezogenheit mit dem spezifisch orientalisch-asiatischen Schlampwesen und der spezifisch asiatisch-orientalischen Ungezogenheit verbunden hatten? Asiatische Unendlichkeiten in Zeit und Raum, Steppen- und Wüstenraum – und Zeitlosigkeit, die Unmöglichkeit, hier mehr als punktuell den Schrecken zu organisieren, dazu eine Philosophie und Religion, die das Kommen und Gehen der Wäschestücke, ihr ewiges Verschwinden und ihr unverhofftes gnädig gewährtes Wiederauftauchen den höheren Mächten geduldig anheimstellen – damit war schon schwer genug zu leben. Aber nun kamen noch diese satanische Entartung der Bürokratie dazu, das Bestehen auf einem durchdachten, nach eisernen Regeln ablaufenden System des Abholens und Anlieferns, das Operieren mit Nummern, das Errichten von hieb- und stichfesten Argumentationsgebäuden, um dem wehrlosen Kunden sein Unrecht nachzuweisen. Das hatte diese Jasmin schon alles gelernt, als sie sich den Geist der deutschen Sprache einverleibte.

Warum bereute ich dennoch meine Gereiztheit, je mehr Gründe ich dafür herbeischaffte, zu Recht aufgebracht gewesen zu sein? Was sie gesagt hatte, habe ich getreu wiedergegeben. Aber ist mir das gleichermaßen mit der Art gelungen, wie sie es sagte? War es denn wirklich die gewöhnliche unverschämte Ladenmädchenrechthaberei, die hier zum Ausdruck gekommen war? Waren nicht alle ihre Worte von dem Ausdruck der Ehrenhaftigkeit, der Einfachheit, der Aufrichtigkeit begleitet? War sie nicht in eine Lage versetzt, die viel von ihr verlangte? Mit diesen engen Stretch-Spitzen, mit diesen Hosen, die ihren ganzen

Unterkörper zusammenquetschten, so daß das Gehen, auf jeden Fall aber das Bücken schwerfiel, mit dieser vom völligen Auseinanderfallen bedrohten Frisur war sie nicht dafür gerüstet, einen Laden allein zu verteidigen. Das war eine Aufgabe, die vielleicht nicht zu schwer für sie war, die aber zu ihrer Bewältigung die Verleugnung und Vergewaltigung ihrer wirklichen Eigenschaften forderte. Mir war nicht klar, wofür Jasmin eigentlich geschaffen war – nicht zur Trägheit und Langeweile gewiß, dazu war sie zu anmutig und biegsam, aber das Verhandeln und Disputieren an einer Theke, das mußte ihr ein mitfühlender Freund eigentlich ersparen. Dieser Gedanke richtete sich gegen den Wäschetürken. Ich fragte mich plötzlich, ob sie seine Geliebte sei.

Ich hätte das Mädchen segnen müssen, daß das Hemd nicht da war, so vorzüglich verlief der Abend. Ich habe da ein eigenes System, an das ich fest glaube, jedenfalls stets, wenn es sich bestätigt, denn um es ganz gezielt einzusetzen, fehlen mir die Nerven. Ich habe vielfach festgestellt, daß wichtige Abende, Liebesverabredungen, Einladungen bei Leuten, denen man aus irgendwelchen Gründen gefallen möchte, oder auch ganz allgemein Feste und größere Zusammenkünfte, die aus irgendwelchen Gründen schwierig schienen, stets gelangen, wenn ich nicht in jeder Hinsicht ordentlich angezogen war, mit ungeputzten Schuhen erschien oder fehlendem Hemdknopf. Dann gestalteten sich diese Abende erfolgreich, herzlich, amüsant. Wenn genügend Zeit da war, sich gelassen und sorgfältig auf sie vorzubereiten, wurden sie lähmend, bleiern, sogar ungut. Es war und ist, als ziehe eine vollständige Korrektheit der Erscheinung allzuviel Energie auf sich. Das hast du nun geleistet, scheint man höheren Orts zu bemerken, und nun sieh, wie du damit zurechtkommst – gar nicht nämlich. Die Kräfte, die solche sozialen Anlässe zu befeuern oder zu löschen vermögen, bedürfen offenbar eines Lochs, um hineinzufinden in den Kreis, ein Mangel, ein Vakuum muß da sein, damit sie sich einnisten.

War es nicht, als hätte das Mädchen mir zeigen wollen, daß es in meiner Beziehung zu Hirsch nicht darum gehen konnte, mit einem zugegebenermaßen schönen Hemd eine Art Kulisse aufzubauen? Wenn ich es trug, war es eine Selbstverständlichkeit, daß ich so etwas trug, wenn ich es nicht trug, wurde das gar nicht bemerkt, und außerdem sollte ich ja auch nicht als ein

Fertiger da auftreten, sondern als jemand, der noch zu formen und zu bilden war, und so wenig ich es schätzte, wenn Ryschen den Eindruck hatte und so tat, als könne er meiner Person noch etwas Bedeutendes hinzufügen – bei Hirsch war ich zu allem bereit, denn da wartete eben auch der Lohn, der einzig akzeptable: der große, der inkommensurable Erfolg. Erfolg bedeutete Geld, aber gleichzeitig, und das war vielleicht noch wichtiger, Persönlichkeit, die erst entsteht, wenn das Geld mit ungewöhnlichen Gegenständen, im Umgang mit ungewöhnlichen Menschen an ungewöhnlichen Orten erworben wird. Einfluß, ein weiterer wichtiger Begriff in diesem Zusammenhang. Der Einfluß Hirschs auf die Politik der Pierpont Morgan Library oder anderer gewaltiger Institutionen, wie zu hören war, schuf ihm dort Denkmäler vom Format unsichtbarer Pyramiden, nur dem Kenner einschätzbare Zeichen einer Jahrhundertleistung, zu der freilich außergewöhnlich günstige Umstände, wie der Zusammenbruch Europas, die Voraussetzung bildeten. Solche begünstigenden Katastrophen ereigneten sich nicht jedes Jahr, aber es galt ja auch nicht, die bereits errichteten Pyramiden aufeinanderzutürmen, sondern es war auch schon schön, das Erreichte immer neu und nachdrücklich zur Geltung zu bringen.

Ich wäre bereit gewesen, sehr viel, alles für diese Chance zu geben, bei Hirsch zu arbeiten und recht eigentlich »einzusteigen«, wie es heißt, und mich dort festzusetzen und nach dem Einsteigen auch aufzusteigen. Ich war in der glücklichen Lage, für das Geschenk aller fördernden launischen guten Geister eigentlich gar nichts aufgeben zu müssen. Es wurde kein Opfer verlangt. Ich bekam das Glück gratis.

Wurzeln geschlagen hatte ich in Frankfurt nie. Meine Mutter ist mit ihrem zweiten Mann nach Hamburg gezogen. Wir werden uns keine Stunde mehr oder weniger sehen, wenn ich statt aus Frankfurt aus New York anreise, vielleicht sogar öfter, denn sie könnte mich besuchen, wozu in Frankfurt kein richtiger Anreiz bestand. Den Bekanntschaften, die man so macht, kehre ich ohne Bedauern den Rücken. Wir werden uns nicht fehlen. Die Wohnung loszuwerden, würde keine Schwierigkeit sein. Man sieht, ich machte Bilanz. Ziemlich viel Lebenszeit mit inneren Kämpfen und hartnäckiger Arbeit und einer ansehnlichen Leistung schließlich hatte ich in Frankfurt verbracht, aber unterm Strich fand ich nicht viel. Wenn ich zu Hirsch ehrlich hätte sein wollen, so ehrlich, wie man es einem Beichtvater gegenüber sein müßte und wie es in unserem Verhältnis ganz unangebracht war, dann hätte ich auf diese was die Lebensdinge, den Lebensgewinn angeht vollständig leeren Hände verweisen müssen.

»Ich bringe nichts mit, wenn ich zu Ihnen komme, keinen Erfahrungsschatz, keine überwundenen Leiden, keine irgendwie ›gesteigerte und kohobierte Substanz‹ – das erwarte ich nun alles von Ihnen, nebst Karriere und eindrucksvollen Finanzen«, so hätte solch ein Offenbarungseid eigentlich formuliert sein können und müssen.

Es war vom Standpunkt eines fast Sechsunddreißigjährigen, der sich, wie das heute nun einmal ist und auch gefördert wird, als Jugendlicher fühlt und sportliche Kleidung trägt und mit Hanteln trainiert und tatsächlich auch wirkt wie soeben erst der Schule entsprungen, sicher viel verlangt, sein Lebensvorbild und Ziel in diesem kühl zerbrechlichen, zu knisternder Festigkeit verhärteten, zugempfindlichen Greis zu erblicken, aber ich erfüllte diese Forderung, die ich selbst an mich richtete, ohne Mühe. So wie er wollte ich einmal werden, und auf dem langen Weg bis zur vollständigen Austrocknung war rechts und links gewiß manches safthaltigere Vergnügen zu ernten, obwohl mir das jetzt nicht mehr wichtig war, und solche Engländerinnen, die bei dem jüngeren Hirsch gewiß auch noch erheblich anziehender gewesen waren als dieses Exemplar für seine eiserne Aetas, waren eine Selbstverständlichkeit, die wie das Geld und die mühelosen Lebensumstände das große Werk und seine Verwaltung einfach begleiteten. Hirsch sprach unangestrengt und richtete sich selten ausdrücklich an mich, ich war schon fest einbezogen, und auch die Engländerin schien gnädiger. Wie frei er von Dingen sprach, die sein Geschäft und seine ganze Existenz berührten!

»Man sollte, das sehe ich wieder bei diesem Koran, der nun zwanzig Jahre lang bei mir gewesen ist und den ich oft aufgeschlagen habe, eigentlich überhaupt keine gedruckten Bücher besitzen. Der Buchdruck ist der Beginn des Sieges der Häßlichkeit in Europa. Ja, da zeigen Sie mir den Poliphilus aus der Manutius-Offizin oder die Gutenberg-Bibel, und Sie überzeugen mich dennoch nicht. Ich sage Ihnen das Geheimnis der Häßlichkeit, die Quelle aller Häßlichkeit auf der Welt vielleicht sogar. Es ist etwas ganz Einfaches, ein Handwerksverfahren, aber darin hat der Teufel gesessen: das Gießen.« Das Gießen sei der Sieg über die Notwendigkeiten, die sich aus bestimmten Materialien und ihrer Behandlung ergäben. Alles Schöne im Handwerk sei die Frucht der Überwindung einer materiellen Notwendigkeit. »Die Antiquaschrift ist eine Steinschrift, sie ist aus den Notwendigkeiten des Meißelns entwickelt. Die Frakturschrift ist aus den Notwendigkeiten des Federkiels und seiner dicken und dünnen Linien heraus entwickelt worden.«

In seinen weißen Händen lag ein Silberlöffel, mit dem er spielte. Wie bei einem Zauberkünstler schien sich der Löffel unter seinen Worten in einen Meißel und in eine Gänsefeder zu verwandeln. Auf mich jedenfalls wirkte es so, und ich bin sicher, daß auch Ryschen unter Hirschs Bann stand, wenngleich er darauf vor allem mit selbstgefälligem Lächeln antwortete. Die Unbeeindrucktheit der Engländerin war ihres Amtes, wahrscheinlich kannte sie Hirschs Thesen auch zum größeren Teil.

»Und nun gießen wir Antiqua und Fraktur, müssen keinerlei notwendig Gegebenes berücksichtigen und wählen aus, was andere für eine andere Lage geschaffen haben, je nachdem, wie es uns gefällt. Erst treiben wir noch einen Schönheitskult, dann werden wir beliebig, und schließlich ist, von keiner Notwendigkeit aufgehalten, die Häßlichkeit da. Mit Blei fing es an, jetzt wird im großen Stil in Kunststoff und Beton gegossen. In meiner Abneigung gegen das Gießen mag ich nicht einmal Tuffstein ansehen. Überprüfen Sie es in Gedanken, achten Sie darauf: alles Gegossene ist minderwertig.«

Warum fiel mir da mein Auftritt in der Wäscherei ein? Was war das für eine Assoziationskette, deren Verbindungsglieder ich nicht zu fassen bekam? Es waren jedenfalls keine belastenden Gedanken. Ich sah freundlich und heiter auf das alles zurück. Die Art, wie dort in dieser kleinen unordentlichen Welt gestrampelt und gekämpft wurde, hatte etwas Possierliches. Diese Menschen dort wußten gar nicht, in welcher Welt sie lebten. Den Koran aus dem siebten Jahrhundert, den ich eben leichthin in der Hand gewogen hatte, konnte weder der Türke noch seine Jasmin überhaupt lesen, obwohl sie sich doch gewiß zum Islam bekannten. Und auch das siebte Jahrhundert war ihnen kein deutlicher Begriff. Sie glaubten wahrscheinlich, den Koran habe es immer schon, seit hundert Jahren mindestens, in aller Ewigkeit gegeben.

FÜNFTES KAPITEL

Ich sei ein Terrier, der sich in seinen Feind, wenn er auch vielfach stärker sei, verbeiße und sich auch schwer verwundet nicht abschütteln lasse. Das sei Hirschs Eindruck. Hirsch habe meine Doktorarbeit nachts gelesen – eine Sechshundertseitenarbeit, den Fußnotenteil nicht mitgerechnet, wohl verstanden. Was wollte er denn da gelesen haben? Nein, der Eindruck zähle, sagte Ryschen. Die Arbeit sei nach Hirschs Überzeugung nicht ohne Spuren von Genialität, vor allem aber ein Denkmal der Willenskraft. Ein Kompliment von der Art, wie ich es gern gehört hätte, war das nicht. Der unsympathische Streber, dies Etikett sollte mich wohl auch in Hirschs Dunstkreis nicht verlassen. Kalt betrachtet mußte ich dafür auch noch dankbar sein. Genau diese Eigenschaften hatten ihn von meiner Eignung fürs Geschäft überzeugt. Er sah sich als eine Art sonnenumstrahlten Apollo auf einem barocken Deckengemälde, der sich die überwundenen Laster, die sich glatzköpfig und mit Ringermuskulatur zu seinen Füßen wanden, für seine Zwecke nutzbar machte. Für die Eitelkeit war es bitter, dem Blick eines solchen Menschenkenners ausgesetzt zu sein. Zum Glück bin ich nicht sehr eitel, ich beherrsche diese Regung. Man mußte bei solchen Chancen über manches hinweggehen können. Und den Terrier in mir, den sollte er, so hoffte ich, kennenlernen.

Mit diesen Wermutstropfen, die Ryschen sich beeilte in meinen Zukunftswein zu gießen und damit ja vor allem bestätigte, daß Hirschs Wahl tatsächlich und ernsthaft auf mich gefallen sei, also eigentlich etwas Erfreuliches und Erleichterndes vermittelte, nahm er mir nichts von meinem Schwung und Eifer, aber doch etwas von der Freude, die mich in den letzten Stunden erfüllt hatte. Ich geriet in nachdenkliche Verfassung und sparte auch nicht mit Selbstkritik. Ich wollte gerne reif sein, vom Urteil anderer unabhängig, aber es wäre natürlich schön gewesen, wenn ich mir hätte sagen dürfen, daß sich die anderen über mich täuschten. Reichte es nicht, wenn man sich selbst als grundsätzlich wohlwollend und menschenliebend erkannt hatte, mußte man auch noch dazu das allgemeine Lob für offenkundige Gutherzigkeit einheimsen, das im Grunde ja stets nur besagte, daß man als leicht zu übervorteilen galt?

Ich würde Frankfurt nun für immer verlassen; außer zu Geschäftsbesuchen oder um das Flugzeug zu wechseln, würde ich nicht mehr hierher zurückkehren. Schon nach kurzer Zeit würde sich hier niemand mehr an mich erinnern. Die einsamen Mühen, die Geisteserschöpfung, die, so schien es mir oft, in die Wände meines Arbeitszimmers eingezogen war wie reichlicher dicker Zigarrenrauch oder Kohlgeruch in einer Hausmeisterswohnung alten Stils, hatte mich mit Frankfurt gar nicht vermählt. Ein neuer Anstrich, und die Zimmer würden nicht einmal mir selbst mehr verraten, was ich in ihnen ausgestanden hatte. Ryschen würde ich auch in Zukunft nicht immer entkommen können, aber seine Emeritierung nahte, und man weiß, was dann vielfältig geschieht: der Luftballon sackt in sich zusammen, wenn ihm aus dem Apparat, aus der Fakultät, von Assistenten und Doktoranden nicht ständig Luft nachgepumpt wird. Man freue sich, endlich für die große Lebensarbeit frei zu sein, pflegen die Herren, braungebrannt von den ersten überlangen Ferien in den Alpen zurückkehrend, dann zu sagen. Aber wer will diese Arbeit dann noch haben? Es geht doch in diesem gesamten Betrieb nie um die Leistung an sich, sondern ausschließlich um eine Macht-, Lebens- und Verdrängungsäußerung, um eine Betätigung des Unterwerfungswillens also, und der ist ganz allein auf sich gestellt arm dran.

Ich mußte mir eingestehen, daß es niemanden gab, von dem ich mich in Frankfurt verabschieden wollte, von dem Wasserhäuschenmann abgesehen, der mir am Sonntagvormittag so oft mit Brot und Butter ausgeholfen hatte.

Auf einmal fand ich es unerhört wichtig, noch einmal in die Wäscherei hineinzusehen und ein freundliches Wort zu der kleinen Türkin zu sagen, wenn ich meine letzten Sachen dort abholte. Daß sie ungut, ablehnend, zornig von mir dachte, daß sie mich in die Kategorie unangenehmer Kunden einordnen könnte, mit denen fertig zu werden und die zu ertragen das Stehen im Laden so mühevoll machte, schien mir jetzt als ein ganz übles Omen für den Neuanfang. Ich sah mich selbst, durch die Augen der kleinen Jasmin, als etwas Häßliches, Monströses. In ausländischen Ohren soll sich das Deutsche angeblich anhören, als sage jedermann immerfort »Achtung! Achtung!«. Es war eine verheerende Vorstellung, mich zu Beginn meiner kosmopolitischen Karriere noch einmal irgendeinem beliebigen Gehirn als »Achtung-Achtung«-Mann eingeprägt zu haben. Ich spreche dauernd von einer »kleinen Türkin« und der »kleinen Jasmin« – sie war ja gar nicht so klein, und ich selbst vor allem bin auch gar nicht besonders groß. Sie war ein Spürchen kleiner als ich, gerade so, wie es schön ist. Aber als Angegriffene schrumpfte sie natürlich noch ein bißchen, nicht aus Schuldbewußtsein, das hätte alles viel leichter gemacht, sondern in dieser kontraktorischen Spannung eines kleinen Raubtiers, das sich zum Kampf rüstet. Ganz als scheußlicher recht habender Mann hatte ich mich aufgeführt – und weshalb? Über ein Hemd regte ich mich auf, ich hatte geglaubt, mit diesem Hemd auftreten zu müssen. Es gibt so viele Dinge in unserem Leben, die niemals jemand erfahren darf, wenn wir unsere Selbstachtung nicht verlieren sollen. Dann werden sie doch bekannt, die Selbstachtung erholt sich erstaunlich schnell von diesem Schlag, und so sinkt die Existenz immer tiefer und tiefer, einer verlogenen Schamlosigkeit entgegen, die dann als geistige Freiheit gehandelt wird. Das waren damals allerdings nicht meine Gedanken. Aber die Versöhnung mit Jasmin, wenn man das eigentlich unangemessene Wort gestattet, wurde plötzlich etwas Dringendes. Es war auch ein kleines Bedürfnis dabei, den großen Herrn zu machen. In diese Rolle mußte ich mich allmählich einüben. Ryschens Gönnerhaftigkeit etwa würde in Zukunft keineswegs zurückgewiesen werden dürfen. Er selbst durfte bei meinem Anblick bald gar nicht mehr auf den Gedanken kommen, mir Ratschläge zu erteilen. Die Türkin würde sich gewiß freuen, wenn ich ihr zeigte, daß ich ihr nichts nachtrug. Mehr war als Zuwendung nicht geplant. Sie sollte mir nicht um den Hals fallen.

Wenn der Wäschetürke neben seiner Wäscherei stand und eine Zigarette rauchte, war das stets ein Bild der Verwöhntheit und des Genusses. Er wirkte wie ein Muttersöhnchen aus wohlhabendem Haus, die Ringe unter den Augen sprachen von durchtobten Nächten. Er war nicht mehr so jung, daß er sich die leisten konnte. Er war ein Chef, ein Mann mit Angestellten, wenn er selbst einmal etwas tat, hatte dies ganz deutlich immer etwas Vertretendes, Einspringendes. Wenn er nichts tat, dann plante er und genoß die perfekte Organisation, die er auf die Beine gestellt hatte. Ich ging an ihm vorbei, mein Schritt löste eine Glocke aus, die Jasmin herbeirufen würde. Aber sie kam nicht. Vor die Nähmaschine war ein schmaler Vorhang gezogen, der das Hinterzimmer nicht wirklich verdeckte.

Kleiderhaufen lagen dort hinten. Ich sah auf lauter aufgesperrte Hosenlätze, denen neue Reißverschlüsse eingenäht werden sollten. Nein, diese Beschäftigung mit gebrauchten Kleidern hatte etwas Unerfreuliches. Aber die Nähmaschine stand still, und auch aus dem Keller drang nicht die vertraute Radiomusik, die anzeigte, daß dort unten gebügelt wurde.

Jetzt hatte der Wäschetürke den letzten Zug getan – er zog stets nur ein paarmal an der Zigarette, sein Arzt hatte ihm offenbar eingeheizt – , und nun kam er ohne Eile herbei und stellte sich hinter die Theke. Er prüfte die Zettel. Alles war da diesmal, nicht die kleinste Beanstandung. Von der Summe zog er etwas ab, weil ich am Vortag vergebens gekommen war. So machte er das in solchen Fällen immer, manchmal war mir seine Schlamperei deshalb geradezu lieb gewesen. Wir waren jetzt quitt. Ich hatte von ihm nichts mehr zu fordern, und er nichts mehr von mir. Ahnte er, daß dies der Abschied war? Er hatte wieder diese männliche Solidarität in seinem melancholischen Blick, die jeden Abschied gleich fatalistisch schon vorwegnahm.

»Wir sitzen im selben Boot«, schien er mit resignierter Freundlichkeit zu sagen. Alles ging mir viel zu schnell. Meine Augen schweiften in jeden Winkel des Ladens, und es gab da genug unzugängliche Ecken und durch dick behängte Gestelle abgeteilte Reviere.

»Und Jasmin?« fragte ich so beiläufig wie möglich.

»Jasmin? Das tut mir leid. Jasmin kenne ich keine.«

»Sie hatten doch hier ein junges Mädchen, gestern noch?«

Der Wäschetürke fiel in Gedanken. Es bestätigte sich jetzt, daß er an viele Orte zu denken hatte, mit vielen Frauen und Mädchen, die womöglich oft die Plätze wechselten. Ich sah mich gezwungen, sie zu beschreiben. Warum konnte ich dabei meine Hände nicht stillhalten? Warum konnte ich das nicht auf sachliche Weise, wie für einen Polizeibericht, tun: mittelgroß, schlank, braunhaarig, helläugig, keine besonderen Merkmale – nein, falsch: von der Schläfe unter das linke Auge hin gab es eine blasse Spur, nicht entstellend, aber deutlich, eine lange, gut verheilte, zu einem bloßen geschwungenen Bogen gewordene Narbe ...

Statt dessen machten meine Hände die bekannte dümmlich indezente Bewegung, als packten sie eine Frau um die Taille, die sehr schlanke, und arbeiteten sich zu den deutlichen festen Brüsten vor. Das Lächeln des Türken erschien mir verwischt, etwas gezwungen und zugleich zerstreut.

»Die heißt nicht Jasmin. Die Deutschen denken, alle Türkinnen heißen Jasmin. Es ist auch ein häufiger Name, ein schöner Name!«

Hier strahlte er plötzlich treuherzig. Die, von der ich sprach, stamme aus Kappadokien. Das klang, als habe er mit dieser bedeutenden Landschaft nicht das mindeste zu tun. Ihre Eltern seien von noch weiter her, aus Armenien, sie habe einen seltsamen Namen, den sie in Deutschland nicht gebrauche, um Rückfragen und Erklärungen zu vermeiden, die sie auch gar nicht abgeben könne; sie wisse selbst nichts über ihren Namen: Pupuseh, sie sei die einzige, die er kenne, die so heiße.

»Pupuseh ist krank heute«, schloß er seine Worte.

»Krank? Etwas Schlimmes?« Konnte ich mich denn gar nicht bändigen? Wieso mußte ich denn auf die Nachricht, ein mir fast unbekanntes Ladenmädchen sei krank, derart die Fassung verlieren? Das konnte nur heuchlerisch wirken. Es ist uns doch im Grunde herzlich gleichgültig, wie es andern Leuten geht, es sei denn, mit ihrem Unglück ist auch das unsere verbunden. Die heute geschmähten, als kleinbürgerlich empfundenen Formeln wie »gute Besserung« und »herzliches Beileid« sind doch eigentlich die taktvollste und aufrichtigste Lösung. Mehr, als in diesen Formeln enthalten ist, bringt doch in Wahrheit niemand für seinen Nebenmenschen auf, und wenn es wirklich einmal mehr sein sollte, dann mag es in vielen Fällen immer noch das Passendste sein, diesen Überschuß für sich zu behalten. Ich weiß inzwischen natürlich, wie es zu dieser allzu interessierten, allzu teilnahmsvollen Frage kam. Es war die Vorstellung der blassen Narbe auf Pupusehs linker Wange, die mich fürchten ließ, es sei ihr etwas zugestoßen, sie sei verletzt, sie blute. Dabei war die Narbe doch ein Zeichen der Heilung, aber das interessiert das Unterbewußte nicht, habe ich mir sagen lassen. Diese Narbe erzeugte für mich offenbar einen Augenblick lang die Vision einer offenen Wunde. Dann aber war sie furchterregend, schon durch ihren gefährlichen Ort im Gesicht. Wer fügte ihr solche Verletzungen zu?

»Ach, die jungen Mädchen«, sagte der Wäschetürke, »sie sind empfindlich, schwach. Wenn ich an meine Großmutter denke, meine Mutter – so etwas kann solch ein junges Mädchen alles gar nicht mehr leisten. Wenn meine Mutter noch lebte – meinen Sie, ich hätte hier Angestellte? Bei uns zu Hause haben meine Eltern im Geschäft gewohnt.«

So löste sich die Situation auf. Die allgemeine, übrigens zutreffende Klage über die geringe Leistungsfähigkeit der jungen Leute, ihre habituelle Hinfälligkeit, ihre Unfähigkeit zur Ausdauer wurde offenbar auch in den Regionen angestimmt, aus denen der Türke stammte. Das Mädchen mit dem seltenen unerklärlichen Namen hatte die gewöhnlichen Eigenschaften ihrer Generation, jedenfalls in den Augen des Türken. Sie war unzuverlässig in einem Maß, das auch ihm mißfiel. Jedenfalls durfte man aus diesen Bemerkungen doch schließen, daß ihr schönes Gesicht und ihr Körper, so sie denn einmal für ihn Reiz besessen hatten, im alltäglichen Firmenärger zu etwas weniger Wichtigem geworden waren oder gar zu etwas besonders Verdrießlichem, wie es denn zu kommen pflegt, wenn die Macht der Umstände den sinnlichen Enthusiasmus allmählich aufzehrt, und aus Vorzügen etwas wird, was nur noch Gereiztheit erzeugt. Ich mußte jetzt ganz schnell aus diesem Laden hinaus, sonst wäre das wirklich ein sonderbares Gespräch geworden.

Daß Jasmin in Wirklichkeit Pupuseh hieß, beschäftigte mich ungemein. Es war eine Neuigkeit, eine Nachricht, die mit Lust weitererzählt zu werden verlangte. Das war verrückt. Ja, das war eine Enthüllung, in des Wortes eigentlicher Bedeutung. Jasminartig duftend hatte ein Schleier über dem Mädchen gelegen, der mit ablenkendem Reiz das Wichtigste von ihr darzustellen schien, und nun war er weggezogen, und darunter stand: Pupuseh, selbst den Türken fremdartig, etwas ganz anderes jedenfalls als zuvor. Ich war schon nah daran, Hirsch im Hotel anzurufen und meine unerhörte Neuigkeit zu berichten. Daran hinderte mich ein Gefühl der Vorsicht, das mich schon oft vor unwillkürlichen Handlungen bewahrt hatte. Aber warum eigentlich nicht mit Hirsch über den hübschen Fund sprechen? Er als Polyhistor kannte womöglich sogar den Namen Pupuseh, leitete ihn aus dem Altiranischen oder dem Frühgeorgischen oder gar aus dem Hethitischen oder Babylonischen ab. Einfließen lassen, so befand ich, könnte ich ihn schon einmal, meinen Fund, aber ohne Aplomb, als bloße Kuriosität und

Tischunterhaltung. Aber das wurde andererseits dem Gefühl des Sensationellen, das ich jetzt empfand und das mich mehr und mehr ausfüllte, keineswegs gerecht.

»Ich weiß etwas über sie, etwas Schönes und Besonderes, etwas, das sie mir verbergen wollte«, dachte ich auf dem Weg nach Hause. Die unnatürliche vorösterliche Hitzewelle hatte die Instinkte der Pflanzen überwältigt und ihre innere Jahreszeitenuhr zum Kreiseln gebracht. Auf den Magnolien – in meiner Straße steht in jedem zweiten Vorgarten eine Magnolie – saßen die prallen weißrosa Kerzen zum Aufplatzen bereit. Und das war ja Tollheit. Das war das sichere Verderben. Für die nächsten Tage war Eiseskälte angesagt. Ein Gemetzel würde unter den herrlichen heftig blühenden Blumen angerichtet werden, einem nächtlichen Überfall auf ein Lager trunkener und in den Armen ihrer Huren liegender Soldaten vergleichbar. Das war ein üppiger Vergleich, aus der orientalisch-sardanapalischen Sphäre entlehnt, ein romantischer Salambismus, aus Hochstimmung, unerklärlich alberner Heiterkeit und wirklich liebevoller Anteilnahme an der Blütenpracht erwachsen. Das waren doch alles ganz natürliche Prozesse, da gab es doch nichts zu heulen, wenn eine Vorgartenmagnolie ihren verdienten kalten Guß erhielt. Nein, so dachte ich auf einmal nicht. Ich sah das Trauerbraun, die eigentliche Totenfarbe, die so unerträglich häßlich ist, daß man sie in Schwarz vertiefen und erträglich machen mußte, ich sah die weißen Kerzen zu fauligen Zigarren werden, und ich empfand Mitleid. Ich wäre in diesem Augenblick bereit gewesen, mit einem Feuerchen neben der Magnolie zu wachen.

Zu Hause setzte ich mich an den Schreibtisch, der nach Abschluß der Doktorarbeit – ich wollte doch nicht mehr davon sprechen – spiegelglatt glänzte. Die Papierberge waren sämtlich weggeschafft, Haufen der teuersten, mühsamst zu beschaffenden Photokopien habe ich in die Papiertonne geworfen, und da lag auch schon ein schönes weißes Papier mit meinem Namen nebst Doktortitel draufgedruckt, ein Geschenk meiner Mutter, schweres Bütten und gerade gut genug, um nun das Wort »Pupuseh« darauf zu malen, in großen Antiquabuchstaben, darauf hatte mich mein Umgang mit Hirsch gebracht. Aber dann kam Pupuseh auch in Schreibschrift an die Reihe, ganz schnell, gleichsam normal, hingeworfen, dann in einer leicht kalligraphisierend stilisierten Schönschrift. Ich hätte den Namen gern arabisch oder persisch geschrieben vor mir gesehen, als ein Siegel gestaltet, als ein die vielen kleinen Häkchen und Schleifen in sich sammelnder Mond. Dies lateinisch-europäische Aneinanderreihen von Buchstaben kam mir auf einmal ganz ungeeignet vor. Lateinisch geschrieben sah Pupuseh aus wie jedes andere Wort. Und wie jedes andere Wort war dieser Name nicht.

Während ich mich so vergnügte, indem ich nachdachte und dann auch wieder schrieb und entwarf und Schriften erfand, was mir immer schon Spaß gemacht hat, überfiel mich plötzlich ein erschreckender Gedanke. Wie wäre es, wenn diese Krankheit, dieses Unwohlsein, diese Schwäche Pupuseh befallen hätte, weil ich sie so sehr gekränkt, aufgeregt und verstimmt hatte? Sie war fest und wild und hatte etwas Jähes, Begeistertes, das war mir gleich klar gewesen, aber sie war zugleich eben auch verletzlich, sie war auch schon verletzt worden, und sie ertrug diese Verletzungen eigentlich gar nicht, sie verstand sie nicht, sie wich ihnen auch nicht aus und wehrte sich nicht, sondern ließ alles geschehen und wurde dann einfach krank, was der Wäschetürke kalt und verständnislos »empfindlich und schwach« nannte.

SECHSTES KAPITEL

Hirsch lag an dem Morgen, an dem er abreisen sollte, im Bett und war nicht zu sprechen. Die Engländerin verkündete das Bulletin. Er sei zu schwach für acht Stunden im Flugzeug. So etwas kam jetzt häufiger vor, Pläne wurden umgeworfen, Verabredungen abgesagt.

»Wir riskieren grundsätzlich nichts«, sagte die Engländerin. Ich hätte mich nicht gewundert, wenn sich jetzt herausgestellt hätte, daß sie Ärztin sei. »Wir dürften eigentlich überhaupt nicht mehr reisen.« Wenn man sie hörte, glaubte man, sie wäre zufrieden gewesen, wenn diese weiten Wanderungen über den Erdball, die Hirsch unablässig unternahm, endlich aufgehört hätten.

»Ich mache diese Reisen ohnehin nur noch ihretwegen«, sagte Hirsch später, als er dann zu sprechen war. Eine junge Frau müsse ausgeführt werden. Er kenne seine Pflichten. Aber dies Ausführen finde in Zukunft nur noch im Umkreis von

New York statt, was ohnehin anstrengend genug sei, ja letztlich anstrengender, und mehr Geistesgegenwart und innere Anspannung erfordere als die Reisen mit ihrer vielen leeren Zeit und ihren wohlkalkulierten Begegnungen. Diese Reise sei strenggenommen nur sinnvoll geworden, weil er mich kennengelernt habe. Der Koran mußte freilich übergeben werden, aber das hätte auch ein Assistent, ein gegenwärtig noch nicht existenter, tun können.

»Sie bleiben aber doch bei Ihrem Entschluß? Wir nehmen Sie doch jetzt gleich mit?« Seine Schwäche heute vormittag beweise ihm, daß jetzt an der Anstellung eines Gehilfen kein Weg mehr vorbei führe.

»Ich brauche Sie!« Hirsch wäre nicht er selbst gewesen, wenn er diese Worte nicht mit einer reichlichen Prise Ironie versehen hätte. Es war klar, er brauchte nichts und niemanden auf der weiten Welt, aber er fand es jetzt bequemer mit einem Mann wie mir und war in seiner grundsätzlichen Neugier vielleicht auch darauf gespannt, wie sich das Zusammenwirken wohl gestaltete, womöglich auch auf die zu erwartenden Kleinkriege mit der Engländerin.

»Glauben Sie nicht, daß Geschäfte mit Arabern normalerweise so unkompliziert ablaufen«, fügte er hinzu. Im Hotelzimmer des Sammlers habe er das Buch überreicht und dafür einen Koffer mit Scheinen empfangen, die die Engländerin abzählte, während die Herren Kaffee tranken. So laufe das üblicherweise nicht. Für einen Araber sei ein Geschäft ein Spiel.

»Kaufen ist das eine für einen Araber, Bezahlen das andere. Es geht ihm nicht darum, Sie zu betrügen. Er möchte gern sehen, was Sie sich einfallen lassen, um ihn zum Zahlen zu bringen. Ihn amüsiert Ihre Ratlosigkeit. Darin steckt sogar ein Kompliment. Wenn er Sie für mittellos hielte, besäßen Sie nicht das moralische Recht, überhaupt als Kaufmann aufzutreten und Geschäfte anzubieten. Ein Armer wird einfach ausgeplündert und weggejagt, er hat in solchen Sphären nichts zu suchen. Aber ein Ebenbürtiger, ein potenter Geschäftsmann, der die Summe im Grunde nicht braucht, was wird er tun, um sie dennoch zu bekommen? Wird er mahnen und so das Gesicht verlieren? Wird er sehen lassen, daß die Ungewißheit seinen Nerven zusetzt? Wird er so töricht sein, ein Gericht zu bemühen? Er verliert dann zehnfach: das Geld, um das er klagt, sowieso, aber auch alle zukünftigen Geschäftsmöglichkeiten. Araber muß man, je reicher sie sind, immer erst einkreisen, bevor es zum Abschluß kommt. Niemals darf man ihr Gläubiger werden. Das Geschäft muß stets eines von mehreren sein, es muß Teil eines Netzes sein, in das der Araber sich verstrickt. Er muß wie beim Schach dazu gebracht werden, daß ihm nur ein einziger Zug bleibt: Zahlen. Er muß zu der Überzeugung gelangt sein, daß Zahlen für ihn die vorteilhafteste, leichteste, billigste Lösung ist.«

Wie er das diesmal erreicht habe, fragte ich in die Stille hinein. Ich hörte Hirsch schlucken, die Engländerin war offenbar hinzugetreten und flößte ihm etwas ein.

»Ach, dieser Fall ist kein gutes Beispiel«, antwortete Hirsch, »der Mann aus Oman beliefert die afghanischen Stammeskrieger mit Waffen und benötigt dazu das Wohlwollen eines meiner alten Freunde aus Detroit. Nein, so einfach laufen die Dinge sonst nicht.«

Ich spürte selbst durchs Telephon, daß ihn sein kleiner Diskurs, dieses kurze Öffnen der Erfahrungsschatzhöhle amüsierte. Er fand Gefallen daran, einen jungen Mann plaudernd einzuweihen, zu verblüffen, ihm ein wenig bange zu machen und ein schönes Pfauenrad zu schlagen. Ich war für das, was er sagte, auch empfänglich. Es entsprach meinen Vorurteilen, und ich war nicht wenig geschmeichelt, daß die Welt tatsächlich so sein sollte, wie ich sie mir in der Universitätsbibliothek vorgestellt hatte. Und doch war meine Faszination nicht so bedingungslos wie bei den letzten Unterhaltungen. Das lag nicht daran, daß Hirsch sich in seiner Schwäche und Hinfälligkeit zeigte. Diese Mattheit war für mich am Telephon zunächst nur eine Behauptung. Er klang nicht anders als im Städel und beim Essen. So trocken, wie er schon rein physisch war, konnte ich ihn mir auch gar nicht schwer und schlaff vorstellen. Möglicherweise fiel sein Körper in eine gelegentliche Unbeweglichkeit, eine Starre, wie man sie von manchen Käfern her kennt, während sein Geist ihn schmetterlingshaft umgaukelte. Keine Schwäche, von der letzten abgesehen, würde ihn zum Verstummen bringen. Aber es war mir plötzlich klar, daß es während seiner ganzen mir als Privatissimum zugedachten Ausführungen im Untergrund für mich nur darum ging, ob er mich heute, während er nun doch in Frankfurt blieb, und vielleicht gar mehrere Tage länger noch in Anspruch nehmen würde, ob ich an sein Lager zu eilen hätte, um dort die Grille auf das gescheiteste und unterrichtendste zirpen zu hören, oder ob ich frei war, um ganz zufällig noch einmal bei der Wäscherei vorbeizusehen.

Mit einem einzigen Besuch dort war es nach meiner Erfahrung nicht getan. Wenn ich jetzt dorthin ging, um das Hemd, das ich soeben angezogen hatte, wieder abzugeben – der Korb für die schmutzige Wäsche war leer –, durfte ich nicht hoffen, Pupuseh vorzufinden, und konnte dennoch nicht sicher sein, ob sie wieder im Geschäft war. Wahrscheinlich mußte ich mehrfach dort vorbeigehen und ins Ladeninnere hinübersehen, alle halbe Stunde etwa, um sie gewiß nicht zu verfehlen. Es war mit ihr schließlich wie heute mit jedermann. Niemand hält sich dort auf, wo man ihn, nach der Art seiner Beschäftigung, vermuten dürfte. Jedermann ist gerade zu einem Termin, zu Tisch, mit dem Außendienst unterwegs, kommt heute später oder ist heute früher gegangen. Die Erzählungen der alten Zeit und die Erzählungen der Gegenwart unterscheiden sich bereits in diesem Punkt: in einer alten Geschichte, einem Märchen oder einem Roman begibt man sich zum Haus eines bestimmten Mannes, man klopft dort an, und er öffnet die Tür. In einer modernen Geschichte wäre das unglaubwürdig, ein Verstoß gegen die Wahrscheinlichkeit. Um jemanden zu treffen, mit dem man nicht verabredet ist, braucht man Zeit. Da konnte ich nicht im Hotelzimmer bei Herrn Doktor Hirsch sitzen.

Aber war ein solches Ruhelager nicht eine einzigartige Gelegenheit, ohne Ryschens Anwesenheit und ohne Absichten nach dem glücklichen Ausgang des Geschäftes gelöst und offen zu sprechen und sich kennenzulernen und zugleich in der fremden Stadt gefällig zu sein, etwas vorzubereiten, mit einem Arzt zu sprechen, in die Apotheke zu gehen und womöglich schon einen Brief zu schreiben oder ein Telephonat zu führen, in freundlicher Überwachung durch den künftigen Herrn und Meister? Ja, das war es. Ich sagte mir das sogar laut, während ich zugleich nur eigensinnig dachte, daß ich zu all dem grundsätzlich bereit sei und es auch tun würde, aber erst wenn ich Pupuseh gesehen hätte, erst wenn ich diese Kranke entweder weiterhin krank oder aber genesen wüßte.

Mit dem Namen Pupuseh ging ich jetzt schon ganz selbstverständlich um. Gestern hatte er mich entzückt, heute war er mir wie seit langem vertraut. Warum ich sie heute unbedingt sehen müsse, fragte ich mich nicht. Es stand nur fest, daß dieses Treffen Vorrang hatte, daß alles andere erst nach diesem Treffen geleistet werden konnte. Mich überfallen manchmal solche Unumstößlichkeiten. In den Nöten der Arbeit – ich werde vielleicht noch lange nicht darauf verzichten können, von dieser Promotion, der einzigen nennenswerten Erfahrung meines Lebens, zu sprechen – gab es in verzweifelten Situationen oft solche blitzartigen Notwendigkeiten, die mich so lange blockierten, bis ich mich ihnen unterworfen hatte: erst mußten die Haare geschnitten werden, erst mußte der Abfalleimer hinuntergetragen werden, erst mußte meine Vermieterin einen Blumenstrauß zu ihrem Geburtstag erhalten, bevor auch nur eine einzige weitere Zeile gelingen wollte. So sah ich auch diese Dringlichkeit an, über Pupusehs Zustand Klarheit zu gewinnen. Ich kannte so etwas. Ich würde sie sehen und mit ihr sprechen. Ich würde sie mit ihrem Namen anreden. Das würde sie überraschen. Wie sah sie aus, wenn sie überrascht war? Vielleicht lächelte sie dann. Und mit diesem Lächeln wäre es dann getan. Mit diesem Lächeln würde ich mich abwenden und mich meinen neuen herrlichen Pflichten zuwenden. Aber ohne dies Lächeln würde überhaupt gar nichts passieren.

Und war nicht schon dies Telephongespräch zu lang? Konnte es denn nicht sein, daß, während mir Hirsch seine Weisheiten und alten Lehren mitteilte, die morgen und übermorgen sämtlich nichts von ihrer Bedeutung verloren haben würden, Pupuseh kurz in den Laden hineinschaute, um dann von ihrem Chef in irgendwelchen Kommissionen in die westlichen Vorstädte entsandt zu werden? In Rödelheim und Ginnheim gab es Orte, die mit ihm verbunden waren, das wußte ich. Jetzt tickte die Uhr. Ich verschwendete keinen Gedanken an den sonderbaren Wechsel meiner Lage. Eben hatte es noch niemanden gegeben, von dem ich mich in Frankfurt hätte verabschieden können, und jetzt wollte die Zeit für den Abschied kaum reichen.

Als ich an der schon deutlich weiter aufgeblühten Magnolie, an der noch blattlosen und deshalb einer trivialen Pappel gleichenden Säuleneiche und an dem Fliederbaum vorbei der Wäscherei näher kam, hielt ich nichts in Händen, was ich dort hätte abgeben können. Der Vorwand mit der Wäsche schien mir plötzlich nicht glücklich, etwas anderes fiel mir nicht ein, und es bedurfte schließlich auch keines Vorwandes.

Ich wollte nichts von Pupuseh, deren Namen auszusprechen und zu denken mir bei aller Gewöhnung immer neues Vergnügen bereitete, als ihr auf Wiedersehen zu sagen, ein kleines menschliches Wort, um eine andere Szene, deren Erinnerung nun völlig unerträglich war, auszuwischen. Da durfte der Wäschetürke im übrigen dabeisein. Das war ein neuer überraschender Gedanke. Bisher hatte ich mich allein mit ihr gesehen, inmitten der Wäschepakete und der vollen Gestelle, in dieser durch die unglücklichen Parfüms leicht getrübten Atmosphäre von Reinlichkeit und Adrettheit. Die Heftigkeit, mit der ich in Gedanken dem Wäschetürken sein Anwesenheitsrecht konzedierte, wenn er schon einmal dabeisein mußte, entsprach einem scheinbar souveränen Gebaren, zu dem ich mich, wenn ich unsicher bin, manchmal zwinge. Was denken die Leute sich? Sollen sie doch sehen, hören und reden, was sie wollen. Ich würde sie ohnehin nie wieder sehen. Aber dieser Trost und Stärke spendende Gedanke hörte auf einmal auf, Trost und Stärke zu spenden. Er wurde zu einer Quelle der Beunruhigung.

Große, bis zum Boden reichende Glasscheiben bildeten die Straßenfront der Wäscherei, aber es war erstaunlich, wie wenig Licht sie hineinließen. Aus einem gewissen Abstand im Schutz eines Lieferwagens stehend, erkannte ich dort nur ein grünliches Dämmern wie in einem trüben Aquarium. Dann bewegte sich sehr ruhig ein größerer Schatten, der dem Licht näher kam, sich wieder abwandte. Etwas später huschte er schnell vorbei – hin, zurück und wieder in die Tiefe. Dann zog still wie ein satter Fisch, in langsamem Schweifen, ein Profil sehr nahe am Fenster entlang, in einer Gleichmäßigkeit, als werde es an einem Faden gezogen, und Pupuseh selbst war es, die etwas schob, einen großen vernickelten Kleiderständer. Da war wieder die unordentliche, in satt rötlichen und brandig bräunlichen Strähnen zerfallende Turmfrisur, da war die feine, wie gehämmerte Stirn, die kleine Nase, und es war etwas noch viel Unverkennbareres, die Haltung, an der allein ich Pupuseh selbst als schwarzen Schattenriß überall auf der Welt erkannt hätte. Sie hatte etwas leicht nach vorn Gebeugtes, sie streckte das Hinterteil mit seiner ausdrucksvollen Rundung heraus, beugte sich mit kerzengeradem Rücken nach vorn und ging dazu mit krummen Knien, durch die hohen Absätze etwas stelzenartig, als wolle sie in die Hocke gehen.

Ich kannte diese Haltung von manchen Putzfrauen, die einen Abstand zu ihrer Arbeit betonen wollen, keine Schürze anziehen und die nassen Lappen mit ausgestrecktem Arm vor sich hertragen, um nicht von ihnen betropft zu werden, als hätten sie sie nur rein zufällig in die Hand genommen. Etwas Geziertes, die Arbeit Abwehrendes drückt sich in dieser Haltung aus. Was aber bei einer anderen Frau geziert ausgesehen hätte – ich will mit diesem Wort nur das eigentümlich Heikle, Unverwechselbare der Haltung Pupusehs charakterisieren –, das wirkte bei ihr zwar keineswegs natürlich, nein, durchaus angestrengt, aber zugleich auch edel und geradezu tänzerisch, als ahme sie mit ihren wundervoll gerundeten, biegsamen Gliedern den mißtrauischen, behutsamen Gang einer Languste nach. Ich konnte mich an dem Auftauchen am Licht der großen Scheibe und an dem periodisch wiederkehrenden Versinken ins Trübe nicht satt sehen. Um diese Zeit kamen keine Kunden in den Laden, es war kurz nach der Mittagspause. Sie waltete dort drinnen allein und machte sich unbeobachtet, wie sie glaubte, alles so zurecht, wie es am praktischsten war. Sie erfüllte sich Herzenswünsche, die womöglich mit dem Wäschetürken gar nicht besprochen waren. Sie schuf Tatsachen, die sie ihm dann vorzuführen und die sie zu rechtfertigen gedachte. Meine Freude bestand darin, sie immer wieder die Haltung annehmen zu sehen, in der ich sie soeben wiedererkannt hatte, und sie tat mir diesen Gefallen, manchmal nur andeutungsweise, nur für mich, den Kenner, zu ahnen, und zweimal, indem sie sich genau wiederholte.

Wie habe ich es vermocht, mich von diesen Bildern zu lösen? Was geschah, geschah plötzlich im Umkreis dieses jähen Temperamentes. Plötzlich also stand ich vor ihr. Es war mir, als erschrecke sie, mich zu sehen. Sie war starr, totenblaß, und ich sah deutlich, daß die Krankheit keine Ausrede gewesen war, die Augen sahen unterschiedlich groß aus und schienen nicht auf derselben Linie zu liegen, es war, als sei eine kostbare weiße Biskuitvase zersprungen und nicht ganz genau an der richtigen Stelle wieder zusammengefügt worden.

Pupuseh erschien mir zu keinem Zeitpunkt schwächlich oder ätherisch, dazu war ihr Körper viel zu wohl ausgebildet und von zu starker Gegenwärtigkeit, aber nun hatte die Krankheit, eine Erkältung oder eine allergische Schwellung oder eine Reizung mit einem falschen Medikament, ihre Zartheit und spröde Festigkeit auf eine Spitze getrieben, sie war jetzt überdeutlich in ihr Gesicht geschrieben. Ich war wie ein Kurzsichtiger, der das erste Mal eine Brille aufsetzt und an der ungeahnten Fülle der Details um sich herum beinahe verzweifelt. Meine Seele machte, so fühlte ich, in diesem Augenblick ein Polizeiphoto von Pupuseh. Sie stand wie gegen einen hellen Schirm gedrückt, mit dem panisch versteinerten Ausdruck der Verdächtigen, die dann auch stets viel blasser und viel schwarzhaariger erscheinen, auch jünger und verwechselbarer, deutlich aus dem großen Menschenbrei herausgefischt, kollektive, unmittelbar vor dem Wiederuntertauchen stehende Wesen, aber die Polizei wird sie dennoch stets wiedererkennen, und auch mir hatte sich alles, alles an Pupuseh jetzt tief eingeprägt.

Sie trug ein enges Trikot aus Kunststoff-Goldspitze, die hart wie kratziger funkelnder Draht auf ihrer durchscheinenden Haut lag. Man kennt diese Mode. Das Billige und Vulgäre solcher Brokatspitze ist bewußt einkalkuliert, die Erfinder solcher Oberteile sind Intellektuelle, die die Naivität eines längst untergegangenen Halbweltcharmes zitieren. Harmlose Mädchen zwängen sich in solche Kostümstücke, wie ihre Mütter sich zu Fastnacht als Brechtsche oder Dixsche Hure maskieren. Aber dieser gesamte modesoziologische Zitatenschrott, diese unbeholfenen Historisierungen der wenigen Nachkriegsjahrzehnte hatten mit Pupuseh ja nicht das mindeste zu tun. Sie war von solchen halb politischen, halb dümmlichen Kommerzinszenierungen völlig frei. Sie trug Gold, weil Gold das schönste, das herrlichste, das strahlendste Metall war, die Sonne unter den Metallen. Weil die Welt oft unverständlich ist und die Dinge nicht nach ihrem Wert bemißt, war dies gewirkte Gold sogar erschwinglich, es war wunderschön und halb geschenkt, ein zweites Wunder. »Ist das echtes Gold?« fragten die Kinder, wenn sie etwas blitzen sehen. Die Antwort müßte dann immer »Ja« sein. Das Außerordentliche ist etwas Reales, an diesen Gedanken muß man sich früh genug gewöhnen.

Jetzt brach sie das Schweigen. »Ihre Wäsche ist noch nicht da«, sagte Pupuseh mit Überwindung. Das war eine Lüge, denn es gab ja gar keine Wäsche mehr zum Abholen, und wenn sie so sicher davon sprach, dann machte sie mir etwas vor. Sie war noch ganz in Abwehrhaltung. Sie erwartete etwas Unberechenbares, aber Feindliches von mir. Jetzt war nicht der richtige Augenblick, sie einzuweihen, daß ich ihren Namen kannte. Das mußte später geschehen.

»Ich möchte Sie einladen«, sagte ich und staunte selbst über meinen Mut.

»Einladen? Wozu?«

»Zum Abendessen!«

»Zum Abendessen? Allein mit Ihnen?«

Ich hielt ihrem Blick stand und nickte.

»Das geht nicht. Das kommt nicht in Frage.« Sie sprach leise, mit niedergeschlagenen Augen. Mir war, als behalte sie den Vorhang der Nähmaschinenkammer im Auge. War noch jemand im Geschäft? »Sie müssen gehen, Ihre Wäsche ist nicht da«, sagte sie schließlich überdeutlich und mit einer gewissen Anstrengung. Ich ging rückwärts hinaus. Ich konnte nicht aufhören sie anzusehen. Draußen stieg eine solche Freude in mir auf, daß ich mich an einen Zaun lehnen und eine Weile warten mußte, bis ich weitergehen konnte.

Siebtes Kapitel

Was war es, was mich glücklich machte? Daß ich eine Abfuhr auf meine Abendesseneinladung erhalten hatte? Was war denn das für eine sonderbare Art von Sieg und Himmelsgeschenk? War dieser Korb etwa in irgendeiner Hinsicht mit Hirschs Aufforderung, zu ihm nach New York zu kommen, zu vergleichen? Hirschs Angebot und Einladung – die Engländerin war schon dabei, das Flugticket zu bestellen, ich mußte nur schnell das Visum und die Aufenthaltsgenehmigung besorgen – war aufregend, das gebe ich zu. Sie ließ einen schweren Stoff, eine Art metallische Droge in meine Gefäße einschießen, wenn ich meinen körperlichen Zustand in den Tagen, die mit Hirsch zusammenhingen, einmal so subjektiv beschreiben darf. Ich duckte mich unter ihrem Einfluß. Ich wurde wach, überempfindlich und mißtrauisch. Ich sah die Beute vor mir, die ich nicht als Schicksalsgeschenk, sondern als Schicksalsforderung empfand. Hier war eine besondere, eine ehrenvolle Hürde für mich aufgebaut, und die mußte mit einem im Grunde über meine Kräfte gehenden Sprung überwunden werden. Ich warf schon Ballast ab. Zwei Kisten mit eigentlich für mich sehr brauchbaren, vielleicht gerade ein wenig außerhalb meines Blickwinkels liegenden Büchern hatte ich ins Seminar geschafft, um sie dort Interessenten anzubieten. Sie waren schnell weggegangen, wie mir Ryschens Sekretärin am Telephon mitteilte. Drei weitere Kisten hatte ich einem Ramschantiquar übergeben. Der Rest machte auf mich einen geplünderten und kümmerlichen Eindruck. Es sind die zweitrangigen, die Randgebiete berührenden, die allzu speziellen Werke, die eine Büchersammlung zusammenschmelzen und eine Bibliothek daraus machen.

Die drei etwas anspruchsvolleren Möbel, die ich besaß, einen Schreibtisch, einen Schreibtischsessel und eine Kommode, schweres Repräsentationsmobiliar eines erfundenen Empires, ließ ich zu meiner Mutter schicken, die sie mir auch geliehen hatte; das waren Bibliotheksmöbel ihres zweiten Mannes, der sie im kleineren Rahmen seines Alterssitzes eigentlich nicht mehr aufstellen wollte. Nun bekam er sie doch und mußte hinnehmen, daß diese allzu großzügig dimensionierten Stücke seine Umgebung etwas weniger großzügig würden wirken lassen. Was sonst um mich herum war, wollte ich auf die Straße stellen, auch gute und brauchbare Sachen – weg damit. Es war eine Art Vernichtungsrausch, in dem ich mich befand, ausgelöst durch das Hirsch-Virus, das in meiner Blutbahn kreiste und mich in beträchtliche Anspannung versetzte.

Ich erkenne heute, daß Hirsch mir mit seinem schicksalhaften, wahrhaft einmaligen Angebot, denn ein zweites Mal würde es so etwas nicht geben, genaugenommen nichts Fremdartiges, von außen Kommendes als Lebensimpuls vermittelte, sondern meine Erwartungen, wie ich sie nach meinem bisherigen Lebensweg hegte und hegen mußte, bestätigte. Ich betrat mit Hirsch eine neue Etage meines Lebens, verließ aber nicht das Gebäude, in dem ich bisher als Wurm im Souterrain gehockt hatte. Statt auf Ryschen zu starren, würde ich in Zukunft Hirschs Launen und Eigenheiten angstvoll studieren. Das war natürlich ein Fortschritt, ein Tor, wer diesen Fortschritt nicht erkannte, aber er befand sich in weitem Abstand zwar, doch immer noch auf der aufsteigenden Geraden, auf der ich mich seit meinem Einserabitur bewegte. Was war jetzt geschehen? Ich stand in Frankfurt schon gleichsam nur noch im Hemd da – in dem bewußten schönen Hemd übrigens, jetzt, wo Hirsch es nicht sah, trug ich es –, ich hatte die Bindungen gekappt, und wenngleich es keine starken waren, hatte der symbolische Akt als solcher mich doch sehr beeindruckt, ich befand mich in vogelfreier Offenheit, bereit wegzufliegen, aber gegen Pfeile und Netze nicht mehr wie gewohnt gerüstet. Das blanke neue Blatt, das ich aufgeschlagen hatte, verzeichnete überdeutlich jede Spur, die der Zufall darauf hinterließ. Man vermutet wohl, daß es nicht das erste Mal war, daß ich eine Abendessenseinladung ausgesprochen hatte. Es waren über die Jahre hinweg sogar eine ganze Reihe, manche waren angenommen, andere abgelehnt worden, alle ohne nennenswerte Erschütterungen zu hinterlassen.

Ich ging jetzt nicht nach Hause, denn diese Räume boten in ihrem gegenwärtigen Zustand kein Zuhause mehr, da hätte ich eigentlich nur noch auf dem Bett liegen können. Wie früher, wenn ich bei intensiver Arbeit in eine Sackgasse geraten war, verließ ich mein Viertel und lief durch die angrenzenden Stadtteile immer weiter und weiter, bis ich mich nicht mehr auskannte. Man konnte auf diesen Wegen über den Charakter der Stadt manches erfahren. Zunächst wurde die städtische Substanz allmählich dünner. Alles blieb aufs Zentrum ausgerichtet, war aber zu weit davon entfernt, um von dort Kraftstöße zu empfangen. Die Geschäfte wurden spärlicher, die Lokale schäbiger. Eine öde Weiträumigkeit trat ein. Wer hier seine Existenz gründete, ein Farben- und Lackegeschäft eröffnete, ein Lager für Büromaschinen, eine urologische Praxis, der siedelte im Niemandsland. Auch durchs Niemandsland kommen indessen Wanderer gezogen, das ist am Ende gar besonders lohnend, dort Leimruten auszulegen. Es bedarf dafür aber eines schon nicht mehr städtischen, auf den großen Basar bezogenen Charakters. Dem Städter bleibt in diesen Bezirken die Luft weg, dem Dörfler natürlich auch, zu unübersichtlich und formlos sind die Gebäudeansammlungen um die weiten, von ihnen wegführenden Straßen gelegt, ein neuartiger Menschentyp muß für diese Räume hervorgebracht werden und ist wohl schon in großen Mengen entstanden. Dann beginnen die Distanzen wieder zu schrumpfen. Der Kataster verliert die riesengroße Leere und weist wieder schiefe, gestückelte, krumme Grundstücke aus, das Gelände wird kleinstädtisch verhunzt, obwohl es an Gebäuden, die verkünden, daß dies einstige Dörfchen nun Vorortquartier einer Großstadt ist, nicht fehlt, in kommunalpolitischer Rhetorik stehen sie fett und anspruchsvoll im murkeligen Salat.

So sah ich sie noch einmal ganz, die Stadt, in der ich gelebt hatte, nicht ihr Lendenfilet freilich, um mich wie ein Metzger auszudrücken, sondern indem ich wie eine kleine Sonde mitten durchs zähe minderwertige Fleisch, dort wo Sehnen und Knorpel sitzen, die Eingeweide streifend wanderte, durch das aufgebrochene Vorstadtgebiet, das nicht aufgehört hat, in seiner herabgesetzten Form zu leben und zu wuchern.

Und schließlich, als die Sonne schon zu sinken begann – die Tage waren noch frühlingshaft kurz, die helle Durchsichtigkeit der Abende täuschte noch darüber hinweg, daß sie nicht lange anhielt –, erreichte ich eine etwas stattlichere Stelle, die mir ganz unbekannt geblieben war, ehrgeiziges Villen- und Anlagen- und Kirchengelände von frostig römischem Charakter – ich dachte an das Rom der Mussolinizeit mit seinen bräunlich angehauchten Travertintafeln, die heute von den Palazzi, die mit ihnen verkleidet sind, gelegentlich herunterfallen und dann mit hellem Klang wie Kacheln auf dem Pflaster zerbrechen. Eine frühkirchlich-chiricoeske Basilika war umgeben von einem Kranz aus würdigen Wohnhäusern, wie die Direktorensiedlung eines großen Konzerns, in der Mitte lag ein Platanenhain, dessen Äste zu Knoten und Fäusten beschnitten worden waren und die jetzt noch wie eine expressionistische Statuengruppe kahl in den Himmel ragten, und dahinter kam eine Terrasse, die sich über tief abfallendes Gelände erhob und einen Blick ins Weite gestattete.

Überraschend eröffnete mir die Stadt einen Aspekt, der mich anzog. An der Balustrade der Terrasse übersah ich ein weites bewegtes Panorama. Das Licht, dieser verteufelte Stimmungsmacher. Ja, ich gebe es zu: es war Sonnenuntergang, Pfirsichgluten zogen Striche grell wie von Pastellkreide über die Himmelsglocke. Ich bestaunte einen Sonnenuntergang, als sei ich ein Caspar-David-Friedrich-Gläubiger. Aber dieser hier war großartig. Die Sonne war hinter den Taunusbergen verschwunden, die schwarz und als riesiges Massiv in der Ferne lagen, eine satte dunkle Fülle von Menschenleere, ein großer Tierrücken vor der überhellen Stadt. Zu ihren Füßen zog sich die Autobahn, oder vielmehr gleich mehrere; obwohl der Himmel noch bunt strahlte, fuhren die Autos dort unten schon mit Scheinwerfern, kleine Lichter punktierten in scharfer langer Linie schnittbogenartig die Stelle, an der man das Bergmassiv vom Stadtkorpus gleichsam abtrennen konnte. Und im Vordergrund, in der sumpfigen Dunkelheit eines Kleingartengeländes, war eine Hütte mit roten, blauen, gelben und grünen Lämpchen geschmückt, die unablässig an- und ausgingen. Hier war ein Fest in Vorbereitung, eine »italienische Nacht« im Schrebergarten, in dem der Vorfrühling nur so brodelte und zart erdige und bittere Pflanzengerüche bis hinauf zu meiner Terrasse sandte. Die großen Operneffekte des Sonnenuntergangs und der Berge und der tausend stumm leuchtenden Autos im schwarzen Meer waren nur dazu da, dies Hüttchen und seine Lämpchen richtig zur Geltung kommen zu lassen. Eine Hütte im Weinberg, dachte ich. Schön wäre es auch, nicht allein darin zu sitzen.

Daß uns von außen Zeichen zugesandt werden, daß aus dem Unbelebten Botschaften an uns ergehen, die man aufnehmen kann und die sich auf uns beziehen, habe ich immer für möglich gehalten. Dazu habe ich zu lange im eigenen Saft gekocht, wie man mein selbstgewähltes Arbeitsmönchstum wohl bezeichnen könnte, ohne das ich zu nennenswerten Ergebnissen überhaupt nie gelangt wäre. Aber überfordert hat mich dieses Leben doch; und nach Hilfen, nach prophetischen Vorbedeutungen und Omina habe ich zu meiner Entlastung stets Ausschau gehalten, und sie sind mir immer wieder auch gewährt worden. Diesen durch nichts vorbereiteten Blick auf den roten Himmel, den Taunus, die Autobahn und die bunten Birnchen empfand ich augenblicklich als ein solches Vorzeichen von starker und süßer Art. Ich spürte förmlich, wie mich etwas ergriff und mit elefantenhafter Gewalt in ganz andere Zusammenhänge hineinversetzen würde. Das stand fest. Warum ging ich nach solch überwältigender Erleuchtung nicht nach Hause oder wenigstens in ein Gasthaus, um etwas Resolutes, Greifbares von Bier- und Wurstgestalt zwischen den Abend und mein Lichtwunder zu legen und es damit kunstgerecht abzuschließen? Aber mir war danach zumute, noch eins drauf zu setzen. Ich schweifte weiter. Das Hellblau und das Hellrosa wurden jetzt weißlich, und von der anderen Seite her zog die Nacht heran. Es war noch immer warm. In dieser Wohngegend kamen mir die Leute, Hundebesitzer zumeist, ohne Jacken, sommerlich entgegen. Auf den

Bänken unter dem ewig gleich muffigen Taxus saßen Raucher und malten rosa Funkenlinien ins Dunkle. Weiter entfernt kam eine häßliche vernarbte Wiese, ein rechter Fußabtreter, da waren die Direktorenvillen aber schon längst versunken.

Hier stand als belebendes Herz ein erleuchteter Kiosk. Ist das nicht ein arabisches Wort, für unsere Wasserhüttchen im Grunde zu elegant? Kioske gehören doch an den Bosporus, zerbrechliche Pavillons, in denen von Teppichen und Kissen ein Lager gebaut wird, Musik dringt durch die geschlossenen Läden, auch Licht. Aber auch dieser Kiosk hier am Rande der räudigen Wiese hatte etwas vom Süden, vom Mittelmeer. Das lag wahrscheinlich an dem kalten bläulichen Licht, das hier von einer oben an Draht aufgehängten Bogenlampe auf die Menschen fiel, die die Abendluft schöpfen wollten. Man kennt dieses kalte Licht in heißen Nächten, eine melancholische Wartestimmung geht davon aus. Kleine Städte oder gar Dörfer macht es eigentümlich großstädtisch. Das Licht ist die Stadt, die immer wacht und sowieso da ist, und die Leute, die unter ihm auf und abgehen, müssen es aushalten. Es finden sich dann Kreise zusammen, die aus anderen Zusammenhängen zu stammen scheinen, Dörfler, die in der Stadt gestrandet sind, dort tagsüber ihren verschiedenen Tätigkeiten nachgehen und sich abends noch einmal versammeln, bis nach einigen Jahren auch diese Anziehung nachläßt. Hier rund um den Kiosk gab es solche Kreise, dunkelhaarige Menschen mit hellen Hemden, die Frauen städtisch feierabendlich zurechtgemacht, Goldenes blitzte auch, Wölkchen von Duftwässern lagen in der Luft. Zwei große Zirkel hatten sich gebildet. Die Frauen lagen bequem in Klappstühlchen aus Aluminium und machten Handarbeiten, auf einem Tablett aus Silberfolie wurden triefende Süßigkeiten gereicht. Die Männer standen etwas abseits, näher dem Kiosk zu, von wo auch Bierflaschen verteilt wurden, deren Goldfolienhälse gleichfalls Licht auffingen. Die älteren Männer hatten Schirmmützen oder kleingehäkelte Käppchen, ihre Gesichter waren braun zerfurcht und ihre Bewegungen tapsend. Sie waren wie eben von ihrem Esel gestiegen, der außer ihnen ein Bündelchen dürres Holz für ein kleines Feuer getragen hat. Die jungen Männer prunkten mit trainierten Körpern und öligen Haaren, aber es herrschte Ruhe, die Unterhaltungen liefen gedämpft, kein mediterranes Geschrei, kein Motorradexplodieren, Singen und Lachen lagen über der vielköpfigen Gesellschaft. Auffällig war nur, wie unschuldsvoll privat sie sich diese öffentliche Wiese zu eigen gemacht hatten. Sie empfanden offenbar keine Beschränkung durch die Unmöglichkeit, hier unter sich zu sein. Sie steckten den Raum, in dem sie sich versammelt hatten, unsichtbar ab. Sie verhielten sich in dieser Stadt freier, als ich es je gewagt hätte. Wen sie nicht kannten und wer nicht dazugehörte, den sahen sie nicht.

Dafür sah ich sie, aber in Wirklichkeit erkannte ich die genaueren Umstände erst nach einer Weile, denn zuerst sah ich nur eine unter allen: Pupuseh. Sie hockte bei einer älteren Frau mit dem islamischen Kopftuch, das die Stirn verhüllte, das einzige Kopftuch in diesem Kreis, aber eine offenbar hochgeehrte Frau, denn immer neue Mädchen traten zu ihr, küßten ihr die Hand und legten diese Hand dann an ihre Stirn. Pupuseh brachte das Gebäck in dem zuckergesättigten Saft und bot es in der Haltung an, die ich an ihr kannte, es war zum Entzücken, wie sie das auf der dunklen Wiese machte. Für mich war es eine ganz neue Erfahrung, sie hier in einer Gesellschaft zu sehen, in die sie gehörte, unter Frauen ihres Volkes mit ähnlichem Haar und ähnlichen Zügen; das Türkische an ihr fiel nun viel stärker auf – im Geschäft hätte ich sie für eine Italienerin halten können –, aber auch das, was sie von den andern Mädchen unterschied. Neben ihr saß ein Mädchen, das ich nun gleichfalls wiedererkannte, eine Friseuse und Maniküre aus dem italienischen Friseursalon an der nächsten Straßenecke zu meiner Wohnung, eine Kurdin mit prächtig ausladendem Körper und einem wilden Haarschopf, den sie jede Woche anders färbte, dicken Lippen voll rosa Lippenstift und langen angeklebten Wimpern, ein liebes, starkes Mädchen, das eine köstliche Kopfhautmassage machte und mit der schnurrenden Weichheit, in die die Kundschaft während dieser Behandlung geriet, ohne Verlegenheit umging. Aber wie grob war ihre Haut verglichen mit Pupuseh. Wie dick waren die Fingernägel verglichen mit den polierten Möndchen an Pupusehs Händen. Und wie vom feinsten Pinsel gezeichnet besaßen Pupusehs Züge die höchste Präzision. Dem gab es einfach nichts hinzuzufügen – gab es, wie ich später sah, übrigens doch, aber sie schminkte sich mit dem größten Geschmack und für mich zunächst völlig unsichtbar. Etwas Schwarzes wischte durch die Luft und den weißen

Lampenschein. War das eine Fledermaus? Sie ließ mich aus meiner Versunkenheit aufwachen. Ich hatte am Rande der Wiese still dagestanden und ohne Scham dort hinübergestarrt wie ein Eckensteher oder Verrückter. Wie sie sich gab in diesem Kreis, wie sie sich in das Bild fügte, wie das Bild sie erklärte, das waren Rätsel, die ich lösen mußte, bevor ich weiterging. Ich machte von meinem Winkel aus, der weniger im Licht lag, einen entschlossenen Schritt in Richtung auf die Frauen zu.

Da entdeckte sie mich. In ihrem heiter-höflichen Herumgleiten und Stelzen zwischen den Klappsesselchen hielt sie inne. Ganz kurz stand sie stockssteif. Ihr Gesicht war ernst. Ihre Augen trafen mich. Sie schienen jetzt kohlschwarz zu sein. Dann schüttelte sie still den Kopf. Ihre Augen flogen schnell zur Seite, sie suchte den Kreis ab, ob irgendwer etwas bemerkte; nein, noch nicht, und deshalb mußte jetzt Schluß sein. Sie befahl das, eine Widerrede gab es nicht. Sie drehte sich brüsk um. Sie bückte sich in ihren engen Hosen zu der Kurdin. Sie ging weg und kramte in einer Kühltasche aus türkisem Kunststoff. Die Kurdin sah zu mir herüber, neugierig und zugleich abweisend. Ich gab mir einen Stoß und ging davon, am Wasserhäuschen vorbei, an dem wie die Verschwörer leise redend die meisten Männer standen.

Dort traf ich auf den Wäschetürken. Er sah fahl aus, viel kränker als sonst in diesem für die Erscheinung so ungünstigen Licht. Seine Augen waren fast kreisrund. Er sprach mit niemandem. Es war mir plötzlich klar, daß er mich schon lange beobachtete. Er trank mit runden Augen und rund geformtem üppigem Karpfenmund mein Bild wie feinen Rauch. Er gab kein Zeichen des Erkennens, als unsere Blicke sich begegneten. Ich ging an ihm vorbei, so daß wir uns fast streiften. Er ging keinen Schritt zur Seite. Er schwitzte. Auf seiner Oberlippe blitzten Perlchen. Ich war jetzt glücklich an ihm vorbei. Andere Männer sahen mich an. Es waren viel mehr, als ich zunächst hatte erkennen können. Sie standen dicht. Ich wand mich durch sie hindurch, ging aber stetig weiter, ohne zu stocken. Jetzt lag eine Last auf meinen Schultern. Auch mir rann der Schweiß herab. Was eigentlich war geschehen? Dies war ein Erlebnis wie ein Traum. Ich könnte alles, was ich dort sah, auch heute noch für einen Traum halten. Aber gibt es Träume, deren Folgen sich in die Wirklichkeit hinein erstrecken?

ACHTES KAPITEL

Mein erster Impuls am nächten Morgen war, zu der Wäscherei zu eilen und Pupuseh zu sprechen. Was gab es da zu sprechen? Diese Frage stellte sich nicht. Wenn ich an sie dachte, war mir, als hätte ich schon viel mit ihr besprochen, als gebe es ein ganzes Netz von Gesprächen, Blicken und gemeinsamen Erlebnissen, das uns umhüllte. Was sie mir gestern nur stumm andeutete, das würde sie mir heute ausführlich darlegen wollen und mir damit Ruhe spenden. So dachte ich nach betäubend tiefem Schlaf, der aber durch die Vollständigkeit der Ohnmacht den Abstand zum gestrigen Abend nicht als etwas Wirkliches erscheinen ließ; mir war wie den kleinen Kindern, die sich über die Tatsache des Schlafes noch nicht im klaren sind und nur erleben, daß man sie mit großem Aufwand ins Bett bringt, um sie sofort danach wieder herauszunehmen und anzuziehen.

Der Aufenthalt im Badezimmer beseitigte mit den Spuren der Nacht diese Unbekümmertheit, obwohl die Überzeugung blieb, daß jede der abwehrenden Gesten Pupusehs im Grunde anziehende, herbeirufende Gesten waren. Aber nun kehrte auch die Beklommenheit des Abends zurück. Was sich im schwankenden weißen Licht unter der schwarzen Himmelsglocke ereignet hatte, war von unbestimmter Bedrohlichkeit, und für Pupuseh war sie womöglich gar nicht unbestimmt. Sie fühlte gewiß etwas überaus Bestimmtes, als sie den Kopf so unvergeßlich eindringlich nach rechts und links wandte. Ich fühlte mich unschuldig-schuldig. Von keiner Absicht geführt, war ich den mir unbekannten Straßenzügen gefolgt. Ich hatte sie nicht gesucht. Ich hatte ihr nicht ungebührlich nahe rücken wollen, zumal nicht, während sie sich im Kreis ihrer Verwandten und Landsleute aufhielt, aber so hatte es nun einmal gewirkt. Wie ich angewurzelt am Straßenrand stand und hinüberschaute, ja eigentlich glotzte, wenn man die Unbeherrschtheit und Indiskretion dieser Betrachtung bedenkt, mußte ich wie ein Verfolger aussehen, der unversehens an sein Ziel gelangt ist. Meine Hingerissenheit sprach mich schuldig, und ich mußte dem im Grunde zustimmen. War das ziellose Schweifen nicht eigentlich doch eine Art Suche nach Pupuseh gewesen? Im Trüben der großen Stadt nach einem Menschen zu fischen kann nie systematisch geschehen, so wie man die Hand in undurchsichtigem Wasser schweifen läßt, um zu finden, was darin schwimmt. Ich hatte unwillentlich, aber sträflich unvorsichtig eine Situation herbeigeführt, die Pupusehs Besorgnis erregte. Das war schlimmer als jedes andere Mißverständnis. Sorgen, vielleicht sogar Ängste wohnten jetzt hinter der glatten weißen Stirn. Und ich sollte gegen diese Ängste nichts anderes tun dürfen, als unsichtbar zu bleiben? Das war unerträglich. Es war gegen alle Natur, denn alles zog mich dorthin, wo ich sie vermutete.

Plötzlich erwachte in mir ein gewaltiger Zorn gegen den Wäschetürken. Wer war dieser Mann, daß er bestimmen durfte, in welchen Gegenden meiner Stadt ich mich bewegte? Wie stellte er sich vor, meinen Spielraum, und das in meiner eigenen Straße, einzuengen? Wer hatte ihn veranlaßt, gerade hier seine Wäscherei zu eröffnen? Als ich in diese nahe der Bibliothek gelegene Straße zog – das war ein Grund, der meine Existenz hier mehr als rechtfertigte –, hatte es in seinem Eckhaus gar keine Wäscherei gegeben, sondern eine kleine Bankfiliale. Danach verkaufte dort ein Reisebüro verbilligte Flüge zu sonnigen Küsten. Und dann erst hielt der Wäschetürke dort Einzug, und gleich sah die ganze Ecke sehr viel schäbiger aus, denn die Schaufenster waren nun keine dekorierten Vitrinen mehr, sondern einfach Löcher, die in das unaufgeräumte Innere blicken ließen. Dachte der Wäschetürke etwa, ich würde nun nicht mehr an diesen Fenstern vorbeigehen? Wie sonst sollte ich zur Post und zum Photokopierladen gelangen? Wie sollte ich das Wasserhäuschen erreichen, wie den italienischen Friseur? Sollte ich etwa das ganze Quartier umkreisen, um mich diesen meinen Lebensquellen verschämt und gleichsam von hinten anzunähern? Das waren Fragen falscher Harmlosigkeit, mit der ich mich in meiner Entrüstung emporschraubte. In diesen Fragen kam Pupuseh überhaupt nicht vor. Ich stellte sie wie ein Bürgerrechtler auf einer Kiste stehend, mit einem ähnlich glaubwürdigen Tremolo. Am meisten hätte mich freilich stutzen lassen müssen, daß ich dabei war, so zu tun, als wolle ich noch unabsehbare Zeit in dieser Stadt wohnen bleiben, als stelle das Vermeiden einer bestimmten Route hier für mich ein ernstes Lebenshindernis dar. Und dabei saß ich schon in einer halb leergeräumten Wohnung und verließ sie heute vormittag vor allem deswegen nicht, weil ich auf einen Mann aus meinem Institut wartete, der für mich als Nachmieter eintreten wollte. Wenn ich es genau nahm, würde ich vielleicht überhaupt nicht mehr dazu kommen, einen einzigen Umweg zu machen, um den gefährlichen Türken zufriedenzustellen. Was waren denn das für Sphären, die hier nach vielen Jahren in dieser blassen trostlosen Straße, nun, da ich sie verlassen sollte, ihre Magnetismen auf mich richteten und etwas von mir forderten oder gerade nicht wollten, mich jedenfalls belangten und kompromittierten?

Hirsch rief an, eine Stimme aus meiner wirklichen, mit Licht und Zukunft erfüllten Welt, in der solche unwägbaren Nachtphänomene zurückwichen und undeutlich, sogar ein wenig komisch wurden. Daß ein türkischer Wäschereibesitzer mich finster ansah, weil er drachenartig ein junges Mädchen in seinem Laden hütete, wäre gegenüber Hirsch nur Stoff für eine kleine heitere Nebenbemerkung gewesen. Wenn die Leute doch nur ahnten, wie unwichtig sie waren, das sprach aus Hirschs festgezurrtem trockenem Lächeln.

Wir verabschiedeten uns jetzt für drei Tage. Er kehrte nicht unmittelbar nach New York zurück, sondern machte einen Tag in Südfrankreich und einen zweiten in Paris Station. Wie Hirsch allein Wörter wie »Vauvenargues« und »Fontainebleau« aussprach, das stellte in wenigen leicht angelsächsisch getrübten Nasalierungen eine ganze Kultur des Genießens dar. Ich war jetzt doch davon überzeugt, daß Englisch seine Muttersprache war, denn warum hätte er sonst französischen Wörtern diese Färbung mitgegeben? Viel von dem, was Hirsch genossen hatte, gab es nicht mehr. Die Zeit verzehrte mit Riesenappetit alles, was sich an Schönem zu erleben lohnte. In Fontainebleau hätte man natürlich in den vierziger, spätestens aber in den fünfziger Jahren spazierengehen müssen, da raschelte das Herbstlaub noch ganz anders unter den Schritten. Vauvenargues hätte man sehen müssen, bevor Picasso es kaufte, damals war es ein wirklich schönes Haus, Hirsch kannte es natürlich und hatte wohl gar einen Sommer dort verbracht.

Gab es für mich eigentlich noch etwas zu erleben? Waren die großen Erlebnisse nicht alle bereits einbalsamiert und in dem Mumienkörper Hirschs beigesetzt worden? Würde ich jemals Lebensmasse, gespeicherten und konzentrierten Lebensduft, etwas einer Lebensgeschichte Ähnliches aufzuweisen haben, um mit Hirsch auch nur annähernd mitzuhalten? Ich hörte schon die Leute sagen: »Ach, wenn Sie noch den alten Hirsch gekannt hätten, da ist Ihnen etwas entgangen! Jetzt macht das Geschäft ein junger Mann, er macht das nicht schlecht, aber verglichen mit früher ist das alles ganz uninteressant.« Nun, den alten Hirsch hatte ich jedenfalls noch gekannt, das war nun nicht mehr abzustreiten.

Drei Häuser trennten mein Haus von der Wäscherei. Wenn ich aus meinem Gartentor heraustrat und mich in die andere Richtung wandte, öffneten sich weite Räume: ein Platz mit einer stets geschlossenen grauen kleinen Kirche, von Kastanien umgeben, die bald sehr stattlich rot blühen würden, drum herum große Mietshäuser, zum Teil aus finsterem rotem Sandstein, mit über die Wipfel hinausragenden, in die Ferne blickenden Giebeln. Dann führte die Straße, die hier breiter und dadurch beinahe gleichfalls fast platzartig schien, auf eine große, stets stark befahrene Hauptverkehrsstraße, und dahinter türmten sich wieder Baumwipfelansammlungen, die einen Park markierten. In diese Richtung ging der Sog der Straße, hier war alles weiterführend und in größere Zusammenhänge lockend. Man konnte den in Richtung der Wäscherei viel häßlicher werdenden Straßenteil getrost vernachlässigen. Da war nichts mehr nennenswert. Für botanisch Interessierte gab es die schon erwähnte Säuleneiche, die inzwischen so selten aber auch nicht mehr ist, sie kommt bei den Architekten jetzt sogar in Mode. Es folgten dann zwei Pensionen, in alten Wohnhäusern untergebracht, die nach außen hin die wenigen großen Fenster solcher Häuser zeigten und mir stets aufs neue das Rätsel aufgaben, wie ein Haus mit insgesamt vielleicht acht Fenstern dreißig Gästezimmer enthalten kann.

Hinten auf dem Hof kehrte jemand, eine alte Frau in Kittelschürze. Sie kehrte langsam und gelassen und schien nichts davon zu ahnen, daß in ihrer nächsten Nähe vermintes Gelände begann. Solange sie dort kehrte, konnte eigentlich nichts passieren, das dachte ich, während ich ihr zusah. Sie machte Lärm, sie nahm sich nicht in acht. Es scharrte regelrecht, ein selbstgerechtes, selbstgenügsames Arbeitsgeräusch. Wer wagte es, daran Anstoß zu nehmen? Sollte ich denn wirklich der einzige Mensch sein, der aus dem Konzert dieser Straße, ihrem planlosen, unauffälligen Zusammenwirken, ihren nicht abgestimmten, aber in erträglichen Dissonanzen klingenden Lebensvollzügen herausgefallen war?

In diese Fragen und diesen Gedankenstrom, den sie auslösten, mischte sich immer wieder das Bild Pupusehs im Kreis der türkischen Frauen auf den Klappstühlen. Ein bedeutender Nebenertrag dieses Anblicks, wenn man als das Hauptereignis ihre Zuwendung zu mir betrachtet, war ihre Eingliederung in eine Umgebung ihrer Art zu erleben. Der junge städtische Mensch legt Wert darauf, keine Familie zu besitzen, vom Himmel gefallen zu sein und dem Volk seiner gleichkostümierten Gleichaltrigen anzugehören, das dazu bestimmt ist, ewig zu leben und zu herrschen, und nach dessen Pfeife alles zu tanzen hat; vielleicht ist es auch eine von anderen geblasene Pfeife, nach der da ohne Pause getanzt werden muß. Das klingt gewiß sehr onkelhaft, und ein bißchen »alter Onkel« bin ich mit fast sechsunddreißig Jahren auch. Es kostet mich nichts, das einzugestehen, das war ich immer, und das wollte ich immer sein, meiner Generation etwas abgerückt, eigentlich nicht zu ihr gehörend, aus anderen Schichten existierend und von anderen Quellen getränkt.

In der Wäscherei war Pupuseh nichts als eine kleine Soldatin aus dem Heer der jungen Großstädterinnen, tagsüber in unernsten Aushilfstätigkeiten befangen, um nachts verwegen angezogen mit bangem Herzen zu hoffen, an der Türkontrolle der Diskothek nicht abgewiesen zu werden. Am Abend auf der Wiese jedoch hatte sie sich reizend kindlich betragen, scheu, respektvoll und hilfreich die älteren Frauen bedienend und in den weiblichen Bereich fest eingegliedert. Die vielen türkischen jungen Burschen, die zum Teil doch sehr stark und gesund aussahen, existierten gar nicht für sie. Die gingen sie nichts an. Sie war wie zu einem wüsten Fest geschmückt, aber dieses Fest fand offenbar nicht statt und wurde, derart leicht ging sie in ihrer Aufgabe bei den in den Klappstühlen lehnenden Frauen auf, wohl auch gar nicht vermißt. Sie erschien noch viel jünger und vollkommen unschuldig. Und deshalb bekümmerte mich jetzt auch, sie erschreckt zu haben, obwohl ich diesen Moment zugleich segnen mußte. Er war mir geschenkt, in einem Augenblick, in dem mein Aufnahmevermögen wie Gartenerde gründlich gepflügt und locker aufgeharkt war, um alles, was es beträufelte, in sich aufzusaugen. Mit diesem Bild in der Erinnerung war der Gedanke, mich nun auf immer von ihr fernzuhalten, absurd. Dies Bild war dabei nichts Ewiges. Es war nicht einmal besonders haltbar. Ich konnte mich daran weiden, ich konnte es immer neu reproduzieren und seinen Reiz zu ergründen suchen, das gelang in den wenigen Stunden des Vormittags durchaus, aber ich mußte dabei mit Entsetzen auch bemerken, daß es jedesmal ein klein wenig schwächer geworden war. Es war wie mit einer undurchsichtigen Parfümflasche, aus der man den Duft zuverlässig heraussprüht, dann aber nur noch herausgehustet werden fühlt, und in geringeren Quantitäten und schon kräftiger drücken muß, um noch weniger zu produzieren, denn bald wird überhaupt nichts mehr kommen. Jetzt wußte ich schon nicht mehr, was genau es war, was mich an Pupusehs Anblick entzückt hatte – unbeschreiblich, wie man gern sagt, aber es war eben nicht unbeschreiblich gewesen, eben noch hätte ich es beschreiben können, ohne mich allerdings dieser Mühe zu unterziehen; es hatte mir ja vor Augen gestanden.

Aber hieß denn dieses Kopfschütteln auf dem Grasstück unter den Bogenlampen wirklich, daß ich Pupuseh niemals wiedersehen sollte? Drückte sie mit diesem unvergeßlichen, auch irgendwie traurigen Kopfschütteln denn ganz sicher ihren eigenen Willen aus? War darin nicht viel eher eine Warnung enthalten, ausgesprochen mit unendlichem Bedauern? Handelte es sich nicht vielmehr um die Aufforderung, ein erneutes Wiedersehen behutsamer anzugehen und jede unerwünschte Zeugenschaft dabei zu meiden? Konnte ich nicht ganz grundsätzlich dankbar dafür sein, was geschehen war? Wenn Pupuseh nicht den Kopf geschüttelt hätte, wenn ich auf sie zugegangen wäre und sie vor all ihren Landsleuten begrüßt hätte, wie man das Mädchen aus der Reinigung an der Ecke begrüßt, wenn dann der Wäschetürke besinnlich melancholisch hinzugetreten wäre und dem alten Kunden Zeichen der Wertschätzung übermittelt hätte aus seinen von schwarzen Ringen bedenklich umgebenen Augen heraus, wenn es dann zu einem deutsch-türkischen Schwatz gekommen wäre – Absage an allen Radikalismus und Chauvinismus auf allen nur denkbaren Seiten –, wäre das etwa wünschenswert gewesen? Ich sah förmlich, wie mir Pupuseh in Strömen von Völkerfreundschaft davongeschwemmt worden wäre. Hatte auch sie das schon bedacht, lange vor mir?

Das größte Geheimnis ist immer, wenn gar nichts passiert. In dieser Straße liegen die Häuser in solcher Stille da, daß nichts, was in ihnen vorgeht, sich offenbart. Wie hält sich ein solcher großer Stadtorganismus am Leben, wer betreibt den unüberschaubaren Apparat? Ist es die Frau, die drei Häuser weiter den Hof kehrt? Gegenüber war eine Familie aus Rumänien eingezogen, oder besser: einquartiert worden. Die dicke schlampige Frau war von einem dünnen bunten Rock aus Falten und Rüschen umwallt. Der braunhäutige Mann war nur mit einem kleinen Hut auf dem Kopf zu sehen. Man könnte denken, daß diese Leute Fremdkörper in der Umgebung dieser Straße bleiben müßten. Anfänglich hörte man Stimmen aus ihrer Wohnung. Die Frau stand auf dem Balkon und rief etwas ins Dunkle oder schimpfte mit dem Mann, der mit dem Hut auf dem Kopf neben den Briefkästen stand. Dann war bald nichts mehr zu hören. Die Fenster blieben zu. Die löschpapiermäßige dicke Stille saugte die Leute einfach auf. Neulich morgens stand die Balkontüre offen und erlaubte einen Blick in das Innere, viele zusammengeschobene Möbel aus gelbem Holz kämpften da um einen Platz an der Wand. Im Hintergrund aber ging der Mann aus Rumänien von einer Tür zur anderen. Er war gebeugt, er trug seinen Hut und schleppte sich durchs Zimmer. Dann erreichte er die Tür und verschwand in ihr. Ganz deutlich sah man das Hütchen im Gegenlicht, wie eine Bergkuppe in weiter Ferne.

Es war so einfach wie nichts auf der Welt, die unsichtbare Mauer zu durchbrechen, die mich von Pupuseh trennte. Ganz in der Nähe der Wäscherei stand diese Mauer, einen Schritt weiter würde man, wenn man durch die hohen, mit Gestellen ganz zugestellten Scheiben hinaussah, von drinnen erkennen, wer da draußen herumlief. Ich ging auf sie zu und war schon hindurchgetreten, ohne etwas zu spüren, erst zwei Schritte weiter befiel mich der Spannungsschauder zugleich mit der tröstlichen Gewißheit, daß es jetzt zum Zurückweichen zu spät war. Die Tür war geöffnet, als ob der Wäschetürke sich gleich zum Zigarettenrauchen neben sie stellen wolle. Er war aber nicht zu sehen. Ich blieb stehen. Ich hatte zunächst den Entschluß gefaßt, ganz schnell wie ein beschäftigter Hase an den Fenstern vorbeizueilen und nur einen Seitenblick in die Wäscherei zu werfen. Auf einmal war mir das zuwenig. Ich war auf einmal sehr mutig. Es war eine überraschende Frechheit in mir. »Ich gehe hier sowieso weg, ich kann mich gar nicht blamieren«, stand gewiß ganz deutlich auf meiner frechen Stirn geschrieben.

Pupuseh stand an der Theke und legte konzentriert Pullover und Jacken zusammen. Sie faltete sie schön und schnell und steckte sie dann in Kunststofftüten. Reinlichkeit und chemische zarte Dünste standen um sie. Ohne etwas zu riechen, war es mir plötzlich eine angenehme Vorstellung, wie es da drinnen roch. Warum blickte sie plötzlich auf? Nichts gab es, was sie hätte aufmerksam machen können, denn mein Blick erzeugte kein Geräusch.

Sie sah mich an, diesmal ohne zu erschrecken. Sie lächelte nicht, aber ich glaubte dennoch zu bemerken, daß sie sich freute. Sie bewegte sich nicht. Wir standen da und sahen uns an. Jetzt sahen wir uns schon so lange an, daß dies ein Faktum geworden war, etwas Unbestreitbares, nicht mehr Wegzuschiebendes. Dann sah sie schnell zum Vorhang hinüber. Jetzt streckte sie den Daumen aus und steckte ihn in den Mund, wie ein Säugling lutschte sie daran und sah mich dabei an. Dann nahm sie ihn wieder aus dem Mund, ein süßes Speichelfädchen hing daran. Sie hob zwei Finger und legte sie sich genau zwischen die Brüste. Jetzt bückte sie sich und holte aus einer Schublade einen kleinen Spiegel hervor. Darin betrachtete sie sich, als habe sie mich vergessen. Dann zog sie die Kämme aus dem Haar und schüttelte den Kopf, bis die Mähne sie umstand, und dann machte sie sich bedeutsam daran, die Frisur wiederherzustellen. Dann sah sie mich an. Schließlich wandte sie sich wieder dem Pulloverstapel zu. Ich war jetzt nicht mehr für sie da. Ich ging weg, ohne daß sie noch einmal aufgesehen hätte. Tief in der Nacht stand ich noch einmal vor der Wäscherei. Aus dem Keller drang Neonlicht in das dunkle Geschäft. Nach einer Weile wurde es ausgemacht.

NEUNTES KAPITEL

»Wir tappen mit verbundenen Augen über aus Strohhalmen geflochtene Brücken, die über schrecklichen Abgründen gespannt sind.« Das war das Gefühl, das mich erfüllte, als ich über die Möglichkeiten nachdachte, Pupusehs Botschaft mißzuverstehen. Ich mußte einfach verstehen, was sie meinte. Einen anderen Weg gab es nicht. Sie wußte nicht, wie ich hieß und wo ich wohnte, sie konnte mir auf keine andere Weise eine Nachricht zukommen lassen. Ich stellte mir vor, wie sie darauf gewartet hatte, daß ich vor den Scheiben der Wäscherei sichtbar wurde. Nicht anders konnte es gewesen sein. Seitdem ich sie auf der nächtlichen Wiese gesehen hatte, dachte sie darüber nach, wie sie mit mir in Verbindung treten könne. Sie war nicht überrascht, als sie mich sah, ich war erwartet. Und die eigentümlichen Gesten, die mir immer vor Augen stehen werden, der Daumen im Mund und die zwei Finger zwischen den Brüsten, die hatte sie vorbereitet, die waren nicht improvisiert, nein, die wurden regelrecht wie die Buchstaben einer Zeichensprache ausgeführt, wie bei einer Scharade oder einem Bilderrätsel. Aus all diesen zwingenden Schlüssen ergab sich unendlich viel. Sie hatte wirklich etwas verstanden – was, das wagte ich nicht auszusprechen, das Wunder war auch so groß genug.

Wenn ein Forscher, ein Chemiker etwa, am Schreibtisch unvermittelt die Einsicht und Überzeugung gewonnen hat, eine bestimmte Substanz müsse auf eine andere in einer bestimmten, aber bisher noch nie beobachteten Weise reagieren, wenn er sich dann in sein Laboratorium begibt und eine gläserne Versuchsanordnung aufbaut, die fauchende Flamme entzündet und die bewußten Substanzen in der errechneten Weise zusammenführt, und wenn dann die Verbindung, die erhoffte Reaktion vor seinen Augen tatsächlich eintritt, dann wird er über sein Ahnungsvermögen triumphieren, aber es wird auch ein Staunen in seinen Gefühlen sein, denn die vermutete Zwangsläufigkeit der Abläufe ist die eine Sache, daß sie tatsächlich gelingt, die andere. Und was meine Beziehung zu Pupuseh anging, war alles noch viel erstaunlicher, als es in sämtlichen Laboratorien der Welt zugehen konnte. Sie sandte mir Botschaften. Sie wußte, daß ich erscheinen würde, um sie aufzunehmen, was ich selbst keineswegs gewußt hatte. Und eine Botschaft für Pupuseh hatte ich erst recht nicht. Jetzt erst wurde mir richtig klar, daß ich überhaupt nicht wußte, was ich ihr sagen wollte, wenn ich dazu die Gelegenheit erhalten hätte. Sie hingegen war nicht ratlos, aber sie hatte auch praktische Anweisungen zu geben. Ihre Rechnung, daß ich wiederkommen würde, war aufgegangen. Das allein war staunenerregend genug, denn es bewies, daß meine Willensentscheidung hier gar keine Rolle mehr spielte. Ich hatte mit mir gerungen, was nun zu tun sei, als sie schon wußte, daß ich nach kurzem vor dieser Scheibe stehen würde. Es war das erste Mal in meinem Leben, daß ich das deutliche Gefühl hatte, geführt zu werden und mit jedem Schritt, den ich tat, auf einem schon gebahnten Weg voranzuschreiten.

Mit Hirsch verhielt es sich im Grunde genauso. Ich hatte sisyphosartig einen runden Felsblock einen steilen Berg hinangerollt, und nun eröffneten sich oben Ausblicke auf wundervolle Bahnen, auf denen dieser Stein auf das sinnvollste und müheloseste von allein weiterrollen konnte. Ich brauchte ihm nur noch einen leichten Stoß zu geben. Bisher hatte mein Leben darin bestanden, gegen jegliche Führung anzukämpfen. Was und wer mich lenken wollte, dem traute ich nicht. Immer sah ich Sackgassen voraus, in die ich gelockt werden sollte, und dem setzte ich Widerstand entgegen. So wie ich mit meinem Vater erbittert gekämpft habe, so habe ich auch mit Ryschen gekämpft. Ryschens Versuche, mich seinen Zwecken dienstbar zu machen, habe ich stets nur in dem Maß entsprochen, wie es unvermeidbar war. Ich war ihm ein unwilliger, zähneknirschender und deswegen auch anstrengender Knecht. Ryschen fürchtete sich schließlich vor mir. Das ist wohl das wahre Resümee unseres Verhältnisses. Daß man mit Nichtwollen genausoweit kommen kann wie mit Wollen, wußte ich bis dahin nicht. Daß die Dinge sich von selbst ergeben, daß alles sich zauberisch fügt, daß die Umstände uns entgegenwachsen und sich uns anschmiegen und sich vor uns neigen und daß sie, was wir hätten planen können, weise vorwegnehmen, das war mir die allerneueste Erfahrung, der ich deshalb noch ungerüstet gegenüberstand, noch mit zum Schlagen gehobenen, verkrampften Fäusten und mit geducktem Nacken, um wie ein Rammbock vorzupreschen. Aber nun hieß es sich umstellen und feinere Mittel entwickeln. Jetzt galt es, sich dem Schicksal zu überlassen, wie eine begabte Tänzerin sich der Führung ihres Partners überläßt und seine Schritte vorausahnt. Ich mußte lernen, das Schicksal zu benutzen. Das Schicksal erschien mir plötzlich wie ein starkes, aber beschränktes Wesen, ein Elefant, dem ein kleiner Junge im Nacken sitzt und ihn lenkt. Ich mußte auf diesen Nackenplatz gelangen, das würde sich schließlich aber auch noch ergeben. Man sieht, es war keine reine Dankbarkeit, die ich empfand.

Ich war noch zu sehr daran gewöhnt, nichts kampflos zu erhalten. Ich hatte noch die Straßenkötergesinnung der Elenden, meinen Vorteil hielt ich nicht wie ein Geschenk, sondern wie einen Raub. Als mildernden Umstand darf ich jedoch erwähnen, daß mich der Stolz auf mein Ahnungsvermögen fast den Verstand verlieren ließ. Was der Daumen im Mund und die Finger auf der Brust bedeuteten, wußte ich nicht, obwohl beide Gesten von solcher Schönheit waren, daß ich mich lange in ihre Betrachtung hätte versenken können, ja, auch das Daumenlutschen war voller Schönheit, so unwahrscheinlich das klingt. Denn Pupuseh kehrte dabei den Daumennagel nach oben und biß mit den Schneidezähnen darauf, so daß auch diese Geste sehr geformt aussah und durchaus nichts vom Wiegenkind an sich hatte. Aber was das Spiegelchen und die aufgelösten und wieder zusammengesteckten Haare sagen wollten – ein Vorgang von großer Geschwindigkeit übrigens, sie packte ihr reiches, aber auch ein wenig starres Haar wie ein dickes Büschel Unkraut und wand es und pflanzte es sich auf den Kopf, als drehe sie ein Strohseil, und stieß ihre Kämme hinein, als werde dieser dicke Wust damit auf dem Kopf festgenagelt –, das war mir augenblicklich klar. Ich wußte es, weil ich es wissen mußte, weil es unsere einzige Chance war, und so sprang der Sinn dieser Geste durch die dicke Glasscheibe hindurch in meine Stirn hinein. Die Kurdin, die Friseuse, war gemeint. Sie schickte mich zu der Kurdin. Die Kurdin hatte mich gestern abend gesehen, sie hatte mit der Kurdin über uns gesprochen. Sie wußte, daß ich die Kurdin aus dem italienischen Friseursalon kannte. Aus diesen Details bestanden die wenigen Informationen, die sie überhaupt über mich besaß. Mehr hatte sie nicht zur Verfügung, um mit mir in Verbindung zu treten, ein Nichts. Aber aus diesem Nichts baute sie uns ein Zelt.

Es ist eine romantische Vorstellung, Friseursalons als Kommunikationsorte zu sehen, von heiterem Geschwätz erfüllt, als Nachrichtenbörsen unter der Aufsicht des Börsenpräsidenten Figaro. Der Neapolitaner, der den Salon betrieb, in dem die Kurdin Haare wusch und Kopfhäute massierte, versuchte diesem etwas altmodischen Ruf gerecht zu werden, obwohl sein Publikum eigentlich nicht danach war. In den Sesseln saßen schweigende Geschäftsleute, die nur sprachen, wenn ihre kleinen Telephone Pieptöne von sich gaben. Die Musik vom Golf von Neapel war stark abgedämpft, die plärrenden Tenöre, die mandolinenumregnet musikalische Tomatensauce im Raum verteilten, sangen wie gestopfte Trompeten. Der Besitzer nannte mich schon Dottore, als ich noch keiner war, damals freute es mich, jetzt war es zu wenig, wie ich fand; die Friseurpromotionen müssen einen bestimmten Abstand zu den akademischen Promotionen wahren, um ihre Wirkung zu behaupten.

Wie würde es möglich sein, die Kurdin dort allein zu sprechen? Das Personal lief stets durcheinander, und der neapolitanische Meister war allgegenwärtig und versuchte seine Unterhaltungskunst auch an dem abweisendsten und zerstreutesten Kunden. Und die Gefahr, die ich vorausgesehen hatte, trat auch ein. Kaum stand ich im Laden, eilte der Neapolitaner schon herbei. Einen Termin zum Haareschneiden? Den wollte ich nicht, aber was sollte ich sagen, um den Laden nicht wieder verlassen zu müssen? Wo war die Kurdin? Es gab ein schwer einsehbares Hinterzimmer, wo Haare gefärbt und Locken eingedreht wurden. Wenn sie gerade dort beschäftigt war, würde ich ihrer kaum habhaft werden.

»Sie haben ja renoviert, Sie haben ja alles neu gemacht!« sagte ich plötzlich zu dem Neapolitaner. Nein, das sei schon lange so, antwortete er, im Gegenteil, da müsse endlich wieder einmal renoviert werden.

»Aber das ist doch neu? Das war doch anders?« sagte ich und ging schnurstracks in das hintere Zimmer, als müsse ich mich nun ein für allemal von dem Zustand dort überzeugen.

»Sie irren sich«, sagte der Neapolitaner, »meine Frau möchte gern alles terrakottafarben gestrichen haben, aber ich lasse es so hell, das ist freundlicher, hell ist freundlich, dunkel ist traurig.«

Es hob sich ein weißblonder Kopf, dessen Strähnen schon reichlich dunkel nachgewachsen waren. Die Kurdin war über die Hand einer Frau gebeugt, der sie die Nägel feilte. Sie sah mich, und ich sah sie. Ich wollte etwas sagen, da sprach sie schon.

»Der Herr hat morgen um fünf bei mir Termin«, sagte sie zu dem Neapolitaner und senkte ihren Kopf sofort wieder, wobei sie auch gleich ihr Gespräch mit der Frau fortsetzte, konzentriert murmelnd, wie es die Art ihrer Arbeit mit sich brachte.

»Wieso nicht heute?« fragte der Neapolitaner.

»Es ist gut so, ich hatte es vergessen«, sagte ich im Gehen, als dürfte ich keinen Augenblick zu lange hier verweilen.

Kein Zelt, eine Architektur wurde hier aufgerichtet! Wie weise und richtig lief alles ab! Der morgige Abend war mein letzter Abend in Frankfurt. Da hatte Ryschen mich zum Essen eingeladen. Das wäre ein jämmerlicher Schluß gewesen, eine Konkursabwicklung, ein ödes Abhaspeln des letzten Hanffadens, der uns verband. Statt dessen baute das Schicksal einen Bogen, eine Kuppel gar, und senkte als Vollendung diese Begegnung, diesen Abend, diese Nacht mit Pupuseh hinein! Und dann, aus dem vollen Glück heraus, der Anfang in New York.

Hier war auch gar kein Bruch zu sehen. Pupuseh, New York und die Firma Hirsch gehörten bereits organisch zusammen, was davor lag, das würde nun abbrechen und nicht weitergeführt. Das Neue wuchs doch nicht aus dem Alten hervor. Ich war plötzlich ganz ruhig, was diese Zukunft betraf. Ich hatte Zutrauen zu dieser Zukunft. Sie war ein Garten, ein Rokoko-Heckengarten, der in immer neue Räume, Pavillons, Schnittpunkte, Alleen führte, ein wenig verwirrend, während man durch die Boskette ging, aber einem großen klaren Plan gehorchend. Was also stellte ich mir vor, wenn ich an Pupuseh dachte? Ein amouröses Erlebnis ohne Folgen? Nein, keinesfalls. Aber welche Folgen hatte ich denn im Auge? Wie sollte das alles weitergehen? Wollte ich sie in den Koffer packen und zu Hirsch mitnehmen? Oder irgendwie nachkommen lassen? Oder manchmal in Frankfurt besuchen, als Douceur und Entspannung des Geschäftsreisenden? Ich schwöre, daß ich nichts dergleichen dachte. Meine Hoffnungen auf den Abend waren unbestimmt, ich wußte nur, daß das Richtige, das beglückend Gute geschehen würde. Träumend konnte ich mir vorstellen, Pupuseh in New York wiederzubegegnen. Sie war dann plötzlich einfach da. Sie trat mit zarter Goldspitze bekleidet aus den Seiten eines mit kostbaren Ranken eingefaßten Korans heraus. Ich empfand, was ich mit Pupuseh jetzt erlebte, als eine Art geheimnisvolles Spiel, eine Probe mit Stationen, die bewältigt werden mußten, bevor es weiterging, aber bevor sie bewältigt waren, mußte man sich um das Weitergehen auch keine Sorgen machen, die nächste Aufgabe würde dann schon folgen. Daß ich meinen Weg zu der Kurdin richtig gefunden hatte, erfüllte mich mit glänzender Laune, ja Lachlust.

Am nächsten Tag packte ich drei große Koffer, eigentlich zuviel, um damit zu reisen, aber wenig, wenn sie die ganze Habe darstellen. Ich bin wie einer dieser Landstreicher, die sich mit Bergen vollgestopfter Kunststofftüten abschleppen und deren wesentliches Lebensproblem die Verwaltung und Beförderung dieser Tüten bildet, dachte ich vergnügt in meinem Aufbruchschaos. Was nicht verschenkt und fortgeworfen wurde, mußte auch noch untergebracht werden. Damit verging viel Zeit. Es war eigentlich ein schrecklicher Tag. Die verhießene Eiseskälte war über die Magnolien hereingebrochen. Man sah es ihnen noch nicht an, aber lange würden sie diese klimatische Mißhandlung nicht überleben. Die Wäscherei lag finster da, so bemerkte ich aus den Augenwinkeln, als ich mit dem Taxi daran vorüberfuhr, auf dem Weg, meine Bücherkisten zu verstauen, aber ich war auch gar nicht neugierig. Ich mußte mich nicht überwinden wegzugucken, weil ich diese Wäscherei ganz deutlich als eine nun überwundene Station des Spieles empfand.

Ich kam pünktlich, ein freier Mann mit vorbereitetem Gepäck, alles war abgeschlossen, sogar Ryschen hatte ich noch abgesagt. Vielleicht war ich in meinem Leben noch niemals so frei gewesen. Vielleicht muß Freiheit gar nicht sein, vielleicht ist es auf die Dauer gar kein wünschenswerter Zustand. Aber jetzt war ich frei und empfand es stark. Mir war, als verdränge ich mehr Luft als andere, als seien mir auf dem Rücken große Flügel gewachsen.

Der Salon war noch voller Leute. Die Kurdin trat auf mich zu, mit ihrer schokoladenbraunen Haut und wie immer bunt geschminkt. Früher hatte ich sie nicht richtig gesehen. Sie war mir zu massiv, zu beweglich andererseits, aber dadurch war mir entgangen, wieviel Wärme von diesem Körper ausging, wie freundlich und arglos sie unter den fetten Opalschatten ihrer Augenlider hervorsah.

»Ich heiße Zeynab«, sagte sie mit leiser Stimme und deutete so schon an, daß sie mit mir im Vertrauen war. Ich legte mich in einen Sessel; diese passive Ruhe war ganz meinem Seelenzustand entsprechend. Ich werde geführt, dachte ich, ich kann ganz entspannt sein. Ich darf vielleicht sogar einschlafen. Mein Sessel stand abgerückt von den übrigen, es gab da einen Vorsprung, der ihn etwas abschirmte. Zeynab drehte die Musik ein klein wenig lauter. Der Meister klapperte mit seiner Schere um ein hellgraues Geschäftsmannshaupt herum. Hier gelang einmal die Konversation. Er war ganz dieser Unterhaltung hingegeben.

»Ich bin Pupusehs Cousine«, sagte Zeynab ruhig, aber ohne Geheimnistuerei, in diesem Ton verstand sie keiner im weiteren Umkreis. »Sie kommt mich hier manchmal besuchen, dabei denkt sich keiner etwas. Wir gehen nachher zur Maniküre in diese Kabine, dort sind wir ungestört.« Warmes Wasser floß über meinen Kopf, wehrlos lag ich da und bot meine Kehle dar. Ihre großen kräftigen Hände griffen meinen Kopf, als sei er ein Wachsklumpen, den man warmkneten könne. »Wir stammen aus Kappadokien.« Da war es wieder, das große alte Wort, aus Kappadokien stammte doch schon lange niemand mehr, das war doch eine aus der Geschichte gefallene Landschaft. »Von dort aus sind wir nach Lykien gezogen, schon unsere Großeltern, mit den Ziegenherden. Jetzt sitzen wir in Lykien, die ganze große Familie.« Das Wasser umflutete mich, und die Hände massierten, und die Stimme sprach in der Nähe meines Ohres. Zeynab und Pupuseh hatten kein Geld, so hörte ich, das Geld hatte die Familie. Sie zog Tomaten in großen Gewächshäusern, züchtete Forellen in Betonbecken und besaß Lastwagen. Das Dorf, aus dem sie stamme, gehöre ganz der Familie, dort gebe es nichts, was nicht zu Calik gehöre.

»Was ist Calik?« fragte ich mit geschlossenen Augen.

»Unser Name«, sagte die Kurdin, obwohl sie selbst doch anders hieß, weil ihre Mutter einen Kurden genommen hatte.

»Wie heißt das Dorf?« fragte ich.

»Girmeler«, sagte sie, »es ist nicht weit vom Meer«, als gehe das aus dem Namen hervor.

»Ich möchte etwas anderes wissen«, sagte ich nun, »was wollte Pupuseh mir sagen, als sie den Daumen in den Mund steckte und sich die beiden Finger auf die Brust legte?«

»Wenn Sie das nicht wüßten, wären Sie doch nicht hier!« antwortete sie. Sie schwieg eine Weile. Sie fand meine Frage wohl nicht unbedenklich. Hatte ich eine Indiskretion begangen? War es falsch, sie etwas aussprechen zu lassen, was Pupuseh vorbehalten war?

»Kommen Sie jetzt mit in die Kabine im Hinterzimmer«, sagte sie, nachdem sie mir die Haare getrocknet hatte. Zwischen den aprikosefarbenen Wänden der kleinen Zelle flüsterte sie mir zu: »Die zwei Finger heißen zwei Tage. Sie wollte sagen: Wenn du es ernst meinst und ein guter Mann bist, dann komm in zwei Tagen zu Zeynab.«

»Und ich bin gekommen«, sagte ich, im Zustand großer Rührung und Ergriffenheit, ich meinte geradezu, mir träten Tränen in die Augen. Zeynab ging weg und ließ mich einfach in der Zelle sitzen. Das war klug, ich lobte und bewunderte sie in Gedanken. Es war eine schöne, das Herz erwärmende Vorstellung, daß Pupuseh solch eine liebevolle zartfühlende Cousine hatte, ein sinnliches Lebewesen, das man gern umarmte und küßte, wie ich mir plötzlich zu denken erlaubte, das aber zugleich aus ganz anderem Stoff gemacht war und einen natürlichen Abstand zu Pupuseh wahrte.

Die Kabine war für den Aufenthalt von Frauen gemacht, ein Behandlungsbett, mit weißem Frottee bezogen, stand darin. Die Stimmen und Schritte drangen von draußen wie von fern herein, aber ich fürchtete doch, daß der Neapolitaner hereinsehen und mich fragen könne, worauf ich wartete. Ich wartete gar nicht. Ich war im Zustand einer sanftes Wohlbehagen erzeugenden Vorfreude. Der Aufenthalt in dieser zartfarbenen duftenden Kabine hätte noch lange dauern können. Jeden Augenblick konnte er zu Ende sein. Was mich anging, hatte ich alle Zeit der Welt.

Jetzt dauerte es schon sehr lange. Mir war plötzlich klar, daß ich schon mehr als eine Stunde wartete. Ich begann mich unwohl zu fühlen. Draußen wurde die Musik abgestellt. Es waren jetzt viel weniger Stimmen zu hören. Reinigungsmaschinen, ein Staubsauger brauste. Ich wagte nicht, den Kopf herauszustrecken. Wo war Zeynab? Wie war ihr Plan? Was erwartete sie von mir? Wo war Pupuseh? Dies entsprach nicht der Spielregel. Der Mechanismus stockte plötzlich. Das Licht ging aus. Hatte Zeynab mich vergessen? Sollte ich in diesen Salon eingeschlossen werden? Gehörte dies alles noch zum Plan?

Dann stand Zeynab vor mir. Sie weinte. »Pupuseh kommt nicht. Sie ist nicht mehr in Frankfurt. Sie ist heute nachmittag in die Türkei gebracht worden.«

Zehntes Kapitel

Als ich Zeynab schließlich verließ, war mir immer noch nicht klar, in welchem Zustand ich mich befand, so düpiert, so vor den Kopf geschlagen und außer mir stolperte ich einmal aus reiner Achtlosigkeit fast hinfallend nach Hause, genauer in die meinem früheren Haus benachbarte Pension, in der ich die letzte Frankfurter Nacht verbringen wollte. Ich sprach vor mich hin wie ein wirrer alter Mann und schüttelte in der dummen vernagelten Entrüstung solcher verlassener Existenzen den Kopf, als sei ich das Opfer eines unverschämten Betrugs. Von außen mag meine Fortbewegungsart anders ausgesehen haben, da wirkte ich keineswegs heruntergekommen, sondern vielmehr einige Stufen zu weit hinaufgekommen auf der Skala männlicher Schönheit. Ich war durch die Kunst Zeynabs mit einer makellos sitzenden Friseurfrisur geschmückt geworden. Meine Hingegebenheit an ihre Worte hatte verhindert, daß ich zwischendrin während der Behandlung einmal in den Spiegel sah. Ich hielt, was sie da eifrig tat, während sie sprach, auch nur für Ablenkungsarbeit zur Täuschung des Neapolitaners und aller Sbirren, die sie fürchten mochte. Aber was Zeynab, dieses treue und von mir schon jetzt als Freund aufrichtig geliebte Herz, anfing, das tat sie richtig. Sie kannte keine Scheinbeschäftigung. Mitten in der aufregendsten verstohlensten Mitteilung hatte sie mit runden Bürsten und dem Fönapparat, aus zischenden Dosen Lackschleier produzierend, mein Haar in eine Art solide federnden Schaumstoff verwandelt. Fast unzerstörbare Kissen lagen auf meinem Scheitel und meinen Schläfen. Der Kopf hatte dadurch etwas Rechteckiges erhalten, rechteckig und zugleich abgerundet wie die wohl häßlichste Form unserer Umgebung, der an eine aufgeblasene Kiste gemahnende Fernsehschirm. Mit diesem Kopfputz hatte ich Zeynabs Schluchzen zugehört. Unser beider Schreck saß so tief, wie vorher unser Vertrauen auf den planmäßigen Ablauf gegründet war. Der Laden war leer und abgeschlossen, als Zeynab zu mir kam. So hatte sie das berechnet. Ich sollte schon lange drinnen sein, bevor Pupuseh sich annäherte, und dann sollte es überhaupt kein Hindernis mehr geben. Diese Vorbereitung war vollkommen. Sie beruhte auf einem einfachen Plan. Sie war ungefährlich. Sie schuf eine nur durch den Morgen und die Wiedereröffnung des Geschäftes begrenzte Freiheit. Und jetzt wollte sie alles geahnt haben; Pupusehs unmittelbar bevorstehende Verschleppung, den Besitzanspruch der Familie, das habe sich in den letzten Monaten alles abgezeichnet und sei vor allem Pupuseh nicht verborgen geblieben.

»Sie ist eine Schöne«, sagte Zeynab geradezu ehrfürchtig und mit großer Liebe. Nicht das kleinste Fünkchen Neid lag darin, in ihrer herrlich farbenprächtigen Aufschirrung und ihrer geradezu prahlerisch tröstlichen Gesundheit wußte sie genau, welchen Platz sie sich im Verhältnis zu ihrer Cousine zuwies. In ihrer Familie werde allgemein geäußert, es sei nicht gut für eine Frau, in Deutschland zu leben. Eine Frau komme oft genug verdorben zurück. Wer seine Tochter liebe, der lasse sie nicht nach Deutschland. Um sie, Zeynab, kümmere sich niemand, denn ihr Vater sei tot, aber Pupuseh werde von vielen Augen beobachtet.

»Sie sollte hier überhaupt nur zu Besuch sein«, sagte sie dunkel, »das hätte sich gar nicht so ausdehnen dürfen.« Schuld sei gewiß der Vetter, der Besitzer der Wäscherei, ein Fraueneroberer, ein Frauengenießer. »Man sagt …«

»Was sagt man?« fragte ich scharf und schoß von dem frotteebezogenen Bett auf.

»Man sagt, daß er sich um Pupuseh bei ihrem Onkel beworben hat. Dabei ist er noch nicht geschieden.« Da sah ich mich auf einmal mit der eifersüchtig wachenden Familie vereint, da mußte ich ihr gar in Gedanken für das entschiedene Handeln danken.

»Und Pupuseh?«

»Sie verabscheut ihn.«

Gut war das zu hören, aber was sollte ich damit jetzt noch anfangen? Das also war es gewesen, mein kleines Abenteuer, das eine neue Lebensphase eröffnete. Morgen nacht war ich in New York, und dann kam viel fordernd Neues, ein schwieriger Herr, eine kaum zu übersehende Aufgabe, und dieses Fünkchen, das den Namen Pupuseh in meiner Erinnerung trug, würde bald ausgeblasen sein. Wenn es erloschen war, würde noch eine Weile etwas Schales, Peinliches zurückbleiben, ein empfindlicher Punkt, den man in der Rückschau besser mied, ein Hohlraum im Fundament, der um der Stabilität des Ganzen willen besser aufgefüllt gewesen wäre, aber da war eben nichts, da gab es nichts, und es würde dort drinnen auch unangenehm leer bleiben. Es war nichts. Nichts war da. Es gibt schlimmere Diagnosen. Manchmal kann das Nichts beruhigend wirken, gegenüber einem gefährlichen Etwas.

In gemischter, zerfahrener Stimmung nahm ich Zeynabs Erklärungen entgegen. Sie glaubte offenbar, daß ich nun vor allem mit der Entschwundenen in Verbindung treten wollte. Davon riet sie dringend ab. Ihre Stimme wurde beschwörend, sie vergaß ihren ganzen Kummer darüber, daß ihrer geliebten Freundin der Willen gekränkt worden war. Wie sollte ich wohl von New York aus mit Pupuseh in ihrem lykischen Dorf in Verbindung treten? Was jetzt geschehen oder eben nicht geschehen war, setzte doch für jeden Klardenkenden allem ein Ende. Was sie mir mit ihrer ungelenken und die Buchstaben durcheinanderpurzeln lassenden Kinderschrift alles notierte, nahm ich geduldig entgegen: an Zeynab müsse ich schreiben, und zwar ins Nachbardorf, an die Adresse einer Freundin, und diese Freundin heiße Gülen Kocabacs, und dort werde Pupuseh die an Zeynab gerichteten Briefe, ohne Aufsehen zu erregen, abholen können. Alles andere mußte zum Schlimmsten führen – »für Pupuseh, aber auch für Sie!«

Das war wohl eine Warnung, vielleicht auch eine Drohung, ich sollte mich geistig jetzt, nachdem ich auf mein wohlvorbereitetes und mir vom Schicksal bereits gewährtes und angekündigtes Vergnügen zu verzichten hatte, auf türkischen Familiengraus einstellen, auf zornmütige Haremswächter und ehrpusselige männliche Blutsverwandte. Aber Zeynab rührte mich, in meiner aus Enttäuschung und Verblüffung zusammengerührten schlechten Laune sah ich dennoch ihre Hingabe und ihren Eifer.

Man muß Nachsicht mit mir haben. Der Aufenthalt in der aprikosenfarbenen Schönheitskabine in der beständigen Angst, der neapolitanische Friseur könne die Tür öffnen, und der gleich großen freudigen Erwartung Pupusehs hatte mich an einer empfindlichen Stelle getroffen: der Angst vor der Lächerlichkeit, und dies war nun die sprichwörtliche verkrachte Komödiensituation. In einer solchen Kabine ist es schwer, die Würde zu wahren, ohne die Würde aber vermag ich mich schon gar nicht mehr angemessen zu verhalten. Ich glaubte festzustellen, daß Zeynab einen grundsätzlichen Respekt vor dem unbegreiflichen, heftigen und ungenierten Zorn der Männer empfand, als sei das eine unbeherrschbare, hinzunehmende und zu erduldende Erdbewegung. Nein, ich ließ sie nicht wirklich fühlen, wie mir zumute war, aber eine Anwandlung verspürte ich, es ihr einzutränken und meinen Unmut so lange sich ausbreiten und donnern zu lassen, bis die Würde als zurückgekehrt betrachtet werden durfte. Pah, hätte ich sagen können und auch sagen dürfen, denn die lautere Wahrheit stand dahinter, was soll ich mit solchem Zettelkram. Ich war im Aufbruch zu einem anderen Kontinent, wenn man mir hier einmal eine feierliche Ausdrucksweise gestattet, und jeder, der einmal in solchen schwierigen Aufbrüchen gestanden hat, wird mir zugeben, daß ein Zettel, der einem dann noch aufgenötigt wird, eine Beschwernis ist, man sortiert vielmehr unablässig aus, wirft weg und läßt hinter sich und schuppt ab, was in den neuen Umständen nur noch Kruste und Last wäre. Vor allem wehrte ich mich gegen ihren Versuch, mir das schicksalhaft Unbedingte an Pupusehs Abreise oder besser Heimkommandierung begreiflich zu machen. Was die Türken mit ihren Töchtern anstellten, davon wollte ich nichts wissen. Hier war etwas unfaßbar und unbeschreibbar Zartes und Durchsichtiges, glücklich Aufregendes zwischen zwei Menschen entstanden, eine Art Wolke, die sie beide umhüllte und von der sie selbst nicht wußten, was diese Wolke nun sei und wohin der Aufenthalt in ihr führe, nur atmen wollten sie in ihr und da drinnen zusammensein. Und darauf wurde mit einer unfaßbaren Brutalität geantwortet und weggesperrt und auseinandergerissen, was sich noch gar nicht richtig nahegekommen war.

Das sei das Glück, sagte Zeynab, als habe sie mir immer noch ein schönes Geschenk zu machen. Auf mich richte sich kein Verdacht. Der Wäschevetter habe den Unmut erregt. Ich sei in meinen Aktionen noch frei, nicht sehr frei allerdings angesichts der immensen Schwierigkeiten, Pupusehs Anblick noch einmal zu erhaschen.

Auch ich hatte ein Geschenk für Zeynab, das üppige, pompös nach Puder und Ballkleid duftende Parfüm nämlich, das, mit vielen Schleifen wie ein Osterei geschmückt, ich Pupuseh hatte überreichen wollen, »um etwas in der Hand zu haben«, wie man wohl sagt, und das zu Pupuseh eigentlich auch überhaupt nicht gepaßt hätte. Es hatte etwas Angeberisches, es sollte teuer wirken, aber es traf ihren Charakter nicht, etwas frisch Bitteres, etwas sanft Blühendes, etwas reinlich Kindliches hätte man für sie mischen müssen.

Für Zeynab war meine Gabe das Richtige. Sie vergaß ihre Sorgen und lächelte. Sie fand, daß sie ein kleines Geschenk verdient hatte, und das hatte sie auch, ich hatte nur nicht daran gedacht. So half mir Pupusehs Ausbleiben, das Gesicht wenigstens in dieser Hinsicht zu wahren. Zeynab war herzlich, als sie mich zum Hinterausgang brachte. Es gab eine Sekunde, in der es aussah, als würden wir uns zum Abschied küssen, aber diese Sekunde ging vorüber, und augenblicklich war meine schlechte Laune wieder da.

Die Erwartung Pupusehs, die Beschäftigung mit Pupuseh, die anwachsende Intensität der Begegnungen mit ihr hatten mir in den Nächten zuvor den reinsten und tiefsten Schlaf geschenkt. Es war, als ob ich den hohen Grad der Unbewußtheit, in der dies alles stattfand, noch steigern wollte. Im vollkommenen Schwarz abstürzen und im kompakt Schwarzen lange selig verharren, das war vielleicht die angemessene Fortsetzung der Erlebnisse des Tages. Von Pupuseh träumte ich dabei nie, wenn man etwa meint, daß es der spärliche Ertrag an Tatsächlichem gewesen sei, der mich nach ungezügeltem nächtlichem Ausbau hätte verlangen lassen. Und wenn ich doch geträumt haben sollte, dann hielt ich es vor mir verborgen, indem ich diese Szenen verwarf und vergaß. Jetzt aber schlief ich erst gar nicht ein. Es war die erste und letzte Nacht, die ich in dieser Straße, aber nicht im eigenen Bett verbrachte. Ein Lebenskünstler, der den Situationen, in die er gerät, meditativ aufgeschlossen gegenübersteht, hätte in dieser Nacht zu ganz neuen Einsichten über die Welt, in der er Jahre zugebracht hat, gewinnen können. Es sind die kleinen Verrückungen des Standpunktes, die oft alles verändern, man kennt das vom Photographieren. Ach, diese Straße. Über sie wollte ich schon gar nichts mehr erfahren. In meiner Enttäuschung bestrafte ich die Welt mit Desinteresse: Zur Hölle mit dieser Straße. Sie ging mich nichts an. Jetzt machte ich das Licht aus. Damit war selbst die Hotelzimmersäuberlichkeit verschwunden. Aber das innere schwarze Rouleau, das wollte mir nicht herabzuziehen gelingen. So lag ich mit offenen Augen im Dunkeln. Die frische Bettwäsche zu fühlen war nur ein kleiner Trost.

Ich stellte mir, was mich die letzte Zeit bewegt und in Atem gehalten hatte, als Gewichte vor, als dicke Materiebatzen, zu Zylindern gestampft, ohne Hohlraum. Da war die Doktorarbeit – vor mir selbst durfte ich mich schließlich mit ihr befassen –, ein Block, in den viel Einsamkeit, Willenswut, Abneigung gegen Ryschen, sklavisches Hängen an Ryschen, Ehrgeiz und Gedankenkraft hineingepreßt war, die ich allerdings jetzt als etwas Körperliches erkannte, die Gedanken waren regelrecht ersessen, sitzend zur Formulierung gezwungen und damit beschädigt und beinahe umgebracht worden; ich könnte das genau zeigen, in vielen Kapiteln, einem Esel wie Ryschen mußte es freilich verborgen bleiben. Jetzt wollte ich aber auch einmal wissen, wieviel ich damit auf die Lebenswaage brachte. Ich horchte ganz still in mich hinein, was der Gedanke an diese Arbeit bei mir bewegte: nichts, fast nichts, da war Windstille, das Herz schlug keinen Schlag schneller.

Jetzt stellte ich Hirsch in die Mitte, Hirschs glänzendes Angebot, die Veränderung der Lebensumstände, die damit einhergingen, die Befriedigung der Phantasien, das Entkommen, diese Flucht aus dem Bisherigen, die nicht nur nicht schmählich war, sondern von den Umstehenden als glanzvoll empfunden wurde. Ich stellte mir diesen komplexen Block nun ins Zentrum und wartete, was er auslösen werde. Aber er war zu leicht, um sich richtig schieben zu lassen. Er rutschte mit lästigem kleinem Quietschen vor meinem Zugriff weg, hüpfte auch in die Luft und blieb dort schweben, sank hernieder wie Seifenblasen und schrumpfte auch leicht. Das alles war sehr unangenehm. Ich wollte ihn ergreifen und bekam ihn nicht zu fassen, und das schuf das Gefühl des Lästigen, Quälenden, zugleich mit einem Gefühl von Schuld, die wiederum eine große Bangigkeit auslöste. Um den Eindruck dieses von mir selbst zu Experimentalzwecken geschaffenen Hirsch–New York–Blocks zu verwischen, machte ich für kurze Zeit sogar das Licht an. Mir war regelrecht schwindlig geworden.

Im Dunkeln kam dann der letzte Aspekt an die Reihe. Das war nun dieses kleine fragmentarische Erlebnis mit diesem türkischen Mädchen, das seine Bedeutung, so wollte mir jetzt scheinen, eigentlich hauptsächlich durch den Zeitpunkt seines Geschehens erhalten hatte, durch den Lebensaugenblick, den es ausfüllte. Ebensogut könnte man sagen, daß dieses Erlebnis auf den richtigen Lebensaugenblick bei mir gewartet hatte, auf ein Milieu, in dem es sich aufblühend ausfalten konnte. Ich dachte an diesen Block, an den Pupuseh-Zylinder, und es wurde mir gleichzeitig eng und weit. Mit unerhörter Schwere, wie ein Klumpen Blei, den man nicht halten kann, stürzte es in mich hinein und riß die Basis, auf der er stand, und die Wände, die ihn umgaben, mit sich. Mir war, als sei ich ein unauslotbar tiefer Schacht, der durch das Gewicht dieses Klumpens eingerissen wurde und in sich selbst zusammenstürzte, ohne daß seine Bestandteile schon einen letzten Boden erreichten. Ich verharrte in Staunen in diesem Gefühl. Ich ließ es sich ausbreiten und vertiefen und betrachtete es, diesen nach innen stürzenden Schmerz, der eine hohe Sogkraft entwickelte und nicht nachlassen wollte. Kann man Leuten, die sich in tiefer Zufriedenheit und Gemütsruhe befinden, dieses Gefühl begreiflich machen? Werde ich selbst eines Tages in der Lage sein, es zu begreifen? Wie unzärtlich, unverbrämt, wie nackt und abstrakt war dies Gefühl. Mir fiel kein Name dafür ein.

Vielleicht war Pupuseh in Not? Vielleicht in einer Art Bedrängnis? Vielleicht war ihre einzige Hoffnung ein Freund, ein Mensch, der nicht mit ihren Familienmenschen verhakelt war und sie deshalb als eigenständiges Lebewesen und nicht bloß als Nichte, Cousine, Enkelin und Schwägerin ansah? Vielleicht geschah ihr Gewalt? Vielleicht war die Abreise unter rohen, verletzenden Umständen geschehen? »Im Mohrenland gefangen war / ein Mädchen hübsch und weiß ...« – weckte ihr Schicksal nicht in frühesten Phantasien angelegte Ritter- und Abenteuerbilder? Ich muß bekennen, daß mich von all diesen Fragen nicht eine einzige bewegte, nicht Pupusehs Glück und nicht ihr Unglück, nicht der Gedanke an Hilfe oder gar an Rettung. Ich scherte mich überhaupt nicht darum, ob Pupuseh mich brauchte. Ich war es, der sie brauchte.

Was hatte Hirsch eigentlich von mir zu erwarten? Er sehnte sich nach einem jungen Mann, in den er sich, ausgetrocknet, wie er war, hineinverkörpern konnte, ähnlich, wie sich das die hochintelligente greise Marquise d'Urfé vorstellte, die Casanova für die Herbeischaffung junger Mädchen, die ihr das ewige Leben garantieren sollten, hohe Summen zahlte. Es klang häßlich und undankbar gegenüber Hirsch, so etwas zu denken und dann auch noch auszusprechen, denn es ist wahrlich nie die

Rede davon gewesen, daß ich irgendwie ausgenutzt werden sollte. Der wirkliche Nutznießer sollte doch ich selber sein. Aber dazu brauchte es den Unverbrauchten, den Voraussetzungslosen, den frisch Charakterlosen meinetwegen sogar, und den darzustellen scheint mir gelungen zu sein, obwohl mir so frisch in Ryschens Gegenwart noch nie zumute gewesen ist. Und jetzt kam dieser Erbprinz und jugendliche Held in New York an und war ein Geschlagener, ein Mann, der in seinem seelischen Gepäck nur Fragmente mit sich führte und an einer geheimen Wunde litt. Statt ein weißes Blatt zu sein, auf das Hirsch schrieb, war meine innere Tafel vollgekritzelt mit wirren Buchstaben. Ich kam gar nicht auf der richtigen Schiene bei ihm dort drüben an. Ich war von meiner Lebensschiene heruntergefallen, ich mußte mich da eigentlich zunächst einmal wieder draufsetzen. Das sei die Sprache professioneller und halbprofessioneller Seelenberater? Bei einer solchen Häufung der Vergleiche höre man schon ordentlich, daß da etwas aufgebaut werden solle und daß zu diesem Stück aus den Kulissen alle erdenklichen Versatzstücke herbeigetragen werden? Nein, ich schwöre, das waren meine Gedanken. So drückte sich der Seelenkampf aus, in dem ich mich befand, und was sich an Geistern und Dämonen und gespaltenen Luftwesen in solchen Schlachten schlägt, das mußte doch irgendwie benannt werden.

Pünktlich, nein überpünktlich stieg ich ins Taxi zum Flughafen mit meinen drei Koffern. Ich wollte einfach nicht länger am Frühstückstisch sitzen, mit Blick auf meine Straße, deren Aussehen in nichts verriet, daß ich sie nun verließ, so teilnahmslos glotzten die Häuser vor sich hin. Im Flughafen fand ich gleich den richtigen Schalter, vor dem sich eine lange Schlange gebildet hatte, die rückte nur träge voran. Zu früh war ich doch nicht dran. Aber ich stellte mich nicht in die Reihe. Was hinderte mich daran, meine Koffer hier abzugeben? Ich schob meinen hochbeladenen Gepäckwagen auf weiten Wegen durch die Hallen. Ich weiß nicht wie es geschah. Plötzlich stand ich vor einem Pult, an dem Flugreisen für Kurzentschlossene angeboten werden, nach Tunis und der Dominikanischen Republik, nach Thailand und Bali. Wie eine Aufziehpuppe ging ich auf eine adrett uniformierte Frau zu und kaufte für zweihundertfünfzig Mark einen Flugschein nach Antalya an der pamphylischen Küste. Warum? Warum? fragt der Richter oft genug den Angeklagten, warum konnten Sie das tun? Der Angeklagte schweigt, obwohl er das Zwangsläufige seiner Handlungen noch deutlich empfindet. Aber er fühlt eine Scheu, das Unerklärliche mit etwas Unerklärlichem zu erklären.

ELFTES KAPITEL

Meine Reise zu Pupuseh glich einem Sprung und einem Eintauchen. Zum Nachdenken und Bereuen blieb wenig Zeit. An Hirsch sandte ich ein teures Telegramm; allein dieses Mittel war ein halbes Eingeständnis der Lüge. Wer telegraphiert heute schon, außer um zu gratulieren oder zu kondolieren? Die wortkarge Darstellung meines Hinderungsgrundes – »bin schwer erkrankt« – klang schon verdächtig. Das war jetzt aber alles gleichgültig. Später würden diese Dinge geklärt werden, von mir, der ich dann Herr meiner Kräfte wäre, das Schwierigste und Wichtigste gelöst hätte und keine Beschränkungen mehr kannte. In Wahrheit dachte ich jetzt überhaupt nicht mehr an die Zukunft. Mit meinem Entschluß, nach Antalya zu fliegen, war eine Veränderung meiner Denkweise einhergegangen. Wie ein Droschkengaul trug ich nun Scheuklappen. Etwas anderes als der unmittelbar vor mir liegende nächste Schritt war mir nicht mehr erkennbar. Hatte ich jemals etwas anderes geplant, als Pupuseh in ihre Heimat zu folgen? Nur meine unförmigen und schweren Koffer erinnerten mich, daß es eigentlich ein anderes Ziel gegeben hatte, aber als sie auf dem Förderband verschwunden waren, riß die letzte Verbindung mit meinen alten Plänen.

Im Flugzeug saß ich neben einem alten Herrn in sorgfältigem Anzug aus festem braungestreiftem Stoff, wie es ihn hier gar nicht mehr gibt. Er hatte die gelbliche Haut, die in der Sonne tief umbrabraun wird, aber er sah aus, als setze er sich nicht der Sonne aus, als sei er ein Schriftgelehrter alten Schlages. Solche Herrengestalten aus ganz anderen historischen Regionen findet man hie und da noch auf dem Balkan, mit ernsten, glatten Glatzen, mit straff pomadisiert zurückgekämmtem stahlfarbenem Haar oder auch mit weißer Bürstenfrisur, mit gepflegtem Schnurrbart, tiefen, aber gesund wirkenden Falten, mit Anzügen, die aussehen, als seien sie von einem gleich-

altrigen Schneider gemacht – oft sind sie es tatsächlich –, und
Zeitungen in den großen trockenen Händen, vormittags in den
Kaffeehäusern jener Städte, wo sich die Schatten der öster-
reichischen und der osmanischen Monarchie übereinanderlegen
und alle Farben tiefer werden lassen. Tatsächlich war er, wie sich
herausstellte, in Bukarest geboren, zu einer Zeit, als es dort
noch zahlreiche türkische Familien gab.

»Ich bin Türke«, sagte er mit leicht wienerischem Akzent,
und das klang so zufrieden und so tief in eine untergegangene,
aber beglückt erlebte Sphäre eingewurzelt, daß es bei seinen
Worten war, als werde eine Tüte frisch gemahlenen Kaffees
geöffnet, der seinen Duft verströmen ließ. Das Flugzeug war
voller Ferienreisender, die schon Trainingsanzüge trugen, um
keine Minute ihres Urlaubs nicht urlaubsförmig zu verbringen.
Die Sport- und Spielhöschen und die nackten Beine verringer-
ten die Distanz zum Ziel, man war, indem man sich so trug, im
Grunde in der Flughafenhalle von Frankfurt schon im Süden
angekommen. Ich hätte leicht neben einen solchen Urlaubs-
menschen gesetzt werden können, mit der Wirkung, daß ich
für die Zeit des Fluges noch in Frankfurt geblieben wäre. So
war ich neben dem alten Herrn und seiner zivilisierten Mitteilsamkeit schon beim Einsteigen im Flugzeug weit gereist, auch
zeitlich, in eine frühere Form des Türkentums, wie ich meinte.

Konnte das nicht Pupusehs Großvater sein? Es wäre allzu
schön, wenn er es wäre. Das reine Genießen sprach aus den Falten seines Gesichtes, sie schienen wie aus feinstem Hand-
schuhleder hergestellt. Lange hatte er in Deutschland gelebt,
»als Dragoman«, sagte er mit innigem Vergnügen, dies schöne
alte Wort anwenden zu können. Er war Dolmetscher bei der
Post geworden, als man dort begann, viele türkische Arbeiter
anzuwerben. »Mit der Pension aus dieser Zeit lebe ich in meinem Heimatstädtchen besser als ein Gouverneur.«

Wie lebte ein Gouverneur? Wie viele Dienerinnen erschienen
auf das Klatschen seiner Hände? Wie viele Schüsselchen mit
Speisen wurden auf seinen Wink hin aufgetragen? Wie viele
Teppiche bedeckten seinen Diwan? Der Dragoman in seinem
kleinstädtisch ehrwürdigen Anzug war gewiß nicht unerfahren
im Gebieten. Wie würde er die Angelegenheiten seiner Enkelin
ordnen wollen? Er sah nicht despotisch aus. Er kannte die deutschen Verhältnisse und durfte zufrieden auf seine Zeit in

Deutschland blicken. Seine Frau trug ein dunkles Kostüm, das Kopftuch bedeckte fest ihre Stirn, das ließ sie jünger erscheinen. Goldene Taler hingen an einer Kette um ihr Handgelenk. Ich erkannte das Profil der Kaiserin Maria Theresia darauf, ganz neu waren diese blitzenden Münzen geschlagen, vielleicht soeben in Deutschland gekauft. Die Frau war sicher einmal sehr hübsch gewesen. Der Dragoman war ja wohl auch einst ein stattlicher junger Mann, mit einem Schnurrbart so schwarz wie frischer Ruß. Als er mich, in der höflichsten Form, die jedes Ausweichen ermöglichte, nach meinen Plänen in der Türkei fragte, fühlte ich mich einer Vorform familiären Examens ausgesetzt und antwortete beflissen, ich müsse zu einem Dorf reisen, das er vermutlich nicht kenne. Yakaköy heiße die Ortschaft, und dort hätte ich zu tun. Yakaköy war das Dorf, in dem Zeynabs Freundin wohnte. Wenn ich dort ungefährdet hinschreiben konnte, dann würde ich wohl auch selbst am Platz erscheinen können. Was man in einem solchen Dorf »zu tun« haben konnte, ahnte ich nicht. Befand man sich dort am Ende der Welt oder in einer Industrieansiedlung, in einer Ferienregion voller Touristen oder in einer Ansammlung von Ziegenställen? Darüber hatte ich mit Zeynab kein Wort gesprochen. Es war nicht wichtig. Wichtig war, wer dort wohnte. Ohne vom Land auch nur die blasseste Ahnung zu haben, lag es für mich schon ganz von dem Namen Pupuseh überstrahlt da. Ich war überzeugt, dort viele Granatapfelbäume vorzufinden. Pupuseh war in meiner Phantasie das Herausrinnen und Quellen der Granatapfelkerne aus einer geplatzten Granatapfelschale. Etwas Kleinkörniges jedenfalls sah ich: es konnten auch Sesamkörnchen sein, die sanft auf Honig regneten. Die Luft war feucht im Pupusehland, japanisch von Nebeltröpfchen durchzogen, die beim Aufprall auf einen Regenschirm ein ganz leises Knallen wie von platzenden Beeren erzeugten. Es wuchsen hier Vanilleschoten und sehr kleine rote Pfefferkörnchen, jeder Hügel war von hellgrünen Mooskissen bedeckt, in die man versank. Das Auskämmen der Kaschmirziegen hatte gleichfalls etwas mit Pupuseh zu tun; in frostiger Luft, beim Anblick von Gipfeln im Firnschnee, fand dieses sanfte Kämmen statt, bei dem der rosige säuglingszarte Ziegenbauch und darauf tanzende Zitzchen sichtbar wurden. Ich war vorbereitet und auch wieder nicht vorbereitet. Großväterlichen Fragen konnte ich mit meinen Ahnungen, die gleichwohl beanspruchten, einen wahren Kern zu treffen, weil sie vom höchst Konkreten ausgingen, schwer entgegnen. Es war aber verfügt, daß diese Annäherung zunächst von überhaupt keiner Schwierigkeit belastet werde.

»Yakaköy!« sagte der osmanische Dragoman. »Es liegt in der Nähe meiner Stadt! Dann sind Sie also Archäologe, Herr Doktor?«

»Ja, ich bin Archäologe.« Das war von allen Berufen, von denen ich nichts verstand, wahrlich nicht der schlechteste. Ich sah Grabungsfelder in Troja vor mir, Erdhaufen, Steinhaufen, Schächte, die zu Schichten führen, braunhäutige Grabende im lokalen Hirtenkostüm und den deutschen Professor mit Kneifer, im zerknitterten unförmigen Leinenanzug und mit Strohhut, die Zigarre in der Hand, fremd und blind inmitten der angerichteten Unordnung. Dies Graben war wie Kriegführen. Wo solche archäologischen Lager waren, da fiel ein weiterer Europäer nicht auf, da war ein wimmelnder Unruheherd ins ländlich Überschaubare gesetzt. Mit Vergnügen erinnerte ich mich, daß Don Belmonte in Mozarts »Entführung« dem türkischen Pascha als Baumeister vorgestellt wird – auch der Archäologe führte ja Mauern ans Licht.

Er höre mit Interesse, daß die Grabungen in Yakaköy nach langem Ruhen also wiederaufgenommen würden, fragte der höfliche Dragoman. Die örtlichen Stellen seien solchen Unternehmungen leider nicht immer günstig. Wenn der Archäologe einen Fund mache, sei der Fundort für andere Zwecke zunächst einmal gesperrt, vor allem gebaut dürfe da dann nicht mehr werden, und das bringe die Leute auf. Wieso solle dem Lebenden die Errichtung eines Tomatengewächshauses verwehrt werden, weil darunter das Haus eines Toten gestanden habe, der dazu noch kein frommer Muslim war, sondern ein gottverlassener Heide mit allen Greueln? Diese lykischen Landstriche seien weithin leer gewesen, nachdem die Griechen sie in den zwanziger Jahren hätten verlassen müssen, die aber auch dort nur in kleinen Städten und Dörfern hausten. Und nun finde der seßhaft gewordene Siedler, der sich entschlossen habe, nicht länger mit den Ziegenherden einherzuwandern, in diesem angeblich leeren Land doch wieder überall Besetztes vor, Totenstädte, die es zu meiden gelte. In seiner Dragomanberufung vermochte der osmanische Herr den Standpunkt solcher Bauern gewinnend zu vermitteln. Seine erfahrenen Züge nahmen etwas Naives an, als er seine einfachen Landsleute auftreten ließ; er war jetzt ganz kurz einer von ihnen, bis dann schnell wieder das faltig verschmitzte Genießerische zurückkehrte.

»Sie wissen, wie das ist«, antwortete ich. Wahrlich, er wußte es. Was solcher Aufnahme von Grabungen wieder alles vorauszugehen hatte! Die Gutachten, die Anträge, die Mittelbewilligung, der Mittelnachweis, das Grabungsziel, die Grabungsdauer – da blieben die unterirdischen Städte leicht noch einige Generationen in ihrem Erdschlaf. Behagen war in seiner Miene. War es nicht schön, dort unten Schätze zu wissen, die auf die Zukunft warteten? Ich fragte mich, ob dieser osmanische Gentleman mein eigentliches Vorhaben gutheißen könne. Er war das Gegenteil eines Fanatikers, so wollte ich seiner Art zu sein entnehmen, außerdem schloß schon der Begriff des Gentleman den Fanatismus aus. Aber den Traditionen stand er deswegen nicht gleichgültig gegenüber. Seine gedrungene Ehefrau, nachdrücklich geschmückt und mit verhülltem Haar, war der lebende Ausweis seiner Haltung. Zu des Atatürk Zeiten waren Frauen, die dies Kopftuch trugen, von der Polizei mit Stöcken geschlagen worden. Das war auch Fanatismus, Weltverbesserertum, demgegenüber die Schwäche alter Despotien, die die Regel im Blick hat: »die Leute in Ruhe lassen«, als höchste Regentenweisheit erscheint, das hätte er bestimmt so gesehen. Aber hätte er dies heilige »In Ruhe Lassen« auch auf meine Pläne bezogen?

Nun muß ich daran erinnern, daß es Pläne nicht gab. Im Unterschied zu Don Belmonte ließ ich kein fluchtbereites Schiff in einer Bucht warten. Wie ein gemeinsames Leben mit Pupuseh aussehen könne, wie ich sie in mein Leben einzuordnen gedachte oder mich in das ihre, spielte in meinen Überlegungen nicht die geringste Rolle. Der ganze mächtige Apparat des täglichen Lebens war ja sowieso da, um den brauchte man sich keine Sorgen zu machen. Dieser Apparat fügte sich den Direktiven, die ihm die Eingriffe des Schicksals gaben. Er dehnte sich dann, verschob sich, schrumpfte oder bedurfte der Erweiterung. Er blieb sogar eine Weile stehen, mußte dann umgebaut und repariert werden, und schon ging es weiter. Meine innere Stimme rief keine Warnungen aus bei der Vorstellung, Pupuseh nach New York mitzunehmen. Das war vielleicht gar nicht so ungünstig, in dieser Konstellation gemeinsam im fremden Land zu beginnen. Aber solche sachlichen Fragen behandelte ich nicht. Ich erwartete eigentlich nur eines: Pupuseh wieder gegenüberzustehen und sie anzusehen, wie an dem Tag, an dem sie den Daumen in den Mund steckte. Natürlich wäre es schön, wenn sich nicht wieder eine Glasscheibe zwischen uns schob. Alles Weitere würde sich ergeben.

Der Dragoman ging mit sich zu Rate. Zweifellos würde ich die Nacht in Antalya verbringen? Zweifellos würde ich dort an der Universität meine gelehrten Freunde zu treffen haben? Zweifellos sei für meine Reise nach Yakaköy schon gesorgt? Ich hätte gewiß einen Wagen gemietet, ich sei über die Route nach Yakaköy unterrichtet? Das waren Fragen, die zugleich etwas in der Luft hängen blieben, keine rein rhetorischen Fragen, sie kannten ein »andernfalls«. Wenn es nämlich nicht so oder ähnlich sich verhalte, freue er sich, mir die Mitfahrt in seinem Wagen anbieten zu dürfen. Ein kleiner Lieferwagen hole sie ab, sie hätten allerlei in Deutschland eingekauft, eine liebe Gewohnheit, denn inzwischen gebe es das meiste Zeug auch in der Türkei, und zwar billiger; die im vorigen Jahr in Deutschland gekaufte Waschmaschine stellte sich gar als türkisches Fabrikat heraus. Das freute meinen Dragoman, vielleicht weniger aus Fortschrittsstolz als aus altlevantinischem Handelsdenken. Die Verfilzung aller Weltgegenden wurde undurchdringlicher, die Türkei trug zu dieser Verfilzung nun wieder richtig bei, und dieses unablässige Hin und Her der Waren war gut so, es nützte allen.

So wurde ich denn auf dem Flughafen in Antalya einem hochgewachsenen Enkel vorgestellt, der die Großeltern abholte. Die unerhörte Beschleunigung und Vereinfachung meiner Reise hatte einen kleinen Preis. Es mußte das elektrische Gerät, das in Deutschland gekauft war, nun erst durch den Zoll gebracht werden, das dauerte eine Weile, weniger weil hier gewissenhaft geprüft und ausgepackt und mißtrauisch befragt wurde, als weil man den Dragoman kannte. Ein höherer Offizier mit gleichfalls dichtem silbrigem Schnurrbart eilte herbei, die Herren nahmen in einem rosa getünchten Büro auf einem Sofa unter der Photographie Atatürks Platz und unterhielten sich, während in winzigen Gläsern mit Goldrand Tee gebracht wurde. An dem Gouverneursleben war schon etwas dran, das durfte ich jetzt zur Kenntnis nehmen. Männlich und ernst blickte der Offizier. Keinerlei schlawinerhafte Bonhomie lag in der Luft. Der Offizier grüßte. Junge Beamte hatten die großen verschnürten Pakete zum Auto getragen. Im Abendschein ging die Fahrt nach Westen los.

Da ich keinerlei Vorstellungen hatte, wo Yakaköy und Girmeler lagen, diese beiden Herzorte der Türkei, wo die Lebensquellen sprangen, befand ich mich in einem Zustand andauernder Bereitschaft, mich in alles, was da kam und vorbeirauschte, liebevoll verstehend einfühlen zu wollen. Ich betrat dies Gelände ja nicht als Gelehrter oder Journalist oder Ferienreisender, der die Gegebenheiten zur Kenntnis nimmt und mit seinen Erwartungen vergleicht. Ich verglich gar nicht, denn das wichtigste Ergebnis stand immer schon fest. Alles, was ich da sah, konnte Pupusehs Umgebung sein und war deshalb von überwältigender Wichtigkeit. Was sich hingegen als flüchtige Station der Reise herausstellte, das mochte der Teufel holen, so schön oder so häßlich es eben war.

Da stand die lange Reihe der Hochhäuser, umgeben von vertrockneten Palmwedeln mit den Werkstätten und Garküchen und Apotheken und Videotheken im Parterre, da hatten die Störche ihre Nester auf den großen Neonkandelabern zwischen den Fahrspuren gebaut, warme Benzinluft drang ein, blaue Wölkchen mischten sich mit der Abendluft, bunte Lämpchen leuchteten im Opal des schwindenden Lichts, Stühle standen auf der Straße, und alte Männer betrachteten, in einer Reihe nebeneinandersitzend, den dichten Verkehr wie ein Schauspiel. War dies Pupusehs Welt, war dies ihr Hintergrund? Ihre engen Spitzenhemdchen verbanden sich leicht mit diesen hohen Häusern, sie trockneten vielleicht dort oben auf einer Wäscheleine.

Dann kam viel umgepflügtes Land, Straßen, die noch verbreitert werden sollten, Hotelanlagen, an denen man wie an kleinen Städten vorüberfuhr, alles neu oder noch unfertig, noch nicht angebacken und festgewachsen, die Kiefern standen drum herum wie eh und je und wußten nicht, daß die Architekten sie eingeplant hatten. Pupuseh dort in einer riesigen Hotelhalle, in einer Hotelboutique Goldkettchen und kleine blaue Augen aus Halbedelsteinen verkaufend, war das kein glaubwürdiges Bild? Könnte ich mich nicht an ein solches Hotel gewöhnen? Es wäre ein Leben im Niemandsland, aber wäre nicht gerade das ein Paradies mit Pupuseh? Ich sah sie ihren Laden schließen, durch das Glas sah sie mich kommen, sie beeilte sich, wir fuhren mit dem Aufzug in ihr winziges Appartement, wo auf ihrem Bett ein menschengroßer Teddybär saß. Vorbei – an das Hotel brauchte ich mich nicht zu gewöhnen.

Es kamen jetzt Pinienwälder, es ging bergauf und bergab, jetzt war gar keine menschliche Behausung zu erkennen. Es wurde dunkel. Wir näherten uns Städten oder Dörfern, wir tauchten in sie ein, durchfuhren sie und gelangten wieder ins vollkommene Dunkel. Die Städte waren auf ergreifende Weise häßlich, wie gerade eben nach schrecklichem Erdbeben wieder aufgebaut. Jedes Haus bestand aus mehreren Betonpfeilern, die in die Lüfte ragten und irgendwo abbrachen. Zwischen diese Pfeiler waren Stockwerke eingehängt, unten öffnete sich meist ein Garagenloch, aber oben leuchteten die Fenster in buntem Glas, gelb meist, aber auch dies gelbe Feld rubinrot und blau gerahmt. Das gab den Fenstern etwas Laternenhaftes, man glaubte, in diesen Häusern sollten kleine Feste gefeiert werden. Manchmal war ein Raum grell beschienen, daneben sackten die gerümpelhaften Sachen wieder ins Schwarze. Männer standen und hockten auf der Straße. In jeder Stadt stand eine nagelneue Moschee mit Kuppel und Minarett und gelben Glasfenstern, oft angestrahlt und mit Birnchen geschmückt, die die Linien des Bethauses mit Lichtpünktchen in die Nacht zeichneten. War Pupuseh in einem solchen Straßendorf zu Hause? Wohnte sie in einem solchen Betongestell, das teils mit Wänden geschlossen, teils, zu beständiger Ergänzung und zum Weiterbau bereit, eine Bienenwabe für eine große, stets wachsende Familie bildete? Wie rührten mich die laternenartigen Lichter der Häuser. Das waren die Eindrücke, die die Nacht in sie senkten, dieses ländliche Dunkel und darin das kindliche Bunt und das erwartungsvolle und sensationsverheißende Hellblau des Neon. In diesen Straßen ging sie abends spazieren, Arm in Arm mit einer Schwester, in diesem Licht formten sich ihre Träume.

Vorbei, auch die Reihe dieser kleinen und kleinsten Städte riß nun ab. Die Straße wurde schlecht, der Boden des Autos schlug mehrfach hart auf. Staubwolken umgaben uns, der Autoscheinwerfer ließ sie ockergelb und undurchdringlich erscheinen. In der dunklen Landschaft lagen nun nur noch wenige Lichtpünktchen. Wir waren jetzt sicher vier Stunden unterwegs. Schließlich hielten wir unter einer tonnendicken Platane. »Dies ist Yakaköy«, sagte der Dragoman. Wasser rauschten heftig. Es war frisch. An einem Tisch unter der schwankenden Lampe saßen einige Männer. Ein kleiner Junge tastete mit einem Stöckchen nach der Astgabel des Baumes. Dort saß mit weit aufgerissenen leuchtenden Augen eine hellgraue junge Eule und rührte sich nicht.

Zwölftes Kapitel

Das Wasserrauschen begleitete mein Einschlafen, es trug wie eine stygische Flut meine Traumschiffchen, und es trat als erstes in mein Bewußtsein, als ich erwachte, so daß ich einen Augenblick glaubte, es habe mich aufgeweckt. Das Bett war zu kurz, um sich ganz darin auszustrecken, ein Alkoven, eigentlich eine Art Wandschrank aus dunkel gewordenem Holz. Das Zimmer war ringsum getäfelt, mit kleinen Schranktüren und Fensterläden war hier ein Schrein geschaffen worden, der sich vielfältig öffnete. Der Putz, der wie ein Fries oberhalb des Holzes entlanglief, war mit einem Netz von Sprüngen überzogen, wie eine dicke Brotkruste, von bräunlichem Qualm gebeizt und glänzend gemacht. Auf dem Boden lag ein großer Flickenteppich. Darauf standen meine drei dicken Koffer. Wenn ich die nicht vor mir gesehen hätte, ich hätte glauben können, von einem Dschinn oder Mahrid ergriffen worden zu sein, um aus Frankfurt hierherversetzt und in dieses Bettkästchen niedergelegt zu werden. Bettwäsche umgab mich nicht, die Wolldecken, die mich einhüllten, verströmten einen tierhaften, scheunenartigen Muff, der aber nicht unangenehm war, nicht stechend oder allzu konkret körperlich.

Es klopfte jetzt. Herein trat eine schlanke Frau mit kernig bergbäuerlichem Gesicht, Kopftuch, aus dem zu früh grau gewordenes Haar herausguckte, und einer weiten Pluderhose aus einem sehr dünnen, den Körper mit immer neuem Faltenspiel umgebenden Stoff. Sie trug einen großen Holzstrunk, eine bizarre dicke Wurzel wie einen mißratenen Säugling und Wechselbalg im Arm. Ein kühler Luftstrom wehte mit ihr ins Zimmer, von nassem Gras und nassen Blättern. Sie sah mich an, aber sie machte keine Miene, mich zu grüßen, wie ich da unter meinen Decken lag, und auch ich bekam in dieser Lage keine richtige Geste hin. Die Wurzel polterte auf den Boden. Da war der Kamin, ein großes schwarzes Loch mit einer Steinplatte, auf der noch Aschenreste lagen. Die Frau wandte sich von mir ab und bückte sich vor dem Kamin nieder. Die Platte wurde sorgsam und sehr systematisch, von hinten nach vorn, reingefegt. Sie war jetzt blank. Den Eimer mit der Asche brachte ein kleiner Junge weg, der ungerufen, aber im genau richtigen Augenblick in der Tür stand, das war der Junge, der die Eule mit dem Stock berührt hatte, mit kurzgeschorenem Haar und einem vor lauter männlicher Ernsthaftigkeit geradezu finsteren Blick. Er kehrte mit einer Handvoll gelber frischer Holzspäne zurück. Die Frau baute mit diesen Spänen einen zierlichen Scheiterhaufen, einem Zeltgerüst gleichend oder einer Modellarchitektur. Sie führte dies Gebäude mit höchster Sorgfalt aus, sie war darauf konzentriert, als komme es darauf an, dieses kleine Gerüst so genau und schön wie nur möglich zu errichten. Während dieser Arbeit rutschte ihr der dünne Pumphosenstoff zwischen die Hinterbacken. Das vorher verhüllende und verunklarende Faltenspiel glättete sich plötzlich über schönen, nicht allzu großen, aber besonders kugelig geratenen Backen. Sie bemerkte das nicht. Sie nahm jetzt ein Streichholz. Wie ein lebendiges Wesen, eine schlanke hohe Gestalt, stieg die Flamme aus dem kleinen Gerüst empor. Es knackte laut. Dies war eine solide Flamme, das Holz hatte sie in unbarmherzigem Griff vom ersten Augenblick, sie saß nicht nur so obenauf. Die Frau zog das Wurzelungetüm an sich heran. Sie studierte es. Wo boten die Rinde und das aufgerissene Holz dem Feuerangriff die meiste Nahrung? Sie legte den wackelnden Klotz zurecht. Sie wartete eine Weile. Die Flammen leckten jetzt gierig und umfingen schon ein ganzes Stück, es krachte und knackte, und in einer kleinen Explosion wurden rote Fünkchen ringsum geschleudert. Sie stand auf. Auf ihrem Gesicht war Befriedigung zu sehen, aber nicht übermäßig. Sie hatte eben alles, wie unzählige Male vorher schon, richtig gemacht. Sie ging zur Tür. Im Gehen zog sie den Stoff aus den Hinterbacken heraus, so daß er wieder an ihrem Körper herunterfloß. Sie schloß die Tür. Nach einer Weile traf mich die erste Wärmewolke an der Wange. Die warme Luft dehnte sich aus, auch ein wenig Rauch war dabei, aber nicht störend, denn der Kamin zog gut.

Man versteht bereits, daß ich diese ganze Ankunft als zauberisch, als Vorstoß ins Unwirkliche hinein begreifen mußte, als Aufenthalt in einer Wolke, die sich erst heben würde, um den Anblick auf Pupuseh freizugeben. Es gab aber auch schlichtere Erklärungen für das Glückhafte dieser Fügungen. In Yakaköy war man über mehrere Jahre hinweg die Anwesenheit von ausländischen Archäologen gewohnt gewesen. Erst gruben dort Franzosen und legten einen großen Thermensaal frei, der nach schrecklichen Erdbeben von einem Günstling und Freund des Kaisers Hadrian, einem gewissen Opramoas von Rhodiapolis, neu errichtet worden war, wie die Inschriften, die den Reichtum und die Hochherzigkeit dieses Mannes nicht genug rühmen konnten, mitteilten. Danach kamen Italiener, die sich aufs Paläochristliche, Byzantinische spezialisiert hatten – sie legten eine Basilika frei, aus minderwertigem Mauerwerk, voller Spolien antiker Bauwerke, die wie Beutegut unordentlich übereinandergestapelt wurden, die verbleibenden Löcher mit Backsteinen ausgefüllt – diese Reste waren längst wieder von einer undurchdringlichen Pflanzenhölle überwachsen. Die Deutschen schließlich hatten sich mit dem spätrömischen Theater beschäftigt, das von den sanften Kräften der Baumwurzeln ebenso auseinandergesprengt worden war wie von den Erdstößen. Jetzt war schon jahrelang nichts mehr geschehen, obwohl unter den Feldern und Viehweiden von Yakaköy eine antike Großstadt begraben lag.

Das Haus, vor dem mein osmanischer Dragoman und Gentleman mich absetzt hatte, war lange von Archäologen bewohnt worden, die Bewohner hatten niemals verstanden, warum diese Kette von ausländischen Herren plötzlich abgerissen war. Jetzt sollte es offenbar weitergehen mit den freundlichen, gut zahlenden Ausländern. Ohne Verwunderung und ohne Zaudern waren meine Koffer über eine schmale schwankende Holztreppe in dies Zimmer gebracht worden. Bettwäsche, wenn ich welche wünschte, werde man morgen auf dem Markt für mich kaufen, sagte der Dolmetscher. Ich dankte ihm mit überschwenglichen Worten, aber ich konnte ein Gefühl der Beklommenheit nicht leugnen, als sich der kleine Lieferwagen durch die Nacht entfernte und eine Kurve seine roten Rücklichtlein meinen Blicken entzog.

Es war, als sei ich in der Nacht durch die Hintertür eines

Theaters geführt worden, durch das dunkle Bühnenhaus an allerlei Versatzstücken und Kulissenteilen vorbei, ein Tappen durch Gänge und Korridore bis in die Finsternis des Zuschauerraumes. Jetzt hob sich der Vorhang und gab ein großes Bild frei, in dem ich dann Einzelheiten, die ich nachts schon wahrgenommen hatte, wiedererkannte. In der Nähe uralter Olivenbäume mit geborstenem Leib, aus denen alle Teufel des Heidentums heulend herausgefahren sein mochten, stand das nagelneue, auch außen rosa gekachelte Toilettenhäuschen, das ich nachts schon besucht hatte. Dort waren außen ein Wasserhahn und ein Becken angebracht. Beim Zähneputzen betrachtete ich das Haus, in dem ich geschlafen hatte: schöne leicht nach außen gewölbte Feldsteinmauern, schmale hohe Fenster, ein steiler, das Dach hoch überragender Schornstein. In den Sockel des Hauses waren große Quader mit Profilen eingemauert, die aus ganz anderen Epochen stammten. Je jünger die Teile der Gebäude waren, desto zerbrechlicher und hinfälliger erschienen sie. Das rosa Toilettenhäuschen trieb auf den Erdschollen wie ein Floß auf dem Wasser.

Ich war glücklich hier, hinter den Kulissen in gewisse Lebensgewohnheiten eingeführt zu werden. So würde ich Pupuseh überraschen können. Als es Zeit zum Mittagessen war, näherte sich der Mann der jugendlichen Grauhaarigen, ein runder kurzbeiniger und rundköpfiger Bauer mit mächtigem Bauch und schiefsitzenden Augen, zutraulich und kindlich, auf Strümpfen und kniete sich neben mein Feuer. Er war genauso erwartungsvoll wie ich und blickte mit deutlicher Vorfreude auf die Tür. Sie öffnete sich. Ein schönes blasses junges Mädchen mit Kopftuch und Pumphose trat ein und breitete ein kariertes Tuch auf dem Boden aus.

»Türkan«, sagte der Mann.

Sie nickte und verschwand. Das nächste junge Mädchen erschien und rollte einen niedrigen, nur eine Handbreit hohen Tisch herein und setzte ihn auf das Tuch.

»Sursun«, sagte der Mann.

Das Mädchen nickte und verschwand. Nun kamen zwei Mädchen mit Schüsseln, einer rötlichen Suppe, Joghurt mit Zwiebeln, einem Töpfchen mit einem Ziegenfleischragout und Bohnen und mit rohen Tomaten.

»Gülen«, das erste Mädchen nickte.

»Nuray«, sagte der Mann, das andere Mädchen nickte. Jetzt kam ein Mädchen mit einem Krug Wasser und zwei Gläsern.

»Gülai« sagte der Mann, als das Mädchen mit kleiner Verneigung hinausging.

»Türkan, Sursun, Gülen, Nuray, Gülai«, wiederholte der Mann mit Stolz.

Ich versuchte die Reihe aufzusagen und verwechselte diese mir so ähnlich vorkommenden Namen. Der Mann wurde von innerem Gelächter erschüttert. Er versuchte es zu unterdrücken, weil er nicht unhöflich sein wollte, aber meine Versuche mußten für ihn von höchster Komik sein.

»Türkan, Sursun, Gülen ...«, begann ich aufs neue. »Gülen«, bestätigte er, schon bereit weiterzulachen.

»Gülen?« fragte ich. Mir war auf einmal ein Einfall gekommen. »Gülen Kocabas?« War das nicht der Name des Mädchens, dem ich schreiben sollte, Zeynabs Freundin, die Vermittlerin meiner Briefe an Pupuseh?

»Gülen Kocabas«, sagte der Mann. Dann zeigte er auf seine Brust und sagte: »Nihat Kocabas«, und als sich die Tür öffnete und seine Frau im Rahmen stand, die mit strenger Miene auf unseren Tisch sah und prüfte, ob die Mädchen alles gut gemacht hatten, »Seliha Kocabas«.

Sie sah mich bei diesen Worten frei und furchtlos an, vor allen Teufeln dieser Welt würde sie sich dazu bekennen, Seliha Kocabas zu sein. Sie konnte nicht ahnen, warum ich sie so anstarrte. Wie ein Pfeil war ich meinem Ziel entgegengeflogen. Da durfte ich schon in Atemnot geraten.

Zum Glück hatte ich in den Stunden vor meinem Abflug in Frankfurt auf dem Flughafen nicht nur an Hirsch telegraphiert, sondern auch ein kleines deutsch-türkisches Lexikon gekauft. Das wurde zur Grundlage meiner Unterhaltungen mit Nihat. Ich schlug ein Wort nach, sprach es aus und sah ihn erwartungsvoll an. Er verstand es und lachte, über meine komische Aussprache zunächst, aber auch darüber, wie seltsam es war, daß man sich mit solch einem winzigen Büchlein, einem Zauberbüchlein, so verständlich machen konnte. Auch er blätterte manchmal in dem Büchlein, das so dick war wie einer seiner Daumen, aber er traute sich lange nicht darin zu suchen, weil er im Alphabet nicht sicher war. Lieber sagte er mir das Wort, das er benötigte, und manchmal fand ich es, und dann war unsere

Freude wieder groß. Mehr noch als seinen Worten entnahm ich seinen Mienen und Gesten. Er war stolz auf den großen Haushalt, der ihn umgab. Seliha und die fünf Töchter bildeten einen ansehnlichen Staat, den er nicht beherrschen, sondern nur bestaunen konnte. Seliha war streng und unnahbar. Er war menschenfreundlich und lachlustig. Ich war sicher, daß er Seliha fürchtete. Seine Töchter, die in bedienten, blickte er mit bewundernder Zärtlichkeit an. Sie erschienen wieder in eindrucksvollem Zug, um die Reste des Mahles abzuräumen. Ich sagte ihre Namen jetzt richtig auf. Ich vermied es aber, als Gülen an der Reihe war, den Namen Zeynab fallenzulassen. So nah am Ziel durfte ich keine Fehler machen. Ich wollte zuerst mit Zeynab telephonieren und mich mit ihr beraten.

Ein Telephon gab es nicht in Yakaköy. Als Nihat verstanden hatte, daß ich telephonieren wollte, bat er mich um Geduld. Ich stand mit Mühe auf. Seit meiner Kindheit hatte ich nicht mehr so lange im Schneidersitz auf dem Boden gesessen. Dies Lagern auf dem Boden, dies lustvolle Lümmeln, das man auf den Gemälden der Orientmaler des vorigen Jahrhunderts sieht, will geübt sein. Wer sich einmal das Sitzen auf Stühlen angewöhnt hat, muß einen langen Weg zurückgehen, bevor er die Bequemlichkeiten des Auf-dem-Boden-Sitzens genießen kann. Bestimmte Bänder und Sehnen und Muskeln müssen erst einmal wieder bis zu ihren Grenzen gedehnt werden. Man will schließlich entspannt aussehen und sich außerdem ohne Ächzen erheben. Ich war froh, daß Pupuseh mich jetzt nicht sah. Ein Bein war eingeschlafen und kitzelte abscheulich. Nihat lachte und bot mir eine Massage mit seinen dicken braunen Pratzen an. Ich nahm mir vor, das Sitzen im Schneidersitz zu üben, bis es völlig selbstverständlich war, wenn ich mein erstes Mahl mit Pupuseh hielt.

Jetzt erschien ein neues Gesicht, ein älterer bleicher Mann mit vielen silbernen Zähnen. Bei Nihat saß das karierte Hemd bis zum Platzen straff über dem dicken Bauch, ein gestopftes massives kraftvolles Fett war das, bei diesem Mann hingegen war alles schlaff und ältlich, ein Zimmerbewohner, kein Bauer. Das war Ibrahim, Nihats Bruder, ein Schneider, der im Nachbarhaus arbeitete. Durch die offene Tür sah ich schöne hölzerne Lineale und Winkel, durch viele Berührungen mit schlaffen weichen Schneiderhänden gerundete und abgegriffene

Handwerkszeuge. Ibrahims Hosenboden hing schlaff und ausdruckslos herab, auch der hellgraue Stoff hatte die bezeichnende Schneiderfadheit, er war von dem lappigen reizlosen Zeug, in das sich die Schneider der ganzen Welt kleiden, als hätten sie bei der Arbeit mit so vielen wertvollen und billigen Stoffen eine Verachtung für alles Textile erworben, als könnten sie die Frage, wie solch ein Stoff zu sitzen hätte und wie er sich trug, einfach nicht mehr ernst nehmen, weil sie die Willfährigkeit ihres Materials zu tief erfahren haben. Zugleich hat ihnen der Stoff aber etwas von der Art seiner Substanz vermittelt, sie haben etwas Staubiges angenommen, etwas von dem säuberlichen Dunst der Stoffballen, dem Lagergeruch, und ihre Hände tasten über Falten und Nähte wie über einen in Blindenschrift geschriebenen Text, während sie die Brille in die Stirn geschoben haben und mißtrauisch blinzeln.

Ibrahim besaß das Fahrzeug der Familie, ein Motorrad, dessen Federung so ausgeleiert war, daß es fast am Boden schleifte. Unter der immensen Platane lud er mit freundlicher Geste ein, mich auf den Rücksitz zu setzen. Ich stieg auf das Trümmerstück eines mit Kanneluren versehenen Säulenschaftes und setzte mich auf den Sattel. Nihats Töchter sahen kichernd aus der Ferne zu. Die weißen, eng wie Hauben um Kopf und Hals gewundenen Tücher gaben ihnen etwas Nonnenhaftes. Dann begann die Fahrt. Sie war lautlos, denn das Motorrad rollte, weich federnd und schleifend, von allein. Der Weg führte bergab.

Jetzt erst sah ich, wo ich mich befand. Eine Kurve erlaubte den Blick zurück. Da reihten sich hohe Gipfel zu einer langen Bergkette aneinander. Die Spitzen waren schneebedeckt und staffelten sich wie eine lange Prozession weißer Kapuzen in die Ferne. In schönem steilem Schwung folgten dem Schnee Geröllhalden, dort oben schien alles in Bewegung, und tatsächlich stürzten ja auch von allen Seiten die Wasser von dort zu Tal und erfüllten die Luft mit ihrem Gurgeln und Tosen. Und wir selbst auf dem kleinen Motorrad stürzten mit ihnen hinab, oder besser, wir nahmen Anlauf, um mit Drachenflügeln über dies Tal hinwegzusegeln. Eine unabsehbare Weite tat sich auf. Dies war der Abhang der Welt. Die kleine Straße führte wie ein Tranchiermesser durch einen großen Fisch durch das Land, es zerfiel rechts und links und breitete sich aus, entfaltete sich und offenbarte immer mehr Einzelheiten. Macchia, Fels und Wasserfall begleiteten uns zunächst auf beiden Seiten. Dann sah man einzelne Gehöfte, Baumgruppen, Rankenwerk wie von Weinlauben, Ölbaumhaine, kleine Äcker, aus deren Furchen die weißen Steinbrocken blitzten, aber dies alles war wie eine kunstvolle winzige Stickerei, die man von nahem ansieht und die ein riesiges Tischtuch bedeckt. Was man erkannte, trat aus einer Überfülle von gleichsam im Vorrat gehaltenen Gegenständen und Pflanzen hervor. Der wie aus gewaltigen Tierrücken bestehende Abhang fand in weiter Tiefe dann in ein flaches breites Tal zusammen, in dem ein Flußlauf glitzerte, eine flache pfützenhafte Rinne, jetzt nur in von weißem Geröll erfülltem wüstenhaftem Flußbett. Und in weiter Ferne stieg das Tal wieder an, es war wirklich wie eine übermäßig breite Straße, ein Paß zwischen den Bergketten, und man sah die großen Heerzüge der Perser und Griechen und der Seldschuken und der Kreuzritter hindurchziehen, inmitten dieser mächtigen Einöde, die nur die paar Bauern ernährte, damals aber von großen Städten besiedelt war, die Ehrgeiz besaßen und Machtpolitik trieben und die neuesten Tragödien aufführten und deren Fürsten Purpur trugen und sich als Heroen verehren ließen. Davon waren nur ein paar Steine geblieben, eine fruchtbare und sogar in ihren nahen Ausschnitten liebliche Mondlandschaft von schrecklicher Leere war nun die Erbin dieses untergegangenen Gewimmels geworden.

Aber der erhabenste Augenblick war doch, als sich eine Falte im Gelände öffnete, das war, wie wenn ein Riese sich langsam bewegt und einen Arm hebt, und in ihrer Tiefe ein Dorf mit roten Dächern und einer kleinen Moschee sichtbar wurde. »Girmeler«, sagte Ibrahim. Er hielt nicht an, und ich konnte ihn auch nicht darum bitten, aber der Anblick dieses Dorfes grub sich dennoch tiefer ein als alles andere auf dieser Fahrt. Als wir die Ebene erreichten, rollten wir noch lange aus. Erst auf der kleinen Straße, die das Tal entlangführte, mußte Ibrahim den Motor anlassen. Leicht war das nicht, aber schließlich knurrte und brummte das Motorrad und rollte einem Straßendorf entgegen. Dort standen die Männer um einen offenen Friseurladen, einer ließ sich rasieren, sein Anblick bot Unterhaltung für alle anderen. In einem überfüllten Kramladen, der vieles auf Vorrat hatte, was in kleinen Landwirtschaften gebraucht wird, stand das Telephon. Der dörfliche Kreis umstand mich. Hoffentlich war hier niemand in Deutschland gewesen und verstand, was ich sagte. Zeynab war sofort am Apparat. Sie nahm oft die Anrufe im Salon entgegen. Als sie erfuhr, woher ich anrief, sagte sie nach einer Pause betroffenen Schweigens: »Sie sind wahnsinnig geworden.«

Dreizehntes Kapitel

Seit der Motorradfahrt hatte eine einzige Idee von mir Besitz ergriffen, und niemand und kein Vernunftgrund konnte mich davon abhalten, auch nicht die Vorsicht, die Zeynab mir am Telephon einschärfte. Ich würde schon vorsichtig sein. Mein Plan war, ohne irgend jemandem etwas davon zu sagen, auf der geraden Linie, nicht etwa über die in Riesenschleifen sich vom Berg hinabwindende Straße, nach Girmeler zu laufen und mich wie ein Indianer an den Ort heranzuschleichen, bis ich Pupuseh dort zu Gesicht bekam. Nein, ich wollte sie nicht erschrecken und ansprechen, nur gesehen haben mußte ich sie. Der Tag in Yakaköy war das reinste Glück, vielleicht der erste glückliche Tag in meinem Leben. Die mühelose, mich selbst immer noch verblüffende Annäherung und die Aufnahme bei Nihat und Seliha Kocabas hatten mich in einen mir neuartigen Zustand versetzt. Es gab plötzlich nichts mehr, was mich quälte und verstimmte. Ich war in höchster Spannung, aber so, wie ein kleiner Junge auf Weihnachten gespannt ist.

Was mich von Pupuseh trennte, hatte etwas von rituellen Hindernissen, die beachtet und respektvoll überwunden werden wollten, aber nichts ernsthaft zu gefährden drohten. Und deshalb war es auch ganz verfehlt, wenn ich mir nun nicht selbst Gewißheit und einen Eindruck über die Umstände verschaffte, mit denen ich zu rechnen hatte. Pfeilgerade war ich bisher vorgedrungen, und nach diesem Gesetz mußte es weitergehen. Ich trank viel Tee an diesem Morgen – wie alle Völker, die viel Tee trinken, die Engländer, die Inder und die Russen, können auch die Türken keinen Tee kochen, es war ein trübes Gesöff – und bestellte mir bei Seliha ein Spiegelei. *Rafadan yumurta* hieß das im Lexikon, und als Nihat mich diese Worte aussprechen hörte, brach er in sein herzliches Gelächter aus;

wer weiß, was diese Worte noch alles bedeuteten. Selihas Hühner legten kleine Eier, auch der Hahnenschrei war dünn und spitz, sie gehörten einer zierlichen Rasse an und hatten graubeiges feines Gefieder. Als ich das Spiegelei gegessen hatte, fühlte ich mich derart stark und ausgeruht, daß ich für Stunden keine Bedürfnisse verspüren würde. Ich mag keine Flaschen und Vorratsbeutel, in denen der Proviant vor sich hin schmilzt und kocht und verdirbt, und will beim Ausschreiten nichts tragen. Es war ein übermütiges Gefühl, das Haus in dieser entlegenen Gegend ohne irgendein Hilfsmittel zu verlassen und einfach loszulaufen. Obwohl ich mich im Trockenen bewegen würde, kam ich mir wie ein Schwimmer vor. Die Landschaft war ein weites Meer, und ich stürzte mich hinein und bewegte mich darin wie ein Fisch, von allen Menschen vergessen. Hinter dem Haus begann ein kleiner Weg, der zu Tal führte. Er war grob gepflastert und lag zwischen zwei Mäuerchen. Mauern und Steinhaufen bestanden hier immer aus dem Schutt der Jahrtausende, und während ich voranging, stieß ich gelegentlich auf behauene Steine in der Mauer. Da gab es einen dicken Eckstein mit exakt ausgehauenem Würfelfries und einigen Perlstäben. Später fand ich auch einmal etwas zu lesen: $\gamma\varepsilon$ und $\alpha\delta\alpha$ und $\pi o\lambda$ konnte ich entziffern, aber ich hielt mich dort nicht länger auf. Die Geschichte stand hier nur Spalier für die Gegenwart, eine berauschende, erregende Gegenwart.

»Dies ist der alte Weg zu Tal, die alte Straße, die zu dieser Stadt hier oben führte«, sagte ich mir ernsthaft. Ich nahm die Archäologenrolle jetzt an und vertraute in meiner Einschätzung auf das Anfängerglück. »Wahrscheinlich ist diese Straße schon Jahrtausende alt, ich gehe auf antikem Pflaster«, fuhr ich fort, aber es war unbequem, das antike Pflaster. Ich knickte immer wieder ein, das tat weh. Und deshalb war es eigentlich willkommen, daß die antike Straße plötzlich abbrach. In ihrer ganzen steinernen Erhabenheit führte sie nirgendwohin, sondern endete vor einem trockenen Dornengestrüpp, in dem Ziegenhaar wehte. Die Mäuerchen zerfielen hier zu Pyramiden. Ich kletterte wankend darauf herum, unter meinem Schritt rollten Steine mit hohlem Klang davon. Ein großes schwarzes Haupt schob sich mir ruhig entgegen. An einen Baum war hier ein magerer Maulesel angebunden, der seine mißratenen, für ein Pferd zu langen und für einen Esel zu kurzen Ohren spielen ließ. Dieses fremde Tier erschreckte mich, aber es stand still. Dankbar erinnerte ich mich des gern beklagten Umstands, daß im Mittelmeergebiet die Tiere vieles zu erdulden hätten. Das hielt sie von Frechheiten zurück.

Ein Feld tat sich auf, aus dem Steine hervorsahen. Dazwischen wuchsen Disteln und Rankenwerk, aber locker, man konnte sich hindurchwinden. Gelegentlich traf ich auf eine Schildkröte, die zusammenzuckte und sich in die Reglosigkeit eines Steins versetzte. Eine hob ich auf und blickte ihr ins Gehäuse. Sie saß da drinnen wie eine mißtrauische alte Frau, die sich hinter ihrer Tür verschanzt hat und keine Auskunft gibt. Dann stand da ein kahler vertrockneter Baum, an dessen Ästen sich groteske Früchte spreizten, zerfetzte Lederbeutel, braun und steinhart, Granatapfelschalen, wie ich erst verstand, als ich ein einziges winziges, aber unversehrtes Granatäpfelchen an diesem Baum fand. Und hatte ich nicht geahnt, daß es in Pupusehs Garten Granatäpfel geben mußte? Das Gestrüpp ging mir nur bis zur Hüfte und behinderte nicht die weiten Ausblicke. Es war wie bei der Motorradfahrt ein unendlich hingebreitetes weites Land. Das Gefühl zu fliegen stellte sich freilich nicht ein. Ich steckte zu tief in der Substanz. Aber ich kam voran, das sah ich, als sich von einem einzelnen Felsbrocken der Rückblick auftat. Nihats Häuserchen waren schon klein, obwohl ich immer noch den blauen Rauch aus ihren Schornsteinen erkennen konnte.

Und dann kam plötzlich wieder ein Weg, ein deutlich plattgetrampelter Pfad, der wohl auch von irgendwem regelmäßig begangen werden mußte. Wege in solchen alten bäuerlichen Landschaften sind ja keine Parkwege, die ein Ästhet hineingeschlängelt hat und die in den späteren Generationen vergessen werden, nein, Wege hier sind alte Adern, das Lebensgeflecht der Landschaft, vor Urzeiten schon begangen, weil die Landschaft damals in ihrer Eigenart von allen sie durchstreifenden Jägern und Sammlern und Kaufleuten erkannt worden war, da gab es keine Willkür. Diese Wege führten, das war das Schöne an einer solchen Fußtour, immer irgendwohin, ins nächste Dorf etwa, Girmeler würde das wohl sein, ich sah es noch nicht, aber es war etwas versteckt, wie man sich erinnert. Und da lag auch, mit roter zerfetzter Kunststoffkapsel, eine Schrotpatrone. Womöglich würde sich gleich ein Flintenlauf durch den Ginster schieben. Ich trat lieber etwas geräuschvoller auf und murmelte meine anthropologischen Überlegungen auch vernehmlicher vor mich hin. Wenn aber nun gerade dieser Lärm den Jäger verstimmte? Die Schrotpatrone war vom Regen ausgewaschen. Wahrscheinlich saß der Jäger seit Wochen zu Haus an seinem Feuer.

Die Sonne stand hoch am Himmel, von der feuchten Kühle war nichts geblieben. Sie brannte, und das störte mich nicht. Von der Sonne aus den bedrängten Blättern herausgekochte Öle sandten mit jedem Windstoß Düfte von Rosmarin, Anis und Thymian. An diesem Hang hier war es trocken. Die gurgelnden Bäche rasten hier gerade nicht vorbei. Sie sparten diesen Hang aus, denn er bildete einen Buckel. Obwohl ich eigentlich bergab gehen wollte, ging ich jetzt schon ziemlich lange bergauf. Daran war der Weg schuld, der eigentlich kein Weg mehr war. Ich mußte ihn oft genug suchen, aber da fand sich immer wieder das ausgetrocknete unfruchtbare Erdstückchen, das seine Kahlheit dem Menschenfuß verdanken mußte.

Vor mir erhoben sich in einer gewissen Ferne einige Zypressen. Wo Zypressen stehen, ist etwas Menschliches, sagte ich mir. Zypressen sehen aus wie von einem Gärtner beschnitten. Sie wachsen nicht wild, sie bezeichnen einen Ort, einen Friedhof, eine Villa, eine Quelle, den Beginn einer Allee. Wo Zypressen sind, ist die Kultur, sagte ich zu mir selbst in belehrendem Ton. Um zu den Zypressen zu gelangen, mußte ich den nun schon kaum mehr sichtbaren Pfad verlassen. Ich kämpfte mich durchs Gestrüpp. Ranken hielten mich fest, kratzige trockene Pflanzen überstreuten mich mit ihren Samen, die mit kleinen Widerhaken in Hemd und Hose hängenblieben. Ich war jetzt schweißgebadet. Die trockenen Pflanzen rieben mir ihre Düfte ein. Sie rissen mit feinen Dornen die Haut an Armen und Füßen auf und ließen Blutströpfchen austreten, die auf der feuchten Haut sofort zerliefen. Die Sonne stach noch viel mehr. Nachdem ich mir gesagt hatte, daß die Sonne mir nichts ausmache, hatte sie ihre Heftigkeit verdoppelt. Die Zypressen warfen einen schmalen Schatten, fast überhaupt keinen, wenn man sich nicht an ihre fasrigen Stämme schmiegte. Ja, ich hatte recht, in ihrer Nähe Menschenhand zu vermuten. Hier lag, mitten im ausgedörrt Kratzigen, ein Steinhaufen.

Es war das erste Mal auf diesem Weg, daß mich eine leichte Enttäuschung ankam, weil das Menschliche, das ich nun offenbar doch schon dringlicher suchte, nur in toter Gestalt, nicht einmal mehr als Ruine mir entgegenkam. Ich spürte nun auch Durst. Am Horizont stieg aus zartem Dunst der schaumige Wellenkamm der Schneegipfel auf, wie ein Olymp über der Erde schwebend. Von dort kam Wasser in Hülle und Fülle, nur nicht gerade in meine Richtung. Und doch vergaß ich, was ich entbehrte, als ich die Erscheinung sah. Sie führte mich aus meinen Kämpfen mit dem Gestrüpp, bei dem ich den Blick beständig zu Boden gerichtet und nur meine Schritte gezählt hatte, wieder in das Reich meiner Hochstimmung zurück, wo alles weithin zusammenklang. Auch war der bloße Anblick der Gipfel im Schnee schon erfrischend.

Und nun fand ich auch wieder einen Weg, der in diesen Regionen schon geradezu den Namen einer Straße verdiente. Er war mit feinstem umbrafarbenem Staub, dem reinsten Pulver bedeckt, und seine Oberfläche war dicht an dicht von kleinen Hufen gestempelt. Eine große Herde war hier eng zusammengetrieben entlanggeführt worden. Es hatte etwas von einem Heerzug, man ahnte die Wolke, in der sie vorübergezogen war. Und lag nicht ein Läuten in der Luft, ein starres Bimmeln von Eisenglocken? Oder schufen sich die Ohren dieses Geräusch, nachdem ich die Spuren der Ziegenprozession gesehen hatte? Dieser Weg führte nun wieder bergab, er offenbarte alle paar Schritte neue Ausblicke, er hob mich wieder etwas über das Milieu der Umgebung.

Da lag nun Girmeler wieder vor mir. Die Moschee war wie ein großes Schulhaus mit hellgrün gedeckter Kuppel, da schwangen mückenklein Fähnchen in der Luft. Die übrigen Häuser schoben sich ineinander, als sei dort unten kein Platz gewesen, ein unordentliches Dorf aus dieser Entfernung. Aber nun offenbarte sich auch, wie gut Pupuseh nach dieser Richtung hin gesichert war. Der weiß-staubige Weg führte in eine tiefe Schlucht hinab, und Girmeler lag auf den Höhen der anderen Seite.

Wie ein Indianer hatte ich mich anschleichen wollen, ohne die Füße eines Indianers zu haben. Inzwischen tat jeder Schritt weh, als liefe ich über Messer. Wie es in den Schuhen aussah, wagte ich nicht zu prüfen. Es half nichts, ich mußte weiterlaufen. Aber in welche Richtung? Hätte der Indianer versucht die Schlucht oberhalb zu umlaufen? Oder hinein in die Schlucht und am anderen Ende wieder hinaus? Die Spuren führten hinab. Vielleicht war dies Tal von Ziegen gefüllt, von einem Hirten mit Wasserflasche oder gar einem Motorrad begleitet. Und jetzt rauschte auch wieder Wasser. Hier unten hielt es sich verborgen. In der Tiefe schimmerte es hellgrün, wie junge Erbsen, das war die Entengrütze auf einem Teich. Felsen ragten auf, Steineichen klammerten sich daran, hier wuchs auch ein Feigenbaum mit großen Fingerblättern. Wäre es später im Jahr, wie hätte ich mich an den Feigen freuen können. Girmeler indes war hinter der gegenüberliegenden Schluchtwand verschwunden.

Wie von einem Erker sah ich jetzt hinab. Die Felsen wuchsen aus einem Bach, in den sie häufig genug hineingerutscht waren. Dann staute er sich zu Becken und floß in einer Kaskade in das nächste. Unmittelbar unter mir stand ein mächtiger weißer Stier, mit Hörnern, die den Rahmen einer griechischen Lyra hätten bilden können. Sein Körper war überlang, unter dem glatten Fell schoben sich Muskelmassen und Knochen wie eine lokomotivartige mächtige Mechanik. Rücken und Nacken waren schwer vor Kraft. Unterm Kinn hing ein faltiger Hautsack. Das war das einzige an ihm, das nicht prall gefüllt strotzte. Der Stier hob seinen Kopf aus dem hellgrün überwachsenen Teich, unter dessen geschlossener Oberfläche es aber gurgelte, und ließ das Wasser aus dem Maul laufen. Er hob den Kopf noch etwas höher. Unsere Augen begegneten sich.

Ich fragte mich, in welcher Verfassung ich sein müßte, um geradewegs auf den Stier zu, den Stier gar nicht beachtend, ihn mit bäuerlichen Lauten beruhigend – wie klangen die? –, mich diesem herrlichen Wasser im Schoß dieser schattigen Schlucht zu nähern. Ich war noch nicht in dieser Verfassung. Ich bewunderte die Schönheit des Bildes, dazu fühlte ich mich durchaus verpflichtet, aber dahinter stand die große Ratlosigkeit. Und wieder tat sich ein Weg auf. Das Geröll hatte etwas weiter oben eine solche Barriere geschaffen, daß der Stier hier unten wie in einem natürlichen Pferch stand. Wenn ich jetzt recht waghalsig kletterte, dann kam ich auf die andere Seite des Staudammes und stand, eine Staustufe höher, in der Tiefe der Schlucht im Wasser. Während des Kletterns verfluchte ich mich. Mehr als einmal rutschte ich beinahe ab, die Hände bluteten aus vielen Wunden, und die weißen Hosen, mit denen ich sonntags nach Long Island ans Meer hatte fahren wollen, starrten vor Erde und Schweiß. Wer fand mich, wenn ich ausglitt und mir den Fuß brach? Wer würde meine Stimme hören, wenn ich in dieser wasserdurchrauschten Schlucht, die jedes Geräusch auffraß, rief? Die Knöchel schmerzten so sehr, daß ich davon überzeugt war, aus lauter Erschöpfung ganz bald eine falsche Bewegung zu machen. Dann ließ ich mich endlich ins Wasser gleiten. Es war tiefer, als ich erwartete, aber die Steine unten waren rund, das Wasser war kalt und tat mir wohl. Ich hielt die Schuhe in der Hand und bewegte mich unsicher, wankend voran. Große Libellen mit blauglitzernden Körpern, wie aus Edelsteinstäbchen, umschwirrten mich. Über das Wasser liefen große Insekten mit regenschirmartig weit gespreizten Beinen, die sie vor dem Einsinken bewahrten. Schilfwälder traten an das Wasser heran. Ich hielt mich an einem Büschel, als ich ausglitt, aber ich fiel trotzdem um. Jetzt waren die Hosen ganz naß, die Schuhe übrigens immer noch nicht. So jämmerlich zerfetzt und zerkratzt sie aussahen, ich durfte sie nicht wegwerfen. Sie waren der einzige Schutz meiner wunden Füße, ohne sie würde ich keinen Schritt gehen können. Ich rechnete jetzt damit, in dieser Schlucht übernachten zu müssen. In welchem Zustand würde man mich finden? Wann würde man überhaupt mit der Suche beginnen? Würde Pupuseh das, was von mir übrigblieb, überhaupt wiedererkennen? Vielleicht gehörte der Stier ihrer Familie, vielleicht begleitete sie den Onkel, der ihn in den Stall zurückführte. Aber ich war schon weit von dem Stier entfernt. Ich war nun wirklich in ein wassermännisches Schilf-, Brunnen- und Quellenreich in dieser Erdspalte entrückt.

Es ging bergauf. Ich überwand viele Wasserfälle und kroch wie eine Kröte durch die klaren, von still vergnügtem Leben erfüllten Becken. Die Sonne stand nun so tief, daß sie in der Schlucht nicht mehr zu sehen war. Ein makelloser Azur wölbte sich über mir, der in der Höhe schon einen tieferen Farbton anzunehmen begann. Die Schlucht weitete sich allmählich. Am Ufer wurde es geräumiger, obwohl der dichte Bewuchs dort keinen Schritt erlaubte. Aber nun kam eine Art staubiger Platz, der wieder, wie ich es kannte, von vielen Hufen zertreten war. Hierhin wurde wohl irgendwelches Vieh zum Tränken geführt. Ein Stier hätte gewiß auch darunter sein können. Das dachte ich, aber keine furchtsamen Bedenken regten sich daraufhin. Jetzt kannte ich die gleichgültige Verfassung, die mir vor Stunden noch fremd gewesen war. Ich durfte auftauchen.

Die Weide, auf der ich stand, war wüstes Gelände. Das sah man nicht vom Motorrad aus, wenn man in großen Linien durch die Landschaft glitt, daß auch viel Ödes, Totes in diesem knisternden und quelldurchflossenen Gottesgarten war. Die Hecken teilten sich, ich trat auf eine natürliche Terrasse. In weiter Entfernung lag Yakaköy, aber nicht viel höher, ich hatte mich nicht sehr tief unter seine Ebene begeben. Erst jetzt erkannte ich die Lage. Das römische Theater war wie von einem Gärtner, der einen Kiesweg harkt, im Bogen in den grauen Stein gezogen worden, wie ein riesenhaftes Fossil, eine versteinerte Muschel, steckte es im Berghang. Aus der großen Entfernung waren die vielen Schäden des riesigen Baus nicht mehr zu erkennen, es schmolz alles wieder zusammen. Man hätte aus diesem ganzen kosmisch weiten Bergabhang ein Theater machen können, in dem Titanen sich mit dem Nacken an die weißen Gipfel lehnten. Im Tal unten fand das Kriegstheater statt, mit großen Bränden, Beschießungen und der Bewegung ungeheurer Heere. Gab es auch Girmeler? Nein, Girmeler blieb verschwunden. Ich sagte laut: »Du bist der größte Narr, der noch frei herumläuft.«

Hinter mir bewegte sich etwas. Ein schwerer Mann in einem khakifarbenen Hemd stand dort. Diesen Mann hatte ich nachts bei meiner Ankunft gesehen, er hatte mit anderen Männern unter der Platane gesessen. In der Hand trug er eine große Sichel aus schwarzem Eisen. Sie sah gefährlich aus. Um seinen Hals hing ein Fernglas.

»Da sind Sie ja endlich«, sagte er nach einer Weile mit trockener, etwas westfälischer Stimme. »Was suchen Sie hier eigentlich?«

Vierzehntes Kapitel

Selbst ein Oger hätte mich nicht erschrecken können, wenn er mich, wie dieser Mann, mit deutschen Worten angeredet hätte. So glücklich war ich, meine Sprache zu hören. Das Khaki gab dem Mann etwas Amtliches oder Militärisches, und der leise westfälische Unterton klang steif und solide. Seine wie Schildpatt gefleckte mächtige Glatze hatte mich getäuscht. Sie hatte in meiner Vorstellung den Mann ins Asiatische gerückt. Wenn Glatzen die Skulptur des Schädels betonen, kann man sie dabei auch mit Westlichem verbinden, mit römischen Portraitbüsten etwa; während der Mann sprach, wurde er für mich aus Taras Bulba zu einem Senator der späten römischen Republik. Er erkannte meine Erschöpfung und meinen zerrütteten Zustand.

»Das hier hätten Sie dabeihaben müssen«, sagte er, wobei er die mit plumpen Ornamenten geschmückte Sichel schüttelte. Er machte eine sanfte, streichelnde Bewegung mit ihrer Schärfe gegen einen dornenstarrenden Strauch. Es lag etwas geradezu Überredendes in dieser Bewegung, und der Strauch gehorchte sofort und sank wie zu besserer Einsicht gebracht dahin.

»Wenn Sie mit diesem Instrument aufgegriffen werden und keine friedlichen Absichten beweisen können, dann werden Sie ein halbes Jahr ins Gefängnis gesteckt. In ein türkisches Gefängnis.« Dieser Gedanke erfüllte den Mann mit besonderem Wohlbehagen.

Während er mir voranging, wollte er meine Route genau kennenlernen. Er habe mich bei den Zypressen und dem Steinhaufen rasten sehen, auch auf dem distelbewachsenen Hang, aber plötzlich sei ich verschwunden gewesen. Durfte ich ihm sagen, wohin ich wirklich wandern wollte? Ich entschied, noch zu warten, und wich allen genaueren Informationen durch Jammern aus. Meine Klagen über die Blasen am Fuß glitten, so schien es mir, an seinem breiten Rücken ab. Zum ersten Mal erlebte ich, daß der saubere, gepflegte, nicht schwitzende Mensch sich gegenüber dem schmutzigen, verschmierten, aufgelösten Menschen in der Position moralischer Überlegenheit befindet. Das muß dem Schmutzigen nicht erst eingebleut werden, er empfindet es selbst. Das Motorrad stand unter einem mageren zerrupften Olivenbaum, dieser Hang wurde nicht gepflegt, die Bäume waren schwächlich verwildert. Aber der Feldweg schien regelmäßig befahren zu werden, obwohl mich in meiner Schwäche die Stöße, denen ich auf dem Rücksitz ausgesetzt war, sehr mitnahmen. Es fiel mir auch schwer, breitbeinig zu sitzen. Ich hatte mich wirklich außer Gefecht gesetzt mit meiner Gewalttour, es würde Tage dauern, bis ich wieder soweit hergestellt war, daß ich einen neuen Versuch wagen durfte. So fuhr ich denn, mich an alten Männern festhaltend, auf dem Rücksitz durch Lykien. Es war etwas Absurdes an dieser Vorstellung. Es galt da, die Nerven zu bewahren. Körperlicher Schmerz macht mich immer ganz konfus. Ich befahl mir, mit dem Denken aufzuhören, bis ich mich erholt hatte.

Wir gelangten in einen Pinienwald, den ich später den Totenwald nannte, denn man stieß in ihm an vielen Stellen auf neuere Gräber, in Beton gegossene Tumuli, an deren Kopfende eine Tafel mit den Daten des Toten steckte und deren Fußende durch ein niedrigeres Brettchen angedeutet wurde. Oft lagen ein paar künstliche Blumen auf dem Grab. Aber auch uralte Sarkophage fanden sich hier, aufragende Monolithen mit unverrückbar schweren Deckeln, denen die Seitenwand eingeschlagen war. So hatte die ganze Sicherheit nichts genützt.

Ich staunte, wieviel Landschaft sich auf einer weiten, von hohem Aussichtspunkt einsehbaren Fläche verborgen halten kann. Diesen Wald hatte ich ebensowenig wie die Schlucht und den Bach von ferne erahnen können. Es war wie mit der Welt im Ganzen, die aus dem All wie eine Kugel erscheint und ihren Bewohnern als der komplizierteste, aus lauter Unregelmäßigkeiten zusammengesetzte Körper.

Und dann war ein Dorf erreicht, wieder die schon bekannte Aneinanderreihung von angefangenen Betonhäusern, von denen man manchmal ein Geschoß in pfefferminzfarbenem Hellgrün oder waschmittelfarbenem Hellblau gestrichen hatte. Was die neuen Häuser ein wenig würdiger machte, das waren die Fensterrahmen und Türen, die stets vom Dorfschreiner aus neuem Holz zusammengehauen waren und oft nicht recht in die für sie vorgesehenen Löcher paßten. Dann kam noch eine aus schiefen ausgelaugten Pfählen improvisierte Weinpergola dazu, die aussah, als werde sie bald zusammenfallen, und schon hatte das Haus etwas Zeitloses, als hätten schon lange Menschen darin gelebt.

Der westfälische Senator hielt vor einer Bude, in er es pechschwarz aussah. Darin hämmerten zwei kleine Jungen, so schmutzig wie Schornsteinfeger, Nägel in Schuhsohlen. Sie ließen alles fallen, als sie uns draußen halten sahen, und stürzten wie hungrige Hunde hervor. Der alte Mann sprach streng mit ihnen, so kam es mir vor, da machten sie sich mit kleinen Händen über meine Schuhe her, deren aufgerissenes Oberleder sich von der Sohle löste, und zogen sie mir aus. Meine Füße waren drinnen festgeklebt, und dies Ausziehen war schmerzhaft.

In einer der daneben gelegenen Barbierbude ließ er die Füße mit Alkohol abtupfen und verpflastern. Mit hängenden Schultern und dadurch noch schwerer und massiger wirkend, stand er dabei und überwachte die Operation mit grauem, kaltem Blick. Er war ein Mann der Tat, auch wenn er diese Taten nie selbst ausführte, so dachte ich. Es wurde in die Barbierbude dann Tee in kleinen vergoldeten Täßchen gebracht. Wir saßen auf rosa Kunststoffstühlchen und warteten auf die Schuhe.

»Haben Sie gefunden, was Sie gesucht haben?« fragte er plötzlich.

»Ich weiß es nicht«, sagte ich, »ich war gewiß nahe daran. Wenn der weiße Stier nicht gewesen wäre …«

»Sie haben den Stier gesehen?« Die Frage klang scharf, aber auch finster und hoffnungslos. »Ich war davon überzeugt, daß Sie ihn sehen würden, Sie waren derart zielbewußt …«

»O nein, ich bin ganz zufällig auf ihn gestoßen … Sein Anblick war erschreckend.«

Wie sehr er erschrocken sei, als er den Stier zum ersten Mal gesehen habe, daran erinnere er sich genau. Der alte Mann war jetzt in Gedanken verloren, schien aber weicher, tieftraurig, bitter, aber nicht mehr angriffsbereit. »Sie sind erschrocken? Wenigstens das! Wenigstens nicht diese Kälte, dieses Alles-schon-gesehen-Haben, das ich bei meinen jungen Kollegen so verabscheue – Informiertheit bei absoluter Unbildung notabene. Wer nicht mehr erschrecken kann, wenn er findet, der hat in unserem Beruf nichts verloren.«

»Ja, aber die Bewunderung für die Schönheit war sofort groß, oder noch größer«, sagte ich in dankbarer Redseligkeit. Der Schmerzpanzer war von mir abgefallen, die Pflaster taten den Füßen gut, der Zustand der Zerschlagenheit, in dem ich mich befand, erhielt durch den Tee, der beständig neu gebracht wurde, etwas Angenehmes. »Diese Plastik, diese Verteilung der Massen! Die ruhige Bewegung! Sie ist ja das eigentliche Ausdrucksmittel der großen Kraft.«

»Wie wahr!« sagte der Mann gedankenverloren.

»Er ist zum Glück dort unten sicher«, fuhr ich fort. »Man kann ihn sich kaum besser verwahrt vorstellen; und dann ist die Umgebung auch noch so anmutig. Man glaubt wirklich in ein altes Bild einzutreten, eine römische Landschaft im Stil des Poussin, ein erfundenes Tivoli …«

»Ja, das ist ja auch genau die Zeit, Hadriansvilla, oder besser: Sperlonga«, murmelte der Mann in griesgrämiger Versonnenheit. »Nur sicher kann ich den Ort nicht nennen, wenn Sie gleich am ersten Tag ohne weiteres den Weg dorthin finden.«

Ach nein, gestolpert sei ich, eine Irrfahrt ohne Plan. Im Gelände hätte ich mich orientieren wollen, aber das sei gar nicht möglich gewesen. Was man hier zum Greifen nah sehe, das verschwinde nach ein paar Schritten und tauche dann nach ein paar weiteren in einer anderen Richtung in weiter Ferne auf. Dies sei ein verhextes Land. Unmöglich würde ich dorthin zurückfinden, obwohl ich gern ein paar Photographien gemacht hätte.

»Sie wollten photographieren?«

»Ursprünglich nicht«, sagte ich und dachte daran, wie ich nicht nur mit den Schuhen, sondern auch noch mit einem Photoapparat durch den Gießbach gekrochen wäre, »aber es reut mich jetzt, es nicht getan zu haben, denn ich werde vielleicht nie dorthin zurückkehren und kann den Eindruck nur in der Erinnerung bewahren.«

Schon jetzt, mit der Rückkehr der Kräfte während des friedlichen Sitzens und Teetrinkens, stieg aus den Bildern des Tages eine mächtige, mich ganz erfüllende Freude auf. Wie tief war ich schon in diese Landschaft eingedrungen. Wie nah war ich heute Pupuseh gekommen. Wieviel mehr ich jetzt über sie wußte. Die Schlucht mit dem weißen Stier verband sich in Gedanken dem Bild, wie sie auf der Frankfurter Wiese den alten Frauen Süßigkeiten gebracht hatte. Es wurde vollständiger um sie herum und schöner und schöner. In der Umgebung dieser Schönen gab es nichts Häßliches.

»Kennen Sie das Dorf Girmeler?« fragte ich unversehens meinen Erretter.

»Ich wundere mich, daß ausgerechnet Sie von Girmeler sprechen«, sagte er. Von mir hätte er erwartet, daß ich Sidyma sagte. Für Archäologen existiere doch die Gegenwart nicht. Man wühle wie ein Kriminalist in den Scherben, um Indizien für einen Prozeß zu finden, eine besessene Beweiswut erfülle die Archäologen, sorgfältig präpariert wie vor Gericht würden die Beweisstücke dann ausgebreitet – aber wie der Prozeß ausgegangen sei, das interessiere nicht. Insofern sei das Land hier das für Archäologen allerglücklichste. Jede Spur aus den ausgehobenen Schächten und Gräben, die man auf den Feldern antiker Orte ziehe, sei abgebrochen, nichts davon führe zur Gegenwart hinüber. Und die Menschen, die hier lebten, ergänzten sich mit den Archäologen perfekt, in ihrem radikalen Desinteresse für alles nämlich, was hier aus dem Boden gezogen werde, und dieses Desinteresse sei auch vernünftig, denn die Funde hätten mit den Leuten nicht das geringste zu tun, sie könnten sich nichts davon zu eigen machen. »Sehen Sie sich die Leute an«, sagte er und wies mit großer Geste um sich. Die Männer betrachteten uns stumm. Sie kannten ihn und wußten, daß er Türkisch sprach, und richteten manchmal ein kleines Wort an ihn, das er mit würdevollem Nicken aufnahm. Die jüngeren Männer, die sich gedämpft unterhielten, hockten auf dem Boden, ohne Anstrengung auf den Fußballen balancierend.

»Für uns ist es unmöglich, lange so zu sitzen, für mich ohnehin. Wir brauchen Stühle. Die Stühle sind in Jahrtausenden unsere organische Ergänzung geworden, wie es die Muschel für den Einsiedlerkrebs ist; unser Hintern weiß, daß er auf einen Stuhl gehört. Bei diesen Leuten ist das nicht so.« Stühle und Tische, Möbel aller Art, seien hier genaugenommen Fremdkörper. Wer etwas Wichtiges zu tun habe, tue das auf dem Boden. »Man schläft auf dem Boden, man ißt auf dem Boden, man arbeitet auf dem Boden.« Ich erinnerte mich, Seliha auf dem Hof hockend spülen gesehen zu haben, ihre Töchter hockten um sie herum und trockneten ab.

»Draußen geschieht das alles«, sagte der Mann, »im Grunde ist auch das Haus etwas Ungewohntes geblieben. Was hier an alten Griechenhäusern stand, ist längst ruiniert und eingestürzt. Diese Leute hier stammen aus Zelten, aus wundervollen Jurten mit dickem Ziegenfilz, die abgebrochen wurden, wenn die Herden ringsum alles kahlgefressen hatten. Nihat ist noch in einem solchen Zelt geboren – glauben Sie, er könne ein Haus bauen? Das ist ein Unterschied in der Denk- und Erlebnisweise. Ein Zeltbauer weiß nicht, was ein Fundament ist. Die Häuser entstehen hier in Blitzgeschwindigkeit. Statt der Zeltbahnen wird ganz rasch Beton zwischen zwei Bretterwände gegossen – das hält für eine Weile, es ist nie richtig dicht, nie richtig trocken, und leicht ist etwas eingestürzt, aber dann wird anderswo ein ähnliches Betonzelt gebaut. Man kann hier in Lykien wahrscheinlich die schönsten Mauern der Welt finden, aus Riesenquadern ohne Mörtel aufgetürmte Steinwände, zwischen deren

Blöcke Sie keinen Briefbogen schieben könnten, Gewölbe von einer Massivität und Genauigkeit wie Brunnenwände. Die späteren armen heruntergekommenen Griechen hatten diese Architektur ihrer Vorfahren immer noch im Blick. Sie schichteten ihre Feldsteinmauern zu lebenden Organismen auf, ein Schuppenwerk aus ineinandergreifenden Steinen. Die Türken haben das alles erobert, aber von den Eroberten nichts übernommen. Die Künste von Unterworfenen taugten wohl nicht viel. Hier liegen diese wundervollen Landschaften, die sie nun nach zahlreichen Säuberungen allein bewohnen – aber sind sie zu ihrer Heimat geworden? Die Menschen, die Sie um sich sehen, wohnen nicht nur hier, sondern zugleich auch weit weg. Wenn es heiß wird, bringt man Frauen und Kinder in ganz andere entfernte Landstriche. Für die Leute hier ist die Heimat, wo sie ihre Teppiche ausrollen und sich zusammenhocken, die Männer für sich und die Frauen für sich und die einzelnen Familien für sich. ›Und immer ging es weiter, und immer ward es breiter‹ – so haben sie sich halb Europa unterworfen und es wieder verloren, ohne es richtig zu merken. Überall, wo Türken sind oder waren, ist Türkei. In Ungarn ist Türkei, man riecht es in der Luft, im Burgenland sowieso, in Kärnten und Slowenien, Bosnien und der Walachei, alles unverwechselbar türkische Regionen, von dem armen Griechenland ganz zu schweigen.«

Mir war die ganze Zeit nicht klar, ob aus ihm die heftigste Abneigung sprach oder die ratlose Bewunderung des Liebenden, dem die Geliebte stets ein Rätsel bleibt. »Verstehen Sie mich richtig«, fügte er mit bulligem Grimm, aber zugleich trocken hinzu, »die Türken haben nichts genommen, was wir nicht vorher selbst fallengelassen hätten«. Die Männer hingen an seinen Lippen, als verstünden sie ihn. Da sein Körper das Stühlchen ganz verschwinden ließ, hatte sein Thronen etwas Schwebendes, und das Huhn, das unter ihm hindurchstolzierte, verstärkte diesen Eindruck von Schwerelosigkeit.

Die beiden wilden, aber auch furchtsam blickenden schwarzverschmierten Kinder kamen aus ihrer Bude heraus und streckten mir die Schuhe entgegen. Der Mann legte in die offenen Handflächen je eine kleine Münze, in die schlanke Tulpenblüten, ein Motiv der türkischen Fayencemalerei, geprägt waren. Es war, als klebten die Silbertaler auf dem glänzenden Pech der Handtellerchen fest.

Aber jetzt wurde einem schon wartenden Schuhputzer mit großem messingbeschlagenem Kasten gewinkt, einer Bocksgestalt, schmutzig wie die Kinder in dem Schuhflickerloch, aber zugleich plump verwachsen. Es war, als komme es darauf an, die Niedrigkeit und Verächtlichkeit des ganzen Schuhflickerwesens, seinen Ort ganz unten auf der sozialen Leiter und damit die Leiter überhaupt und die unbegreifliche Tatsache, daß die Glücksgüter und die Achtbarkeit so unterschiedlich unter den Menschen verteilt sind, darzustellen und als Lehrstück allen vor Augen zu führen. Der plumpe Zwerg tauchte seine Hände tief ins Unreine. Er salbte sich mit Schuhcreme, als sei es Badeöl, weil es bei Händen wie den seinen schon nicht mehr darauf ankam und er insbesondere gar kein Recht hatte, in bezug auf irgend etwas heikel zu sein, und genau so, als seien es verwöhnte Hände, glitt er nun über meine mißhandelten Schuhe hinweg und ließ sie Fett trinken und rieb es ihnen ein und umhüllte und knetete sie und bürstete dann und polierte. Die Schuhe glänzten metallisch, als er fertig war. Die armen Kinder und der alte Bock hatten etwas vollkommen Neues aus diesen Schuhen gemacht. Sie hatten beschädigt und mißhandelt werden müssen, um diesen höheren Zustand zu erreichen.

Und auch ich fühlte mich wie ein Auferstandener, ich war in die kühle Hoffnungslosigkeit der Schlucht abgestiegen, war zerstört, durchnäßt und verdurstend daraus hervorgekrochen und nun zu einer höheren, gesteigerten Zufriedenheit geführt.

Dank der Pflaster tat es nicht weh, wieder in die Schuhe hineinzufahren. Die Männer beobachteten höflich, wie ich zurechtkam. Die Barbierhütte war ein zivilisierter Aufenthaltsort, und alle Umstehenden hatten schon die Pflege des Barbiers genossen. Wenn sie auch noch lässig und ländlich sorglos gekleidet waren, so saß in ihren Frisuren jedes Haar, korrekt eingegliedert wie ein Soldat in einem großen Heer.

»Wenn Sie sich vorstellen, daß in diesem Land, diesem gähnenden Nichts, einstmals die führenden Bildhauerwerkstätten der Alten Welt zu Hause waren ...«, sagte der große Glatzkopf, der mich als wiederhergestellt erkannte und deshalb einer vernünftigen Unterhaltung fähig.

Ich wollte ihm da gern entgegenkommen: »Natürlich!« rief ich, »jetzt weiß ich, woran mich der Stier heute mittag erinnerte – an die Kuh des Myron!«

Jetzt wurde der Dicke plötzlich sehr böse. »Was ist denn das für ein bodenloser Unsinn? Was hat der Stier denn mit der Kuh des Myron zu tun? Sie haben ja überhaupt keine Ahnung! Das ist ja ein halbgebildetes Geschwätz! Und mit solchen Dicta, solchen feinabgewogenen Urteilen wird dann in die Welt gezogen, das ist das akademische Niveau von Berlin!«

»Von Frankfurt«, sagte ich schüchtern.

»Von Frankfurt, natürlich, von Frankfurt! So liest man es dort! Das hätte ich mir doch denken können. Und Sie wollen Archäologe sein!«

Die Wucht dieser Verstimmung, die trotz seiner leisen Stimme in Wahrheit doch ein richtiger Wutanfall war, zwang mich, alle Vorsicht hintanzustellen und die Wahrheit zu sagen.

»Ich bin kein Archäologe, habe mit Archäologie nichts zu tun!« sagte ich verlegen. »Sie haben schon recht mit der Halbbildung: als ich den Stier da saufen sah und wie er dann seinen Kopf hob, da dachte ich: die Kuh von Myron, ohne diese Kuh jemals gesehen zu haben, es war nur ein sprachliches Ornament, ich wollte einen antiken Begriff gebrauchen, weil ich das Riesentier so schön fand in seiner Schrecklichkeit.«

»Der Stier hob den Kopf und sah Sie an?« sagte der Dicke. Er war wie vor den Kopf geschlagen. »Er sah Sie an und erkannte, daß Sie kein Archäologe waren – ach, entschuldigen Sie mich bitte, ich habe, fürchte ich, heute etwas zuviel Sonne abbekommen. Nach Girmeler wollten Sie? Da bringe ich Sie gern einmal hin. Es gibt entzückende Mädchen dort, leider nur zum Anschauen, Sie kennen die hiesigen Sitten. Gestern habe ich die Allerschönste gesehen: sie hat einen seltenen Namen von der georgischen Grenze. Ich nenne sie Pumphöschen, das klingt so ähnlich und paßt zu ihr.«

FÜNFZEHNTES KAPITEL

Der alte Mann hatte kaum den Namen Pupuseh genannt – denn daß es sich bei seiner lautmalerischen Entstellung darum handelte, war mir sofort klar, ja in dieser nur mir zu erratenden Verformung wirkte der Name sogar noch viel stärker –, da war mir, als habe ein Blitz die Landschaft und das Dorf ganz kurz überstrahlt und in seiner Übertageshelle einen Augenblick in einen höheren Grad der Wirklichkeit gehoben. Als ein Fremder, der nichts von mir und Pupuseh wissen konnte, ihren Namen aussprach und damit aus dem Käfig meiner Gedanken in die Luftigkeit der Objektivität holte, kam mir meine ganze Irrfahrt des heutigen Tages unwirklich vor. Sie gehorchte den Gesetzen des Traumes, die Schweres mühelos machten und Leichtes zu unausführbaren Unternehmungen verkehrten. Das Gefühl, daß Girmeler mir entschwebte und unerreichbar sei, war etwas Unwirkliches, ein Wahn, aus dem ich nun auftauchte. Girmeler war im Gegenteil besonders leicht zu erreichen. Ich mußte nur den Tag bestimmen, wann ich dorthin fahren wollte, und das hing allein von Klugheit und Vorsicht ab, wie ich sie Pupuseh schuldete. Die liebe Kurdin in ihrer gluckenhaften Besorgtheit würde für mich in diesem Familienkral vorfühlen. Aber jetzt schon hatte Pupuseh bei mir Empfindungen bewirkt, die mit dieser höheren Wirklichkeit zusammenhingen und eine geminderte Wirklichkeit einfach nicht mehr zuließen. Es wäre doch vor kurzem noch völlig undenkbar gewesen, daß mich der Vorwurf der Halbbildung, wie ihn mein dicker und machtvoller Erretter in aller Grobheit mir an den Kopf geschleudert hatte, nicht tödlich beleidigt hätte. Halbbildung, das war der verletzendste, der gefürchtetste Vorwurf, den es in meiner Sphäre überhaupt gab. Er wurde auch nur hinter dem Rücken der Opfer erhoben, denn er wäre von niemandem verziehen worden. Und jetzt kostete es mich plötzlich nichts, diesem Mann zuzugeben, daß ich halbgebildet war. Ich war es tatsächlich. Das, was ich wußte, konnte sich sehen lassen, besaß aber kein Fundament, wie die neuen türkischen Häuser, von denen der Alte sprach. Begriffe wie »Kuh von Myron« oder »Buridans Esel« oder gar »Pferd des Caligula«, um hier einmal die ganze Menagerie aufmarschieren zu lassen, huschten mir durch den Kopf mit ihren phantasieanregenden Namen und wurden dann als Spolien in irgendein Argumentationsgebäude, mit dem sie nicht notwendig zu tun hatten, eingebaut. Wer die Begriffe kannte, vermutete, daß ich einen Bezug in ihnen entdeckt hätte, der ihm entgangen war, und wer sie nicht kannte, hielt mich für hochbeschlagen. Das machten übrigens die meisten Leute so, und bei Ryschen war ich mehrfach auf solche Schnörkel gestoßen, hielt aber natürlich den Mund, das waren Zunftgeheimnisse.

Aber der Gedanke, vor Pupuseh mit etwas Unechtem aufzutreten, war unerträglich. Was ich in ihrer Welt vorwies, mußte sämtlich der Durchleuchtung standhalten, und das galt auch für die »Kuh des Myron«, von deren Existenz sie gewiß noch nie gehört hatte. Bei dem Alten übte ich für Pupuseh, so könnte man vielleicht sagen; das Eingeständnis meiner Schwäche stärkte mich bei ihr, so wollte mir das jetzt vorkommen. Und noch ein Zweites war neu: das Gefühl der Dankbarkeit, das mich jetzt in meinen prächtig glänzenden Schuhen erfüllte. Ich empfand Dank für alles, für mein Verirren und für meine wundersame Errettung, für den Blick auf Girmeler, für den Tee und die Zurechtweisung des alten Mannes und für das Bett bei Nihat, dessen neue Laken mit eigentümlich russisch wirkenden Blümchen bedruckt waren.

Es erschienen jetzt zwei junge Männer, die meinen Alten kannten und ihn mit einigen deutschen Wörtern begrüßten. Die beiden hatten auch schon unter Nihats Platane gesessen. Man schweifte hier unablässig durch die Gegend und hockte sich einmal in diesem Barbierbüdchen, in jenem Teehaus, in einer Werkstatt, wo die Arbeit ruhte, oder auch einfach am Straßenrand nieder und ließ Tee kommen und die Zigarettenschachtel kreisen. Geraucht wurden vorzugsweise nach amerikanischem Vorbild illegal hergestellte und in nachgedruckte amerikanische Schachteln gepackte Filterzigaretten. Die echt türkische filterlose Marke »Birinci«, die in Päckchen verkauft wurde, bei denen am Leim gespart war – sie fielen auseinander, man brauchte ein Blechetui für die Zigaretten –, war verachtet, obwohl sie viel kräftiger schmeckte als die falschen Amerikaner. Die Männer stießen sich an und lächelten, als mein Alter sich eine Birinci ansteckte.

»Ich habe ihnen eben erklärt, daß sie so lange von den Amerikanern kleingemacht und mißachtet werden, wie sie amerikanische Zigaretten den Birinci vorziehen. Sie würden schon sehen, was politisch geschieht, wenn alle Türken nur noch Birinci rauchen und den amerikanischen Dreck ins Meer kippen«, übersetzte er mir. Widerspruch schien er damit nicht hervorzurufen, man blickte ihn zustimmend an. Der eine der beiden hinzugekommenen jungen Männer, der ein scharfes Adlerprofil und hellblaue Augen hatte, musterte den Alten schweigend und sagte plötzlich auf deutsch: »Ich bin seiner Meinung. Er hat recht.«

»Nein, ich bin nicht seiner Meinung!« rief sein Freund, ein Schwarzhaariger, mit hoher, fast ein wenig konkaver Stirn, die dadurch unerhört hart wirkte, »was hat das damit zu tun? Birinci sind einfach schlecht!«

»Sie sind nicht schlecht«, sagte der Blauäugige sehr heftig, »sie sind sogar gut. Nein, danke, ich bin Nichtraucher!« fügte er hinzu, als der Alte ihm eine aus seiner Blechdose anbot.

Die beiden jungen Männer waren Ingenieure und hatten auch eine Tierzuchtakademie in Deutschland besucht. Das in Fülle die Berge hinunterströmende Wasser hatten sich Forellenzüchter zunutze gemacht. In der Nähe von Yakaköy war der Berg von einem ganzen System von Becken besetzt, die von den Bergbächen durchflutet wurden. Darin wimmelten die schwarzen Rücken Tausender Fische, die als Schwarm einem einzigen Impuls gleichzeitig gehorchten, als bildeten sie in der Herde ein einziges Gehirn, an dem sie alle teilhatten. Das zuckte, stob auseinander, fand sich in einheitlichem Strom zusammen und schoß in einem einzigen Wirbel im Kreis. Turhan, der turmschädelige junge Mann mit kriegerischem Schnurrbart und glänzender schwarzer Lederjacke, war hier für einen großen Unternehmer tätig, der aus Dänemark befruchtete Forelleneier schickte, um sie an den Taurushängen großziehen zu lassen. Erst geschlachtet und filetiert kehrten sie in die dänischen Kühlhäuser zurück. Aber von dem Gewinn dieses Austausches blieb bei Turhan zu wenig hängen.

»Wir werden jetzt ein eigenes Wasser pachten«, sagte er zu dem Alten, »Ünal heiratet hierher, bekommt das Recht an einer Quelle, keine große, dann ist das Risiko auch nicht groß, und wir machen selbst das Geschäft«.

Ünal war der Blauäugige. Er war an der irakischen Grenze geboren, sah aber vollkommen europäisch aus und trug auch keinen Schnurrbart. Er hatte etwas Stolzes, Hahnenhaftes an sich, und das drückte sich auch in seiner Plötzlichkeit aus. Wie ein Hahn konnte er erstarren und dann unversehens mit hartem Blick nach vorn schießen. Er war so mager wie ein großer Schuljunge, aber Turhan betrachtete ihn offenbar als Autorität und fürchtete ihn sogar ein wenig, wie mir scheinen wollte.

»Ja, wir machen jetzt alles allein«, sagte Ünal streng. Bei ihm hatte der Plan nicht wie bei Turhan den Charakter eines gelungenen Streiches, über den man sich die Hände rieb, sondern er glich einem Wurf mit dem Messer. Ja, mir kam der ganze Kreis der perfekt frisierten und geschorenen Männer unerhört soldatisch vor, ich fühlte mich zivilistisch – außenseiterhaft. Die anderen waren wie eben abgesessene Reiter, die sich nun erfrischten und dabei lakonische Gespräche führten.

Zu diesem Eindruck trug auch bei, daß in der Nähe ein kahles Feld lag, auf dem tatsächlich Soldaten ein großes Zelt aufgeschlagen hatten. Da herrschte im Hintergrund ein beständiges militärisches Tun. Bewaffnete trafen in Lastwagen ein, grüßten, verschwanden im Zelt, trugen Kisten heraus, erprobten einen Lautsprecher, indem sie kurze Sätze über das Feld schallen ließen, und stellten kurz auch einmal eine schmetternde Musik an, die nach wenigen Takten aber wieder abbrach. Da hinten herrschte eine andauernde Unruhe. Die gerupften und zerpflückten Eukalyptusbäume, die das Feld umstanden, sahen wie durch militärische Aktion in Mitleidenschaft gezogen aus, Kasernenhofpflanzen, die die Ungemütlichkeit noch vertieften.

Von den Männern in der Barbierbude wurde dies Treiben aber gar nicht zur Kenntnis genommen. Es trat dann ein Soldat auf, der sich den Nacken massieren ließ. Der Kreis wandte sich ihm zu. Die Ingenieure aber ließen von einem Jungen, der auf Befehle lauernd herumlungerte, Raki kommen und unterhielten sich mit mir.

Wie vernünftig war es, die Männer und die Frauen so streng auseinanderzuhalten, dachte ich plötzlich mit Wohlgefallen. Auf diese Weise fanden sich hier diese Soldaten und diese verheirateten und unverheirateten jungen Männer zu schönen freundschaftlichen Gesprächen zusammen, anstatt bei irgendwelchen Mädchen zu sitzen und dort Unordnung und Eifersucht zu stiften. Würden denn, so sagte ich mir, in dieser formlosen und ungeordneten Welt, aus der ich stammte, Burschen wie diese Ingenieure in ihren freien Stunden in dieser Barbierhütte hocken und ihre Gedanken austauschen? Sie säßen doch mit hoher Wahrscheinlichkeit bei Mädchen wie Pupuseh und redeten auf sie ein, von den Handgreiflichkeiten zu schweigen. Das war hier unmöglich.

Ich konnte mit Wohlgefallen auf Turhan und Ünal blicken und ihren Philosophien lauschen, weil ich keine Minute lang besorgt sein mußte, daß sie etwas Fatales anrichteten. Dem Ünal war seine Frau von seinem Vater ausgesucht worden, der mit seinem alten Freund Muzafer, dem Bürgermeister von Gir-meler, über diese Frage korrespondiert hatte, wie ich jetzt er-fuhr. Er kannte sie noch gar nicht. So war das vernünftig. Er heiratete auch gar keine Frau, sondern eine Quelle. Das klang poetisch, nach Najade und Melusine, und es sollte ihm auch so viel Geld bringen, wie Ehen mit Wasserfrauen das tun. Es blin-kert in den silbrigen Fluten. Ünal war in all seiner knabenhaf-ten Hübschheit, mit seinen dunkelblonden Locken und seiner hellen Haut ein würdiger, gesetzter Mann, der seine Zukunft nicht vertat.

»Er ist ein Frauenliebhaber, ein Schürzenjäger«, sagte er und zeigte auf Turhan mit der konkav gemeißelten Stirn, »ich hin-gegen bin ernsthaft und mache keine Späße«.

»Genauso ist es!« rief Turhan. »Er sagt die Wahrheit!«

Ich weiß noch heute, welche Verwunderung bei diesen Wor-ten mich überkam. Gewiß, auch bei uns geben die Leute über sich Gutachten ab und schreiben sich Charaktereigenschaften zu und erklären, ein Mensch zu sein, der niemals dieses oder je-nes tue, ein Mensch zu sein, zu dessen Stil dies und jenes nicht gehöre, und was dergleichen stets auch ein wenig peinliche und lächerliche und immer auch völlig unglaubwürdige Redensarten mehr sind. Wer weiß schon, wie er ist? Ich weiß es nicht, wie ich bin, ich kenne mich überhaupt nicht, das sei generell festge-stellt, auch wenn ich früher einmal hin und wieder anderes be-hauptet haben sollte. Man probiert die Eigenschaften, die man sich zuschreibt oder bei sich vermutet, wie Uniformstücke aus einer militärischen Kleiderkammer an. »Paßt!« ruft dann der er-fahrene Lagerverwalter, auch wenn es gar nicht paßt, aber in der bewegten Menge und während des Exerzierens wird es nicht auffallen. Nein, wir westlichen Zivilisationsmenschen wissen, von mir aus auch nur im geheimen, daß uns diese Charakter-kostüme in Wahrheit um den Leib herumschlottern, daß da noch Finger in den Kragen passen. Zwischen dem psychologi-schen Begriff und der davon keineswegs vollends erfaßten Eigenschaft liegt ein Zwischenraum. Aber hier war es anders. Turhan war der Frauenfreund und Schürzenjäger von morgens bis abends, auch wenn er gar keine Frau zu Gesicht bekam, und Ünal war stets ernsthaft und machte keine Späße. Wie in alten Heldensagen der eine Held der Listige, der andere der Starke, der dritte der Zornige und der vierte der Alte ist, und damit keine Frage offenbleibt, so waren auch die beiden Ingenieure in ihren Eigenschaften als Frauenverehrer und Ernsthafter nach ihrer Überzeugung erschöpfend charakterisiert. Das soldatisch Idealistische, das sie an sich hatten, stammte wahrscheinlich im Kern aus ihrer einfachen Überzeugung, mit ihren Eigenschaften identisch zu sein.

»Was wird dein Schwiegervater sagen, wenn er sieht, daß du Raki trinkst?« fragte der Alte mit seiner düsteren Miene, die mir aber auf einmal wie eine Maske vorkam, hinter der sich Heiterkeit verbarg.

»Er weiß es schon!« sagte Ünal stolz. »Ich trinke auch nicht viel. Ich trinke nur aus Prinzip. Ich bin Materialist.« Er sah wie ein junger Ritter aus, der zum Turnier antritt. »Die Religion lehne ich nicht ab, aber nur zum Teil. Das Gebet lehne ich ab.«

»Und wie hältst du es?« fragte der Alte Turhan. Der lächelte verlegen.

»Ich bin nicht ganz derselben Meinung wie er …«

»Nein, das ist er nicht!« sagte Ünal schnell und fest. »Aber für mich ist klar: die Beschneidung, gut, das muß sein. Ramadan, das muß sein. Freitagsgebet muß nicht sein.«

»Wenn ich alt werde, werde ich beten«, sagte Turhan.

»Ja, du – ich nicht.« Ohne die geringste vogelhafte Komik war Ünal bei diesen Worten hahnenhafter denn zuvor. Es wurde mir klar, während ich hier in dem hellblauen Raum saß, dessen Wand mit einem Photo der Kaaba in Mekka geschmückt war, gespenstisch illuminiert mit grünlichem Neon und gelben und roten Lichtlein, während von ferne noch die Schneeberge zu ahnen waren und die Weite und Leere des Landes mich noch fühlbar umgaben, daß die beiden Ingenieure eine ganz andere Epoche verkörperten.

In der jungen Sowjetunion mußte es solche Männer gegeben haben, heldenhaft, anständig, in unbedingtem Vertrauen auf die Folgen von Entwicklung und Elektrifizierung, voll schwärmerischer Hoffnung. Eisenbahningenieure sind solche Typen bei Gorki dann meistens. Auch diese hier wollten mit Wasserkraft vorankommen, und wenn auch nur ein fades Forellenfilet in einer dänischen Tiefkühltruhe dabei herauskam, bei diesem edelmütigen und gläubigen Sprung nach vorn.

Das sagte ich mir aus dem Abstand heraus, der mir allein schon dadurch gestattet war, daß die Unterhaltung immer wieder ins Türkische glitt und nur gelegentlich für mich etwas Bemerkenswertes übersetzt wurde. In Wahrheit, so sagte ich mir, konnte ich mir einen solchen Abstand gar nicht leisten. Diese beiden jungen Männer besaßen etwas, was man hier besitzen mußte. Ohne diese klar geprägte Form der Person würde ich auf Dauer in den Augen Pupusehs sehr unvorteilhaft, ja vielleicht überhaupt nicht wirken. Turhan und Ünal waren Vorbilder. Ich mußte so werden wie sie. Es war richtig und gesund, so zu sein. Ich bejahte das vollständig. Bei dieser holzschnitthaften Einfachheit, dieser Zweidimensionalität fiel zwar vieles unter den Tisch, aber doch wohl vor allem das Unerfreuliche. Das Schillern der Zwischentöne hat in der Psychologie doch häufig etwas mit den Lichtphänomenen der Verwesung zu tun, die giftig phosphoresziert. Aber kann man einfach werden wollen? Nimmt der Einfache den Einfachen als einfach wahr? Das alles konnte ohne Pupuseh nicht gelingen. Sie war die Verwandlerin. Mit Sicherheit sah sie mich bereits irgendwie. Mit der Kurdin hatte sie für mich gewiß schon das klare, das wahre Wort gefunden. Dem brauchte ich, wie einem moralischen Gesetz, nur nachzuleben. Die Schwierigkeiten, die sich aus der Beziehung zu ihr ergaben – sie war es, die sie lösen würde.

»Wir haben eine Frage an Sie, verehrter Onkel«, sagte Turhan jetzt zu meinem alten Senator, der hier nur Onkel angeredet wurde, das war sein Ehrentitel. »Im Fernsehen ist gestern abend gesagt worden, daß Adam nicht der erste Mensch war – es habe schon vor Adam Menschen gegeben. Was sagen Sie dazu?«

Die mächtige Maske verdüsterte sich noch mehr. »Das sind Dummköpfe, die so etwas sagen«, erklärte er mit Nachdruck. Es stehe im übrigen alles in den heiligen Büchern, man müsse sie nur zu lesen verstehen. Gott habe Adam aus Erde gemacht, das wüßten sie doch? Die Ingenieure nickten. Aber dann habe er noch ein Zweites getan, mit der Erde sei der Mensch noch nicht fertig gewesen. Er habe ihm durch die Nase die Elohim eingeblasen. Die Ingenieure nickten. Zwei Schritte also, sagte der Onkel Senator. Erst der Erdklumpen und dann die Elohim. Und das erste, was der geisterfüllte Adam getan habe, das sei gewesen, allen Tieren und allen toten Dingen Namen zu geben. Ja, das sei so, sagten die Ingenieure. Aber was sei dieses Namengeben anders als das Sprechen? Das Einblasen der Elohim sei nichts anderes als das Einblasen der Sprache gewesen.

Nun habe man den ersten Teil der Schöpfung nicht vergessen, den Erdkloß. Zwischen den beiden Schritten, zwischen dem stummen oder vielleicht auch knurrenden oder bellenden Erdenkloß und zwischen dem Einblasen und Offenbaren der Sprache konnten bei Gott leicht viele Jahre liegen. Warum nicht hunderttausend? Sie waren vor Gott wie ein Tag. Der erste sprechende Mensch aber, das sei Adam.

»Aha«, sagte Turhan.

Er hatte nur zerstreut zugehört, aber Ünal war mit Eifer dabei: »Genauso ist es! Er hat recht! Ich denke genau dasselbe!« Der Onkel mußte seine Hypothese nun den anderen Herren übersetzen, man wiegte das Haupt, man nickte schwer, es herrschte bei dem großen Thema eine gewisse Beklommenheit.

»Nun aber die zweite wichtige Frage!« sagte Turhan und sah den Onkel erwartungsvoll an. »Wie groß war Adam?«

Der Onkel zuckte mit den Achseln.

»Ich weiß es nicht«, sagte ich.

Aber die anderen bewegte diese Frage viel mehr als die erste. Es gab eine Diskussion, der Ünal gespannt folgte. Er entschloß sich aber nicht, eine der geäußerten Meinungen zu übernehmen. Er blieb beunruhigt.

»Wir fahren jetzt nach Yakaköy«, sagte der Alte zu mir. »Ich habe mir für heute abend Wachteln bestellt und muß dabeisein, wenn sie gebraten werden. Sie dürfen mich einmal besuchen, wenn Sie die Zeit dafür haben«, das klang spöttisch. »Und wenn Sie mir vertrauen und mir sagen, was Sie als Archäologe hier wirklich ausgraben wollen, dann bin ich bereit, Ihnen etwas Schönes zu zeigen.« Im Abendschein fuhren wir die Hügel hinauf. Es war mir, als färbe die untergehende Sonne auch den Kopf vor mir rosa.

SECHZEHNTES KAPITEL

Schon am frühen Vormittag war zu erkennen, daß dieser Tag anders verlaufen würde. Seliha fütterte zwar ihre Hühner wie immer, denn für die Hühner kann es außer dem Tag, an dem sie schließlich geschlachtet werden, Ausnahmetage nicht geben, aber es war dabei deutlich zu spüren, daß dies nur ein Alltagseinsprengsel in einem sonst festlichen Tag war. Ibrahims Frau und Tochter kamen aus dem Nachbarhaus. Beide waren teigig weiß, unfrische und etwas unsaubere Frauen, denen das ungelüftete Schneiderwesen anhaftete. Dagegen war Seliha, die Bäuerin, von appetitlichster Grazie. Die Quellen und der über allem thronende Schnee gaben ihr trotz der grauen Haare eine unverwüstliche Jugendlichkeit. Das Kopftuch von Ibrahims Tochter hatte etwas von einer Kinderwindel, bei Selihas Töchtern waren die Köpfe nicht so fest eingepackt, die Hälse bewegten sich frei, Ibrahims Tochter schien demgegenüber kränklich und bucklig und kam tatsächlich nie vor die Tür. Nur heute dann doch einmal, für das Fest.

Man sah am Haus hin und wieder Traktoren vorbeifahren, deren Anhänger voll besetzt waren. Rücken an Rücken saßen die Frauen mit ihren Kopftüchern, während die Männer sich meist auf dem Traktor festhielten und in voller Fahrt darauf herumturnten. Wenn hinter der Böschung ein solcher Traktor hervorkam und die Reihe von Frauenrücken und verhüllten Frauenhinterköpfen an uns vorbeifuhr, ohne daß man den Anhänger, auf dem sie saßen, sah, war es, als würden starre Puppen vorbeigefahren, den Heiligenfiguren vergleichbar, die im europäischen Süden bei hohen Festen in Prozessionen durch die Straßen getragen werden und über den Köpfen der Menge schwanken. Den jungen Männern, die auf den Kotflügeln der Traktoren lagen, blies der Fahrtwind ins Gesicht. Sie genossen die Fahrt, als lägen sie auf einem Panzer und zögen in die Schlacht. Für die Frauen von Nihats kleinem Hof kam nach einer Weile ein Auto, in das sie sich alle hineinquetschten. Seliha zählte ihre Kinder und stieg als letzte ein. Ich durfte auf Ibrahims Motorrad mitfahren. Nihat blieb zurück, sah mit neuem Staunen auf das überfüllte Auto, diese Menschenschar, die mit seiner Mitwirkung ins Leben getreten war, im wesentlichen natürlich ein Werk Selihas; aber er hatte doch Teil daran und war glücklicher als Ibrahim mit einer einzigen häßlichen Tochter und einer Frau, die zwar nicht so streng war wie Seliha, aber dafür jammerte. Und das Jammern und Murren, das war in Selihas Gegenwart nicht angezeigt. Dann wurde sie selbst *üzüntülü* – ungehalten, wie Nihat mich in dem kleinen Lexikon heraussuchen ließ, und dann bekam der Murrende einen Grund zum Jammern. Auf der Straße fuhren wir zwischen den Zügen der Traktoren dahin. Ibrahim grüßte nach rechts und links, aber es war ein gesammelter, kein übermütiger Zug, und vor allem die Frauen hielten sich zurück. Sie befanden sich nun in der vollen Öffentlichkeit der Landstraße und nahmen sich in acht. Das gelegentliche Geschrei, der Scherz oder Zuruf aus dem Mund eines jungen Mannes ruhte gleichsam auf einem festen Fundament solidarischen weiblichen Schweigens, das die Würde der Familie hochhielt.

Wie kann man als Außenstehender überhaupt von solchen festgefügten Welten erzählen, von denen man nichts weiß, denn das jeweils Sichtbare ist ja nur die alleroberste Oberfläche, unter der sich der eigentliche Körper und Organismus befindet, der nicht einmal erahnt werden kann, schon gar nicht von mir, der ich in diesem Augenblick in den Hirschschen Büros das Antiquariatsgeschäft blitzschnell mir aneignen sollte und Kataloge aus aller Welt durchzusieben gehabt hätte – damit wäre es losgegangen –, aber diese Vorstellung erschien mir jetzt noch viel ferner und unwirklicher als das, was ich um mich herum sah. Diese Verbindung mit Hirsch hatte sich jetzt schon fast verflüchtigt. Es war mir auch klar, daß ich nicht mehr viel Zeit hatte, sie aufrechtzuerhalten. Ich hätte da ganz schnell und sehr überzeugend handeln müssen, aber ich bekam als einzige Handlung, die mich mit etwas Außertürkischem verband, nur noch die Telephonate mit Zeynab hin, und die führten hinwiederum in das Herz meiner türkischen Angelegenheiten.

Um zu erfassen, was sich heute abspielte, hätte man, so glaubte ich jetzt, ein russischer Maler sein müssen, der die Frostigkeit hellblauer Himmel, das Spiegelbild zerrissener weißer Wolken in Pfützen, nassen Lehm und flatternde Kopftücher und neue Traktoren zu frühlingshaften Aufbruchsbildern vereinte. In diesem Geist hätte man die große ländliche Versammlung, die hier zusammenströmte, malen können. Von fern, wo nur ein kleines Haus mit flachem Dach und Weinpergola in den Senkungen der Landschaft zu erkennen war, machten sich die Traktoren auf den Weg. Die ganze Landschaft geriet in Bewegung. In Europa hätte man sich bei solchen Anlässen noch den weithin fliegenden Hall von lärmenden Kirchenglocken denken können, aber hier herrschte Ruhe. Das gab diesem Zusammenströmen eine etwas gedrückte Spannung.

Ziel der Züge war ein niedriges langgestrecktes Gebäude mit braunen Eisentüren und türkis gestrichenen Fensterrahmen, ein Amtsgebäude, der Staat mit seinem Ordnungsanspruch war hier sichtbar. Man könnte paradox sagen, daß die Unanschaulichkeit des modernen Staatswesens auch in diesem schlichtesten, bescheidensten Staatsgebäude anschaulich wurde. Es war eine Schule. Die Lehrer standen davor, drei Herren in städtischen, schlecht geschnittenen und zerbeulten Anzügen, mit dunkelfleckigen Satinschlipsen und gelblichen Brillen, die den Typus des aufs Land verbannten und dort versauernden Intellektuellen verkörperten. Sie hielten sich etwas abseits. Zwei militärische Herren in voller Uniform unterhielten sich mit ihnen. Es traten noch andere Herren hinzu, mit weithin blitzenden Goldzähnen und zweireihigen Anzügen, deren Hosen weit und deren Jacken kurzgeschnitten waren. Ich nannte sie bei mir »die Würdenträger«. Dies Schulhaus war an einen der überragenden Aussichtspunkte der Landschaft gesetzt worden, als solle von dort adlerhorstartig das kleine Volk, das sich hier einzufinden hatte, überblickt werden. Der Schulhof war gleichsam das Dach der Welt. Es wehte von allen Seiten, und erst von hier war zu sehen, wie weit der Kreis gespannt war, aus dem man sich nun hier einfand.

Die Frauen stiegen nach ihrer Ankunft von den Anhängern und setzten sich auf die linke Seite des Schulhofes, wo mit langen Bänken ein regelrechter Frauenberg aufgebaut war, eine Massierung von Kopftüchern und Pumphosen, und hier erst, wo sich die einzelnen Familienabteilungen mit anderen Familienabteilungen berührten, entstand auch das Geräusch vielfältiger Unterhaltung, aber gedämpft, kein Geschnatter. Man kannte sich und machte sich Platz. Die jungen Mädchen küßten den älteren Frauen die Hand und legten sie dann auf ihre Stirn. Ich kannte diese schöne Geste, aber hier wirkte sie natürlich nicht so überraschend wie auf der Anlagenwiese in Frankfurt, es war jetzt auch das Kostüm dazu da. Möwen können im Schwarm so zusammensitzen, die Profile aufbruchsbereit und aufmerksam in dieselbe Richtung gewandt, wie die Frauen hier auf ihrem Hügel. Sie lagerten dort. Die Vorbereitungen für den Fest- und Verehrungsakt waren weitgehend abgeschlossen.

Dem Gesicht Kemal Atatürks nicht zu begegnen ist in der Türkei wohl fast unmöglich. Ich hatte es schon am Flughafen gesehen. Dort trug der Staatsmann den Frack, den er als Herrscher so gern getragen hat, um wie ein moderner Pariser zu wirken, aber er wirkte nicht eigentlich bürgerlich darin, sondern unbestimmt künstlerisch, wie ein Prestidigitateur in einem rotsamtenen Varieté-Theater. Der goldene Thron, auf dem er Platz genommen hatte, stand gewiß im Dolmabahce-Saray, dem klassizistischen französischen Palast der letzten aufgeklärten und zugleich melancholischen Sultane am Ufer des Bosporus. Für das Land, in dem damals jedenfalls Stühle noch weitgehend ungebräuchlich waren, hatte man einen Überstuhl geschaffen, eine Verbindung von Karussell-Equipage und Juwelenetui, von goldenem Gebäck in mißverstandenem Rokoko eingerahmt. Der Scheitel Atatürks glänzte wie der eines argentinischen Tangokönigs. Seine Dämonie schien weniger der Machtpolitik als den ihn im Salon umgebenden Ehefrauen zu gelten. Auf dem Geldschein sah er herrischer, unerbittlicher aus, das Frackhemd wurde hier zum Brustpanzer. Vielleicht hatte man ihn, so dachte ich, zum Türkenvater erklärt und ihn in einem gleichfalls auf der Pfundnote abgebildeten, dem Palais de Chaillot angenäherten Mausoleum zur Verehrung beigesetzt, weil er von allen vorstellbaren Türken am allertürkischsten aussah. In dem osmanischen Imperium hatten sich alle Rassen des Mittelmeers gründlich durchmischt, und diese Durchmischung war noch gefördert worden durch das Kriegswesen und durch das ständige Sklavenmachen und Verschleppen ganzer Völker, mit denen man sich dann aber gleich auch wieder verband. Und am Hof von Stambul kann es vor lauter griechischen und persischen und balkanischen Frauen eigentlich überhaupt keinen richtigen Türken mehr gegeben haben. Aber bei Kemal Atatürk war, obwohl er in Saloniki geboren wurde, das Innerasiatische noch da, man kann auch sagen, das Aztekische, das einen richtigen Türken auszeichnet. Und hier auf dem von Frühlingswinden umblasenen Amts- und Schulhaus, dem Überwachungsposten eines menschenleeren Landes, erschien Atatürk in Generalsuniform, und zwar auf einer Schwarzweißphotographie, die auf einem Tischchen an der Mauer lehnte und mit orangefarbenen nelkenartig fetten Blumen dick umgeben war wie eine byzantinische hochverehrte Ikone. Man hatte ein regelrechtes Sankt-Atatürk-Altärchen errichtet, das in der kargen Amtsumgebung besonders religiös-festlich herausstach.

Die alten Männer trugen alttürkische Wickel- und Pumphosen, die aber in modernen Herrenstoffen ausgeführt waren, vielleicht auch von Ibrahims Hand unter Verwendung der sanft abgegriffenen Lineale. Sie hatten ihre Schirmmützen wie Dienstmützen auf. Es ging etwas Beamtenhaftes, wie von pensionierten Stationsvorstehern, von ihnen aus. Ich meinte wahrzunehmen, daß die anwesenden Männer sich etwas weniger feierlich betrugen als die Frauen. Sie nahmen sich ein Perambulieren heraus, standen in kleinen Gruppen und unterhielten sich im Angesicht des irdischen Gottes, während die Frauen in ihrem geschlossenen Verbund, dem sich jede neu Hinzukommende sofort anschloß, wie ein Quecksilberkügelchen, das nur danach strebt, sich mit dem größeren Quecksilbertropfen zu vereinigen und in ihm aufzugehen, viel verehrungs- und festbewußter erschienen. Einer der Lehrer begann nun eine Rede zu halten. Sie schallte von dem auf das Dach montierten Trichter auf die Versammlung herab.

Ich sah mich um. Bei den Offizieren erkannte ich nun mit Freuden meinen Dragoman, der sich genießerisch den Schnurrbart strich und sehr würdig aussah, obwohl er, um mit dem hochgewachsenen Offizier zu reden, den Kopf in den Nacken legen mußte, aber er verstand dieser Haltung den Charakter einer rhetorischen Geste zu geben, die ihn noch viel überlegener machte. Er bemerkte mich nicht; hatte er mich wirklich schon vergessen? Da waren auch die Ingenieure, Turhan und Ünal, in neuen Sonntagsanzügen, die sie aber nicht zu Atatürks Ehren angezogen hatten, wie sie später sagten, sondern weil später der dänische Geschäftsmann, der bei ihnen gegenwärtig noch den Rahm abschöpfte, erwartet wurde. Ünal folgte der Rede mit gespannter Aufmerksamkeit, wies aber Turhan plötzlich mit einer sehr diskreten Kopfbewegung, kaum mehr als mit Blicken, auf den Frauenhügel hin. Das war ungewöhnlich, denn die jungen Männer benahmen sich im allgemeinen sehr diszipliniert. Diesen Frauenhügel mit seiner großen Schar junger Mädchen, die eigentlich sogar die Mehrzahl darstellten, gab es für sie nicht, da wurde nicht hinübergeglotzt oder gezeigt oder sonstwie Aufmerksamkeit erregt. Wenn es in Lykien so herging wie auf der ganzen Welt, dann geschah das jedenfalls für mich unsichtbar. Ich bekam von dem, was dort zwischen Männern und Frauen vorgehen mochte, überhaupt nichts mit.

Ich bekam ohnehin nichts mit, müßte ich im nachhinein schon fast mit einem Lachen sagen. Wie lange schaute ich diesem

Atatürk-Treiben zu, bis ich das einzig Wesentliche entdeckte? Man kann sich vorstellen, daß der wegen Unzufriedenheit und wegen Mangels an einflußreichen Verwandten auf das Land verbannte Intellektuelle nicht der einzige war, der eine Rede halten sollte. Viele Reden konnten hier aber nicht schaden, denn die Zuhörer nahmen die Worte nicht wie die Verlesung eines Zeitungsartikels auf, sondern folgten ihnen als echten Ritualen, und Rituale waren etwas Schönes. Bei den Frauen gab es keine unruhige Bewegung, nichts verriet Überdruß. Mit ihren Kopftüchern sahen sie eine wie die andere aus, von einer gewissen Entfernung waren sie kaum zu unterscheiden.

Als ich Pupuseh schließlich entdeckte, hatte sie mich schon lange gesehen. Sie saß genau wie alle anderen da und trug auch das gleiche: ein mit Glasperlchen besticktes Kopftuch, fliederfarben mit gelben Perlchen, und eine schwarze, weißgesprenkelte Pumphose. Die Veränderung der Erscheinung konnte nicht gründlicher sein. So verzieh sie mir vielleicht, wenn sie mir so lange verborgen geblieben war. Der reiche und schwere Haarwust war bis zur letzten Strähne verborgen. Das Gesicht schaute aus dem festgebundenen Stoff wie ein Marmorbüstenkopf hervor. Es war jetzt in seiner Art viel deutlicher ausgestellt. Die feine Narbe an Schläfe und Wange bildete auch einen aus der Entfernung zu ahnenden Schattenstrich. Die Lippen waren in ihrer Dunkelheit sehr scharf in das Gesicht eingezeichnet. Ihre, wie ich doch wußte, eigentlich hellen Augen hatten etwas dunkel Brennendes. Die Stirn, die meine Bewunderung erregte, war halb verborgen. Sie konnte sich, was ihren Ausdruck anging, nur auf ihre Augen verlassen. Aber mit diesen Augen baute sie eine feste Brücke zwischen uns, ein Geflecht aus Stahltauen. Ein Lächeln war fast gar nicht zu sehen, dem Nichtsahnenden mußte ihr Aussehen ausdruckslos erscheinen. Aber ich sah die Belebung dieses Gesichtes, ein geheimes Glühen und Leuchten, die hingegebene Konzentration. Jetzt erst wußte ich, daß ich mich nicht in eine maßlose Torheit verrannt hatte, als ich mit Hirschs New York-Billett in der Tasche nach Lykien gereist war. Vielleicht war es unmöglich, was ich wollte, aber töricht war es nicht. Es war das mir Gebotene. Sie hatte mich erwartet. Vielleicht wußte sie schon von Zeynab, daß ich in ihrer Nähe war, vielleicht aber auch nicht. Vielleicht hielt sie es für das Nächstliegende, das Notwendige, daß ich ihr bis an das Ende der Welt folgte, wenn sie aus meiner Gegenwart entführt wurde. Und sie hatte recht behalten, denn wir beide empfanden dasselbe. Sie kannte mich. Deshalb wußte sie, daß ich bald dasein würde. Der Gedanke, daß »sie mich kenne«, erfüllte mich mit dem größten Glück. Im gleichzeitigen Offenbaren und Verbergen meiner Gefühle war ich allerdings nicht so geübt wie Pupuseh. Ich muß eine Art starres Bullengesicht gemacht haben. Aber sie verstand mich, denn sie wurde, je länger wir uns ansahen, immer schöner.

Nihats spätes Söhnchen, der Erbe nach all den schönen, aber ein Vermögen an Mitgift kostenden Mädchen, diesem schmerzensvollen Glück, trat nun vor, in einem weißen Hemd mit kleinem dunkelblaum Schlips. Die Augen wölbten sich aus seinem kahlgeschorenen Köpfchen wie bei einem verängstigten Tier. Er beherrschte sich mit einer übermäßigen Anstrengung. Zuerst verneigte er sich vor der Atatürkikone, dann aber stellte er sich in die Mitte des sandigen Platzes vor der Menge auf. Mit einer beinerschütternden gellenden Stimme, die den winzigen Körper geradezu auseinanderriß, trug er, den Kopf wie ein Ertrinkender gehoben, ein langes Gedicht vor, in eiserner Gleichförmigkeit, die Händchen fest an die Hosennaht gelegt. Später sah ich ihn in sich gekehrt abseits stehen. Seine seelische Erschütterung über das Geleistete erlaubte ihm noch nicht, zu den Altersgenossen und ihren Spielen zurückzukehren. Tatsächlich stellte dieser Gedichtvortrag die meiste professionelle Schauspielerei in den Schatten. Er wird mir immer unvergeßlich sein. Ich frage mich, ob Stefan George hier nicht viel von seinen Rezitationsidealen auf schönere und jugendlich feurigere Weise verwirklicht gefunden hätte. Während dieser Rezitation lösten sich in keinem Augenblick unsere Blicke voneinander. Und dennoch ist mir der kleine Mehmet mit seinem patriotischen Gedicht nicht entgangen. Das ist ein wichtiger Punkt. Pupuseh hat mich nie betrunken gemacht, sondern immer aufgeweckt. Ich sah mehr und genauer, wenn sie im Spiel war. Ich sah vielleicht überhaupt zum ersten Mal in meinem Leben irgend etwas.

Es baute sich jetzt eine lange Reihe von kleinen Mädchen in bunten, faschingsseidenen Trachten auf, mit kleinen zigeunerischen Goldmünzen an den Kopftüchern, winzige bäurische Haremsdamen. Sie sangen ein Lied und tanzten dazu, ihre hell

kreischenden Stimmen vereinigten sich zu einem geschlossenen Tonkörper, alle Feinde des Landes wurden damit zusam-
mengeschrien, es war wie ein akustisches Nägeleinschlagen.
Die staatsbürgerliche Feier löste sich auf. Die Traktoren fuhren
vor, und die Frauen kletterten auf die Anhänger. Ich begrüßte
die Ingenieure und gratulierte, etwas zu enthusiastisch, zu dem
schönen Fest. Ich hatte mich längst nicht so in der Gewalt wie
Pupuseh. Ich ging wie auf Wolken. Ich lächelte jetzt ungehemmt in gesammelte würdige Männergesichter. Als Pupuseh
auf ihren Wagen stieg, konnte ich noch einen Blick von ihr erhaschen, dann schob sich ein großer Junge zwischen uns. Ihr
Traktor zog an. Ich sah die Reihe der Frauenrücken. Ich suchte
das violette Kopftuch. Es gab zwei davon.

SIEBZEHNTES KAPITEL

Wenn Seliha zum Feuermachen, zum Essenvorbereiten und
Servieren eine ihrer Töchter zu mir ins Zimmer schickte, weil
sie gerade mit etwas anderem befaßt war, blieb sie dennoch in
der Nähe. Das jeweilige Mädchen trat mit gesenktem Blick
ein – Seliha sorgte dafür, daß es immer eine andere war, damit
man nicht sagen konnte, daß sich da Gewohnheiten bildeten –,
streifte die Gummisandalen ab und kauerte sich auf den Boden,
um zu tun, was eben anfiel, aber nach kurzem schon war von
draußen Selihas papageienhaft harte Stimme zu hören, die
augenblickliche Antwort forderte. Sie wußte, was in jedem Moment geschah, lenkte nach Gehör aus der Ferne und befahl,
wenn sie meinte, nun sei alles geschehen, das Verlassen meines
hölzernen Schreines. Ich glaube nicht, daß sie mich mit gestei-
gertem Mißtrauen betrachtete und mir zutraute, morgens um
neun aus dem Bett zu springen, um so geschwind wie ein Hahn
über die zwölfjährige Nuray herzufallen, aber es war doch besser, wenn jedermann in ihrem Umkreis, die Töchter vor allem
natürlich, zu jeder Zeit die Gegenwart ihrer Hand spürte. Wo
gute Sitten herrschten, kamen keine dummen Gedanken auf,
und auch das ebenso gefährliche dumme Geschwätz blieb aus.
Das hinderte die Mädchen nicht daran, ihre Augen schweifen
zu lassen, aber bei so fester Zucht konnte Seliha das ver-
achtungsvoll vernachlässigen. Man konnte dem Sklaven nicht

verbieten, von der Freiheit zu träumen, und solch ein schwächliches, törichtes Träumen war bei lückenloser Überwachung durchaus erwünscht, denn es bereitete die Fügsamkeit vor, den eines Tages von den Eltern präsentierten Ehemann als einzigen möglichen Ausweg aus dem Käfig auch anzunehmen. Wie aber war es mit der Lückenlosigkeit in Zeiten des Telephons bestellt, wenn das fest verrammelte Haus mit geschlossenen Fensterläden jeden äußeren Feind abzuwehren gedachte, während dieser Feind, mit seiner säuselnden Stimme jedenfalls, schon mitten ins innerste Familienheiligtum eingedrungen war? Bei Nihat und Seliha gab es erst gar kein Telephon, was Nihat bedauerte, weil er neugierig war und gern auch an jenen Tagen mit den Nachbarn geplaudert hätte, an denen Seliha ihm das Ausgehen verbot. Ihr war das Telephon so gleichgültig wie jede andere neuere Gerätschaft. Sie nahm ein elektrisches Bügeleisen oder eine Glühbirne achselzuckend hin, wie ihre Voreltern etwas Seltsames, Fremdartiges, Neues auf ihren Zügen durch das Land hingenommen hatten. Wenn man es in die Hand bekam, benutzte man es eine Weile und ließ es dann liegen oder verwahrte es in einer Truhe als Schatz, aber zu eigen machte man es sich nicht. Seliha brauchte, so kam es mir vor, eigentlich überhaupt nichts. Nahm man ihr das Messer weg, dann würde sie einen Stein nehmen, nahm man ihr das Haus, dann zog sie in eine Höhle. Es würde alsbald die behaglichste Höhle im weiten Umkreis sein und sie die geformteste, adretteste Höhlenbewohnerin. Wie man allerdings ein Mädchen allein und unbeaufsichtigt nach Deutschland schicken konnte, ging über ihr Begreifen. Sie versuchte auch nicht das zu verstehen; was sollte man an Unordnung noch Vernünftiges finden?

Pupuseh war allerdings ein Waisenkind, mit ihrem Bruder und zwei Schwestern, aufgenommen beim Onkel, wo es schon viele Mädchen gab; jedes davon war zu verheiraten, der Onkel war schon kahl geworden vor Sorgen. Ein zornmütiger Mann war dieser Onkel. Nihat sprach oft von Muzafer Calik aus Girmeler, dem Familiendiktator, und machte dazu ein Wüterichgesicht. Die Vorstellung der vor dem väterlichen Herrscher zitternden Frauenschar entzückte ihn aufs höchste, und noch mehr mußte er lachen, wenn er sich vorstellte, selbst eine solche Rolle zu spielen, das Absurde an diesem Bild ließ ihn nicht zur Ruhe kommen. Glaubte man Nihat und Seliha, war Muzafers

Strenge unüberwindlich. Sie ging auch mit Macht einher. Er regiere in Girmeler wie ein Pascha. Alles dort sei sein Eigentum. Girmeler und die Familie Calik seien identisch. Es lebten dort nur Mitglieder der Familie Calik, arme und reiche. Was die reichen und die armen Caliks jedoch gemeinsam hatten, das war der Gehorsam gegen den Befehl und die Oberhoheit des Onkels Muzafer. Muzafer wundere sich selbst oft darüber, wie streng er sei. Im Kreis der Männer in der Barbierbude oder im Teehaus erzähle er Beispiele seiner Strenge und schüttele darüber den Kopf. Und in dieses Haus telephonierte Zeynab hinein und schlug eine Bresche.

Als Pupuseh auf der Versammlung des Atatürktages erschien, wußte sie schon, daß ich in der Nähe war, erfuhr ich jetzt. Ob sie sich gefreut habe, als sie von mir hörte? Gefreut gewiß, sagte Zeynab, aber gefürchtet habe sie sich gleichfalls, und geweint habe sie, wohl vor Aufregung, und diese Vorstellung, sie könne mit ihrer hellen, etwas heiseren, dieser Stimmbruchstimme schluchzen, traf mich zutiefst. Aber war Zeynab denn nicht imstande gewesen, sie zu beruhigen und zu trösten? Zeynab mußte hier stellvertretend wirken. Daß ich da war, mußte Zeynab irgendwie vermitteln, und zwar durch den Trost, die Beruhigung und das Vertrauen, aber auch die Freude, ja sogar das Glück, das, wie ich hoffte und sogar überzeugt war, von meiner Person ausging und auf Pupuseh ausstrahlen mußte. Das mußte Zeynab jetzt leisten. In äußerster Aufregung brüllte ich geradezu ins Telephon, während mich der Kreis der diskreten, aber ernsthaft teilnehmenden Zuhörer in dem landwirtschaftlichen Laden umstand. Die Telephonrechnung betrug mehrere Millionen türkische Pfund, einen Wochenlohn der Männer, die mich da hatten die Stimme heben hören. Das Erscheinen von Ibrahims Motorrad kündigte stets diese teuren Telephonate an. Was hätten die Umstehenden gesagt, wenn sie verstanden hätten, daß diese Unterhaltungen sich auf das Nachbardorf bezogen, wo im Serail des allbekannten Muzafer die in Deutschland schon beträchtlich geblüht habende Blume Pupuseh heranwuchs?

Hüssein sei über die Abreise von Pupuseh außer sich, erfuhr ich jetzt. Das war der Wäschetürke, der sie so unnachsichtig und ahnungsvoll bewacht hatte. Hüssein erkläre, daß er sich ein Anrecht auf Pupuseh erworben habe, als er ihr die Reise nach

Deutschland bezahlte. Daß er nun immer noch nicht geschieden sei, dürfe ihm in Girmeler wahrhaft nicht zur Last gelegt werden. Muzafers Vater lebe in allen Ehren mit seinen beiden Ehefrauen, nichts anderes begehre auch Hüssein. Muzafer habe bloß aus Geiz nicht noch eine weitere Frau ins Haus genommen, und mit den Gesetzen solle man ihn in Ruhe lassen, er wisse auch von Deutschland aus, wie die gehandhabt würden, der große Atatürk sei lange tot.

Wie mußte ich jetzt Pupusehs Entführung und Einsperrung begrüßen, ja segnen. Muzafer hatte offenbar im letzten Augenblick gehandelt. Wenn Zeynab schwieg, hörte ich im Hintergrund neapolitanische Musik dudeln. Ich meinte Espressolöffelchen auf den Untertassen klingeln zu hören. Zeynabs Friseursalon war sehr nahe gerückt. Ihre Stimme klang warm und vertraut.

»Du wirst sie schon bald wiedersehen«, sagte sie gedämpft. Auch um sie herum wurden viele Ohren gespitzt. »Aber tu nichts Spontanes!« Das klang schon geradezu flehend. Noch ahne keiner von mir. Ich trug noch die Tarnkappe, ich war ein Ausländer, der in den Äckern herumscharren will. Sowie der Blick sich auf mich richte, könne ich keinen unbeobachteten Schritt mehr tun. Ich dachte an mein vielstündiges Umherirren in der Einsamkeit, bei dem ich mich beständig im Fokus eines Feldstechers befunden hatte.

Beim Frühstück bedeutete mir Nihat, daß es heute ungemütlich hergehen werde. Aus Girmeler sei ihnen ein großer Wagen mit Tomaten geliefert worden, Selihas Anteil an einem der großen Gewächshäuser in der Ebene. Deshalb würden diese Tomaten heute eingemacht. Für die nähere Zukunft müsse auch Brot gebacken werden. Für alle diese Arbeiten habe Seliha die Frauen aus der Nachbarschaft zusammengerufen. Ich dachte an Oberhessen, wo die Nachbarinnen bei einem Todesfall die großen Backbleche mit dem Beerdigungsstreuselkuchen vorbereiten. Auch hier sollte, unter verwandten Umständen, also solch ein Nachbarschaftstreiben losgehen.

Für Nihat war dies ein Tag, an dem seine Unterlegenheit und Unwichtigkeit noch unter das gewohnte Maß sank. Selbst Mehmet war bedeutender als er, denn erstens war Mehmet Sohn und Erbe und Selihas Werk, und zweitens war er noch klein genug, um sich unter den Frauen aufhalten zu dürfen und da auch irgendwie behilflich zu sein. Nihat hingegen wurde zur Unperson. Ihm war, als ob eine furienartige Schar von seinem Haus Besitz ergriffen hätte. Auf Knien lugte er aus dem Fenster. Da kam der Traktor aus Girmeler hereingerollt. Nein, so vollbesetzt wie am Atatürktag war der Anhänger nicht, aber mit Nihats Frauen zusammen würden es einfach zu viele Frauen sein. Selbst eine gelähmte Greisin hatte man mitgeschleppt. Für sie wurde im Hof ein großer Teppich ausgebreitet, ein maschinengeküpfter purpur-gold-violetter Pracht-Täbris. Kissen waren darauf gehäuft, und dort lagerte sie nun, mit geradem Rücken und blütenweißem Kopftuch. Nur eines war ihr lästig: daß die Hühner von dem Teppich angezogen wurden und sich ihr mit behutsamen Schritten immer aufs neue näherten, so laut sie auch schimpfte, um sie zu verscheuchen. Es brachte ihr ein Mädchen dann einen langen, dürren Stab, mit dem sie, leicht den Staub aufwirbelnd, über den Boden vor sich kratzte. Dies war ihre Arbeit an diesem arbeitsamen Tag, und sie ruhte damit nicht, bis die letzte Tomate eingemacht war und sie wieder auf den Anhänger geladen wurde. In die Nähe der arbeitenden jüngeren und jungen Frauen wagten sich die Hühner ohnehin nicht, als hätte es ihnen dort leicht geschehen können, ganz nebenbei mit den Tomaten eingemacht zu werden. Die Hühner bewiesen hier dieselbe Instinktvorsicht, die auch Nihat dazu brachte, sich nicht blicken zu lassen und nur auf Knien manchmal aus dem Fenster zu lugen.

Wenn ich mich in ihn hineinversetzte, konnte es mir schon vorkommen, als sei der ganze Hof von wilder Soldateska besetzt worden. Feuerchen brannten an verschiedenen Ecken. Es sollte Fladenbrot auf Vorrat gebacken werden, diese festen, den Fensterledern nicht unähnlichen Lappen und Pfannkuchen, die beim Essen an die Stelle von Messer und Gabel traten und mit denen sich eine Sauce oder ein Ragout sehr manierlich aufnehmen und auftunken ließ. Aber solche Feuer verstärkten natürlich den kriegs- und lagermäßigen Eindruck. Die Brotbäckerinnen hockten vor runden Brettern mit niedrigen Beinen und rollten auf ihnen eine gute Handvoll mit einer Teigrolle so lange, bis man durch den Fladen beinahe hindurchschauen konnte; dabei sprachen sie unablässig und erlaubten sich auch gewisse Freiheiten. Die Blusen waren am Hals oft aufgeknöpft, und das Kopftuch wurde losgewickelt, der Hals war nun ganz frei, und die langen Zipfel vereinigten sich auf dem Hinterkopf großzügig und dekorativ zusammengebunden. Oft saßen die Kopftücher nur noch wie Hauben auf dem Hinterkopf, darunter floß das Haar, in allerdings jetzt meist feuchten dunklen Strähnen. Mit dem heftigen Wirken und Backen und Plappern war eine Art Auflösung in das strenge Zucht- und Haremswesen gekommen. Und wer hätte die aufhalten können, wenn die Hauptwächterinnen selbst ihre Observanz aufgegeben hatten? In der Mitte des Hofes stand eine alte Emailbadewanne, die Nihat einmal aus der Stadt herangeschafft hatte, als dort ein Hotel abgerissen wurde. Hier war das Herz der Tomatenzerstückelung und -zurichtung. Sie wurden eimerweise herbeigeschafft, mit kochendem Wasser übergossen – blanchiert, wie die Köche sagen –, dann wurde ihnen die Schale abgezogen von vielen Händen, in denen die Kneipchenklingen blitzten. Das weiche Fruchtfleisch wurde zerschnitten, jetzt waren die Früchte schon nur noch ein roter dampfender Haufen. Auch die Badewanne schwamm in Rot, alles war von rottropfender, rotspritzender, rotschmierender Dickflüssigkeit erfüllt. Die Frauen rund um die Badewanne tauchten die nackten Arme hinein und zogen sie über und über rot bekleckert und von Fruchtgewebe besetzt wieder heraus. Das alles geschah unter der hellen Sonne, bei starkem, auf die Dauer rebellisch und gereizt stimmendem Wind. Der Wind pfiff manchmal in Stößen um die Ecke, aber die Frauen waren Windsbräute und kreischten dazu nur amüsiert.

Noch besser als die Männer kamen die Frauen mit dem Hocken und Kauern zurecht, das bereitete ihren Gliedern keinerlei Mühe. Die in der Luft hängenden runden Pumphosenhinterteile vermittelten die Vorstellung von Sichentleerenden, gar Gebärenden, und es ging bei all diesen Arbeiten schließlich auch um Lebensreproduktion und Lebensermöglichung.

Eine Frau fiel mir besonders ins Auge. Sie war etwas größer und voller als die anderen, nicht mehr blutjung, vielleicht vierzig. Sie galt als Respektsperson, ohne deshalb weniger zu arbeiten als die anderen. Sie war dunkelblond und sehr blaß, die vollen blaßrosa Lippen waren stets halb geöffnet, und die hellblauen Augen quollen etwas hervor, von dicken Augenlidern weniger bedeckt als im Kopf zurückgehalten. Unter dem dünnen reich plissierten Stoff von Bluse und Pumphose schienen sich bei ihr nur Kugeln zu befinden, die in dem feinen Sack herumrollten und sich in ihrer Bewegung abzeichneten. Kugeln waren die Brüste, eine große Kugel der Bauch, kleine Kugeln die Schenkel und Knie, und das gruppierte sich immerfort neu, denn sie konnte die Beine so um sich falten und verschränken, daß es war, als würden die Gliedmaßen zwischendurch abgeschraubt und neu eingesetzt. Man konnte, wenn sie sich bewegte, die Knie für ihre Brüste halten und die Brüste für die Knie. In diesen Anblick war ich lange versunken. Nihat bemerkte meinen Blick und sagte lächelnd »Fatma«. Das war des furchterregenden Muzafer Frau, die Hüterin von Pupuseh. Und tatsächlich – da saß sie schon neben ihr, so schön, wie sie noch nie ausgesehen hatte.

Ich habe gegen das nonnenhafte Kopftuch nichts einzuwenden, richtig umgeschlungen, kann es den Gesichtern zu viel Ausdruck verhelfen. Aber es ist eine Vergeudung reicher Gaben, wenn eine solche Stirn, wie Pupuseh sie hat, verhüllt werden muß. Und gerade weil sie zart und genau gezeichnet ist in ihren Zügen, gehört auch wildes und reichliches Haar dazu, sonst bekommt das Gesicht leicht etwas harmlos Kindliches, Unfertiges, was ein ganz falscher Eindruck wäre. Ihr Haar war zwar nicht von sanftlockiger, seidiger Fülle, es hatte eine schon geradezu roßschweifhafte Festigkeit und Sprödigkeit, und sie hatte es mit viel Kunstfertigkeit – Zeynab muß da mitgewirkt haben – wie eine Brombeerhecke verfilzt, die brandigen Strähnen, die auch noch hineingefärbt worden sind, nicht zu vergessen. Jetzt beim Tomateneinmachen war die hübscheste Lösung gefunden. Zigeunerisch war das Tuch zum Wulst zusammengedreht durch das Haar hindurchgewunden, das Haar war in seiner Fülle sichtbar, aber nicht gar so modisch-megärenhaft aufgetürmt. Es kam mir vor, als sei ihr Gesicht an der Luft ein wenig dunkler geworden, vielleicht war es auch die Arbeit, die es rötlich werden ließ. Ihre Arme und Hände waren blutrot. Sie zerriß Basilikumpflanzen und tat eine Handvoll Blätter in jedes Einmachglas. Über dem Schlachtfeld, der Blutwanne und den rotgefüllten Gläserbatterien breitete sich ein Duft nach zertretenen Kräutern aus, die ihre Essenzen reich in die erwärmte Luft strömen ließen. Auch die Tomatensüße und -säure mischte sich hinein, die Holzfeuerchen gaben noch etwas würzige Bitterkeit hinzu. Ich dachte daran, wie ich Pupuseh gestern zum ersten Mal mit hennarot gefärbten Fingerspitzen gesehen hatte, sie, die die feinsten opal- und achatpolierten Fingernägel besaß. Jetzt war dies Henna in einer roten Sturzflut verschwunden.

Ich stand auf und ging die wankende Treppe in den Hof hinunter. Mein Plan war, dort unten meinen Blick kühl schweifen zu lassen und vielleicht sofort den ihren aufzufangen. Das gelang auch. Unsere Augen fanden sofort zusammen. Ich drehte mich geradezu brüsk weg und wandte mich zu einem Spaziergang. Mein Plan war, bald zurückzukommen und sie dann ein zweites Mal zu sehen. Diesmal würde ich, ohne in ihre Richtung zu gucken, den Daumen in den Mund stecken und auf den Nagel beißen, ich würde das riskieren, blitzschnell, keiner hätte Gelegenheit, diese Geste irgendeiner besonderen Person zuzuordnen. Ich ging zwischen einer Reihe lykischer Sarkophage, die wie eine Stadt im kleinen eine Straße bildeten, zu dem Hügel, an dem sich der Blick in die Ferne öffnete. Zuverlässig öffnete er sich auch heute. Ich war, wie gestern und vorgestern, bewegt, vielleicht etwas weniger als früher, ich verharrte auch nicht lang: gut, so sagte ich mir, das war nun der Blick. Ich kehrte zurück, durch Gestrüpp, an den Sarkophagen vorbei, aber es mußte da einen kleinen Zeitzauber gegeben haben. Ich hatte meinen Weg und mein Verweilen abgekürzt und kam doch zu spät.

Der Hof lag leer. Die Badewanne war weggeschafft. Die Feuer waren ausgetreten. Die Gläserbatterien waren verschwunden. Keine Frau war mehr auf dem Hof. Der Traktor war abgefahren. Auf dem Teppich, auf dem die Alte gesessen hatte, wandelten jetzt die Hühner umher. Wie Detektive, die in einen Hotelsalon eingedrungen sind, um ihn auf Spuren eines Verbrechens abzusuchen, hielten sie, unter Oberaufsicht des Hahns, den starren Blick auf die Rankenmuster gerichtet und pickten manchmal, wenn sie etwas entdeckt zu haben glaubten.

Nachts sah ich mich im Traum mit Pupuseh am Meer. Sandbänke bildeten flache Becken, die vom tiefen Wasser getrennt und von der Sonne aufgeheizt waren. Da planschten wir nackt herum, ließen uns in dies warme Wasser hineingleiten und schwammen darin Körper an Körper wie zwei Aale. Der Sonnenuntergang brachte Farbenpracht, das Meer wurde dunkel und unergründlich, und auch unsere flachen Lagunen schienen unergründlich tief. »Du weißt, worin wir schwimmen?« sagte Pupuseh, und ich wußte es sofort, es war ihr lauwarmes, süßwürziges Blut, in dem wir uns bewegten und das uns ganz einhüllte. Auch als ich erwachte, dachte ich gern an diesen Traum, er wurde in meiner Vorstellung so nah wie etwas wirklich Gesehenes.

ACHTZEHNTES KAPITEL

Zu den Verwirrspielen, die die Landschaft rund um Yakaköy und Girmeler mit dem sie Durchquerenden trieb, gehörte es, daß man, sowie man die Talsohle erreicht hatte, sich nun nicht etwa am Boden eines Kessels, oder besser einer sehr langen Rinne sah, die rechts und links von hohen Bergketten eingefaßt ist, sondern daß man sich sofort in einer weiten Ebene fühlte, die erst am Horizont bei den dort immateriell und halb im Dunst aufgelösten Bergmassiven endete. Gerade eben erst hatte Ibrahim unter beträchtlichen Mühen den unwilligen Motor seines Motorrades angelassen, weil es nun nicht mehr von allein rollte, da konnte man sich schon nicht mehr vorstellen, aus dem Bergland gekommen zu sein, dessen weiter Abhang, während man sich von Riesenausblicken umgeben in ihm befand, niemals zu enden schien.

In der Ebene war alles anders, als das von oben zu erkennen gewesen war, aufs kleinste und kleinlichste eingeteilt. Baumreihen gliederten das Land wie Zäune. Unbedeutende, provisorische Häuserchen machten sich breit. Wo das eine mit kaputten Schuppen und alten Autoreifen und Abfallhaufen und verregneten Baumaterialien aufhörte, begann schon das nächste. Hüttchen säumten den Straßenrand. Hier wurden übergroße Wassermelonen krachend aufgeschnitten, dort klang ein Hammer, der auf ein Stück Metall haute. Auch für die männliche Schönheit war in reichem Maß gesorgt. Die Barbierbuden waren alle umlagert, und es gab viele davon. Ich hatte mich nur deshalb noch nicht rasieren lassen, weil ich die Wässerchen, die dort nach der Behandlung ausgesprüht wurden, nicht an mir haben wollte. Sie stammten aus der gleichen Flasche, die auch auf Nihats Hof immer Verwendung fand, wenn ein Fremder sich näherte. Zur Begrüßung brachte dann die gerade gegenwärtige Tochter diese große Flasche herbei, von der dann reichlich in die Hände gegossen und auf Gesicht und Nacken verteilt werden mußte, die »süßen Düfte Arabiens«, wie man hier vielleicht sagen könnte, ich hatte mich innerlich aber eigentlich schon von solchen snobistischen Verurteilungen abgewandt; war es nicht eine gesunde und kluge Konvention, wenn ein Volk sich grundsätzlich darauf einigte, was es als wohlriechend betrachtete, und wenn nicht jeder kam und in solchen kleinen alltäglichen Dingen das Individuum herauskehrte und damit unter seinen Brüdern Abstände und Schluchten aufriß? Ich stand kurz davor, mich nun selber dieser großen Flasche zu bedienen, die in dem Laden, in dem das Telephon stand, in Mengen vorrätig gehalten wurde. Das Parfümieren war hier für die Bewohner der verfallensten und verwahrlosesten Baustellen eine selbstverständliche tägliche Übung.

Hier unten in der Ebene erhoben sich die langgezogenen Rufe der Muezzins von den Betonminaretten der neuen Moscheen, die nur im Tal hörbar waren und nicht in unsere Bergregion aufstiegen. Dort blieb die Stille unangetastet. Hier unten aber kam es vor, daß sich die Rufe benachbarter Moscheen ablösten. Häufig fuhren wir von einem ausklingenden Gesang, der über Lautsprecher weithin schallte, in einen anschwellenden hinein. Die Sänger besaßen oft große Kraft. Der Eingangsruf, der die Größe Gottes feiert, war ein durch Kunst in Form gebrachter Schrei. Es war, als werde der Sänger durch einen Blendungsschmerz vollständig übermannt. Dann folgten monteverdiartige Koloraturen, alles in Höchstlautstärke, die der eine besser und der andere schlechter vortrug. Welche Eigenschaften man da vorziehen sollte, die Jugendfülle und Resonanz oder den Geschmack langjähriger Erfahrung, wollte ich nicht entscheiden. Ibrahim verglich die Leistungen der Muezzins unnachsichtig. Zu meinem Erstaunen beurteilte er diesen Gebetsgesang so nüchtern wie eine Opernarie. Verwundert erfuhr ich, daß man schön und häßlich beten konnte.

Ibrahim hatte bemerkt, daß ich mit meinen verpflasterten Füßen mühsam ging und manchmal geradezu humpelte. Das belustigte ihn sehr. Er lachte mit Nihat über mich. Das war keine Schadenfreude, sondern ein kindliches oder gar hochweises Vergnügen an der sich auch an mir bestätigenden Grundtatsache der Hinfälligkeit aller Kreatur. Aber er wollte etwas zu meiner Therapie tun. Verständigen konnten wir uns nicht darüber. Aber nachdem ich mit Zeynab telephoniert hatte, war ich frei. Der Tag dehnte sich, und es schien sich hier so zu verhalten, daß ich in meiner Sache jeden Tag nur einen Schritt tun durfte und danach in Ruhe und Bescheidenheit abzuwarten hatte.

Eine unordentliche, feuchte Grüne herrschte hier im Tal. Die Bäume waren von Schlingpflanzen überwuchert, die zum Teil schon wieder abstarben, von verwahrlosten Gärten hatte dies alles etwas, nicht von freier Natur. Wasser rauschten nun stärker, und das Grün ließ die Atmosphäre überfüllt und dunkel erscheinen. Eine neue Überraschung der Ebene: die Berge waren plötzlich, als ich nicht hinsah, wie mit einem mächtigen Satz wieder ganz nahe gekommen. Es erhob sich am Ende der Straße eine schwarze Felswand, ein drohendes Basaltgebirge. Wir hielten nun darauf zu. Das Motorrad lief auf dem steilen Weg heiß, fürchtete ich; zwei Männer auf diesem schwachen Motorrad, das war fast wie einen alten kranken Esel schinden, und dazu wäre Ibrahim wohl auch fähig gewesen, bei aller schneidermäßigen Behutsamkeit. Gerade diese Felswand war unser Ziel. Sie wölbte sich über uns empor. Ihre spröde Schroffheit ließ mich die Spannung empfinden, unter der dieser Stein stand. Er splitterte wie Glas, im riesengroßen Maßstab allerdings. Man denke sich einen schwarzen Glasblock, der mit dem Meißel behandelt wird, das springt dann wie Muscheln aus dem Körper heraus, in fast kreisförmigen Placken. Das Geröll lag zu Füßen der geborstenen Felsmauern. In ihrer Mitte war sie aufgebrochen. Man hörte förmlich das schauerliche Ächzen, mit dem sich die geschlossene Wand vor undenklichen Zeiten aufgetan hatte. Ein Höllentor, hoch wie ein Kirchengewölbe, riß hier seinen Rachen in dem Schatten auf, den die vorragenden Felsen zu jeder Tageszeit warfen. Fliegenklein kreisten wir über den steinigen Platz zu Füßen des Tores. Ein Schäferhund an einer langen rasselnden Kette geriet außer sich, sein Gebell brach sich an der schwarzen Wand und flatterte hinter den natürlichen Gewölben des Felstors wie eine akustische Fledermaus. Hier gab es also etwas zu bewachen.

Ein Häuschen stand in der Nähe, an den Stein geschmiegt, ein schäbiges, aber irgendwie öffentlich wirkendes Bauwerk, das seine Entstehung dem menschenfreundlichen Wirken von hoher Hand verdankte. Jetzt kam, auf das Gebell hin, jemand heraus, ein kleiner Mann mit einer Baseballmütze, ein Junge eigentlich noch mit allerdings schon starkem Bartwuchs, aber zwergenhaft geblieben. Er war der Wächter dieser Felsen. Man konnte bei ihm Getränke kaufen. Er hatte auch eine Ansichtskarte, und er war bereit, Besucher in das Höllentor zu führen, selbst jetzt, wo er kaute. Seine Mahlzeit unterbrach er gern. Er wollte auch beim Baden behilflich sein und knipste das Licht in der Höhle an. Das alles erklärte er mit wenigen englischen Worten und ließ dabei eine grenzenlose Bereitwilligkeit erkennen, keineswegs schmeichlerisch oder werbend, sondern geradezu ein wenig rauh und mürrisch, als wolle er sagen: Ich habe nun die ganze Zeit hier auf Sie gewartet und alles andere dafür sausenlassen, nun nehmen Sie meine Dienste gefälligst auch an. Ich mußte mich beherrschen, ihn nicht mit Blicken zu verschlingen und etwas Unüberlegtes zu sagen. Ich hatte ihn schon aus der Ferne, als er das Diensthäuschen verließ, erkannt. Er war der Bruder Pupusehs, der Junge, der beim Atatürkfest neben ihr auf den Wagen geklettert war.

Die Ähnlichkeit zwischen Bruder und Schwester war schlagend. Wie der kleine Mehmet war auch dieser Junge fast kahlgeschoren, das verschärfte die Ähnlichkeit, weil Pupuseh jetzt mit ihrem Kopftuch gleichfalls ohne den Rahmen ihrer Haare dastand. Er besaß ihre Stirn und ihre Nase, und auch der Mund wiederholte sich auf geradezu unheimliche Weise. Es war alles nur eine Nuance härter, geiziger von der Natur gemacht, es war zur Verfertigung dieses Jungen, so schien mir, dasselbe Modell genommen worden, aber mit weniger und schlechterem Teig. Seine Augen waren so schwarz, daß man den Unterschied zwischen Iris und Pupille nicht erkannte, blanke schnelle Nagetieraugen, von denen man sich nicht vorstellen kann, daß sie alles wahrnehmen; solch ein Tier orientiert sich auch mit anderen Organen; es lauscht auf das Rascheln, die Nase ist unablässig in Bewegung, und so war es auch hier. Die Augen erkannten mich nicht, aber die Nase war weit vorgestreckt, das Pupuseh-Näschen müßte man eigentlich sagen, und versuchte über mich Informationen aufzunehmen. Man versteht, daß ich diesen Jungen so schnell nicht loslassen konnte. War er nicht dazu ausgesandt, mich nach Girmeler zu führen? Dies war die unvorhergesehene Chance, auf die ich wartete, denn Zeynab war in ihrer Anteilnahme ganz ratlos und warnte nur immer, anstatt mir Wege zu weisen.

Die große Höhle hatte eine gleichsam gotische Pforte, ein bis zur Mitte der Felswand reichendes Spitzbogentor. Man glaubte, durch dieses Tor eine immense Halle zu betreten, aber dahinter verengte es sich sofort, als habe ein Bühnenbildner, um eine falsche Tiefe zu erzeugen, hier energisch die Perspektiven verkürzt. Bald schon stieß ich mit dem Kopf gegen den Stein, dann mußte ich gebückt gehen, schließlich kriechen. Man ermesse die Macht, die mich hier zog, wenn ich mit meiner ausgeprägten Klaustrophobie hier ohne Zögern ins Dunkle folgte. Dort in der ewigen Nacht knipste das Bürschchen eine Taschenlampe an. Im Lichtschein, der unruhig über die Wände glitt, erschienen häßliche, weißen Gedärmen gleichende Stalaktiten, als hätten selbst die Minerale in dieser Höhle die Eigenschaft jener Tiere und Pflanzen angenommen, die in Grotten blaß werden. Hier drinnen war es nicht schön. Ich strebte wieder hinaus. Es hing ein feuchter Schwefelgeruch in der Luft. Der Kleine sagte, daß es da hinten immer weitergehe, kilometerweit; man könne, wenn man dort weiterkrieche, bis Girmeler kommen.

Jetzt war es heraus, das Wort. Jetzt konnte ich es gleichfalls aussprechen. Er komme aus Girmeler? Ja, das Bürschchen nickte im Taschenlampenlicht wie ein finster Verschworener. Da lebe er wohl mit seinen Eltern, in diesem Girmeler? Nein, die Eltern seien tot. Aber seine Schwester sei nach Girmeler zurückgekehrt. Seine Schwester spreche Deutsch. Woher denn ich käme? Ich wußte nicht, ob ich das jetzt schon enthüllen wollte. Ich tat einen Fehltritt. Steine rollten über meinen Fuß, das tat weh. Dann fiel in der Ferne Licht durch das gotische Felsentor, in seiner Mitte stand Ibrahim und rauchte, ein Denkmal grundsätzlicher Gleichgültigkeit gegenüber jedwedem Naturwunder. Das Bürschchen ließ mich jetzt in das kleine Haus eintreten. In einem kahlen Raum, wo Bänke standen, holte er plötzlich Messingmünzen aus der Hosentasche und hielt sie mir hin. Es waren holländische Gulden, die hatte ihm im letzten Sommer jemand gegeben. Ob ich ihm die in türkische Pfund wechselte? Ich konnte mit den paar Gulden ebensowenig anfangen wie er, aber ich witterte in dem Tauschhandel die Gelegenheit, ihn mir fester zu verbinden. In den Hosentaschen trug ich ein Paketchen von diesen schmutzigen Millionenscheinen. Davon gab ich ihm einen. Ich wollte großzügig wirken.

Seine Augen waren fest auf dies Paketchen gerichtet. Er nahm den Schein, ohne es aus den Augen zu lassen. Da ist doch noch mehr, dachte er, wie überdeutlich war. Ich tat, als bemerkte ich nichts, aber sein Gesicht zeigte seine Unzufriedenheit. Es war wie Wasser, es trug jede seelische Bewegung wie eine Luftblase augenblicklich an die Oberfläche.

Ein von Glühbirnen erleuchteter Felsstollen tat sich auf. Er führte bergab. Warme Luft stand wie ein dichtes Kissen darin. Dies war eine Art Hintereingang in die Hölle. Hier sollte, wie ich mir sagte, das große Naturphänomen in kleiner Münze verwertet werden. Der Stollen wurde enger. Wir traten auf ein Holzgerüst und sahen durch Klüfte und Felsen in eine auch ganz unten noch erleuchtete Tiefe. Der Fels war hier wie von einem Blitzschlag auf gezackte Weise gespalten. Hölzerne Leitern waren in diese Spalte hineingeklemmt. Da sollte ich nun hinab. Wie viele Meter ging das so auf wackligen Sprossen? Oft genug fehlte auch eine. Erst eine letzte Wendung eröffnete den Blick auf das Ziel. Hier wurde eine von weißem Schwefelstaub wie von grauem Mehl bedeckte blasige Wasserfläche sichtbar. Dicke Seile hingen über dieser Erdwasserspalte, daran sollte man sich entlanghangeln, denn an Schwimmen war wegen der Felsenge nicht zu denken. Der kleine Kerl setzte sich auf eine Leitersprosse und rauchte, wobei er die Augen nicht von mir ließ. Über eine tiefere Sprosse solle ich meine Kleider legen und mich dann an dem Strick ins Wasser lassen. Er war in dem Licht der Glühbirne, die große Schatten warf, plötzlich viel älter geworden. Ich konnte ihn mir nun als ausgetrockneten Greis vorstellen. Die Zigarette war sein letztes Lebensfünkchen. Frisch sah das Wasser nicht aus. Es wirkte wie ein Brei. Aber das war wohl gerade das Heilsame. Als ich meine Kleider über die Leitersprosse hängte, sah ich, daß sie von dort ins Wasser fallen konnten. So reichte ich denn Schuhe und Hosen meinem Führer auf dem oberen Plateau. Er nahm sie gleichgültig entgegen, mit spitzen Fingern, wie mir vorkam.

Das Wasser teilte sich, die Staubschicht platzte auf, darunter war türkiser Kristall. Eine köstliche Wärme umfing mich. An dem Strick bewegte ich mich in neue Felsenräume. Die Spalte setzte sich unterhalb des Wasserspiegels fort, über mir und unter mir öffnete es sich in Höhen und Tiefen, und ich schwebte schwerelos dazwischen, wie ein in Felsadern wohnender alchymischer Geist, ein Salamander. Ich plätscherte und studierte die Gesteinsformationen, die Faltungen und Linien. Es war ein Glück, hier unten zu sein, im Herzen des Berges. Dies waren die Keller unter Girmeler. Ich war hier in den Kern der Landschaft eingedrungen. Von hier aus entfaltete sie sich. Ich steckte in ihren innersten Organen. Ich schwamm und ließ mich durch ihre Blutgefäße und Röhren und Nervengeflechte treiben. In der lieblichen kristallenen Wärme phantasierte ich mir zurecht, dies sei der wahre Weg, Girmeler für mich zu erobern. Von hier bezog das Dörfchen seine geheimsten Kräfte. Hier unten war das Gesetz verankert, unter dem es stand. Nachdem ich mich hier aufgehalten hatte, von Pupusehs Bruder ahnungslos eingelassen und geführt, würde mir oben am Licht niemand mehr widerstehen. Es würde sich alles Weitere von selbst ergeben.

»Ist es gut?« fragte mich plötzlich der kleine Kerl. Seine Stimme klang nah. Es gab keinen Hall hier unten. Das Echo fraßen die vielfach gefalteten Wände auf, sie wirkten wie ein isoliertes Tonstudio in dieser Felsenritze. Er saß über mir und sah mit seinen schwarzen stechenden Augen auf mich herab. Es ging etwas vor in ihm. Er dachte heftig nach. Ein Gedanke drängte sich aus seinem Innern an die Luft.

»Hätten Sie Lust, mir etwas zu schenken?« sagte er schließlich. Ich traute meinen Ohren nicht. Wieso denn schenken?

»Wieso?« fragte ich und plätscherte ruhig. Etwas Zigarettenasche fiel von oben auf mich herab. Aber das Bürschchen hatte sich jetzt in seinem Gedanken, der ihm vielleicht zunächst unwahrscheinlich vorgekommen war, eingerichtet. Er war ihm jetzt plausibel geworden.

»Sie könnten mir etwas schenken, nicht wahr? Das Wasser ist gut, Sie sagen es selbst. Ich habe es Ihnen gezeigt. Ich habe das Licht angemacht. Ich sitze hier und warte. Ich bekomme ein Geschenk.«

Ich schreibe das jetzt viel flüssiger auf, als es kam, vieles, was er sagte, verstand ich zunächst nicht, aber er half mit viel Geduld. Er wußte, was er wollte.

»Geben Sie mir ein Geschenk? Sie geben mir ein Geschenk.«

In meiner Torheit versuchte ich ihm zu erklären, daß er schon ein schönes Trinkgeld erhalten habe, die Gulden seien gerade die Hälfte dessen wert, was ich ihm gegeben hätte. Diese

Rechnungen waren viel zu verwickelt, um mit fünf englischen Wörtern vermittelt zu werden. Er wollte mich auch gar nicht verstehen.

»Ich brauche eine Uhr, eine goldene Armbanduhr für zehn Millionen Pfund – das ist mein Geschenk«, verkündete er jetzt von seinem Hochsitz. Auf einmal überfiel mich ein Grauen. Es war plötzlich schrecklich, in diesem warmen Wasser an einem Strick zu hängen. Ich würde das nicht mehr lange aushalten. Aber was geschah, wenn ich den Zorn dieses gierigen kleinen Bösewichts erregte? Er mußte nur das Licht ausmachen, und ich war verloren. Auf diesen Leitern fand ich im Dunkeln nicht aus dem Spaltenwerk hinaus. Er mußte mir im Dunkeln nur einen Tritt vor die Brust geben und ich stürzte und verletzte mich in den Felsen und hing dann in den Dämpfen, und dies wurde jetzt zu einer wirklich angsterregenden Vorstellung, die ich kaum mehr beherrschen konnte. Und in der Angst wird der größte Unsinn geboren. Was war, wenn er doch schon etwas wußte? Was war, wenn Hüssein, der Wäschetürke, einen Verdacht auf mich gelenkt hatte, wenn Zeynab sich verplauderte, wenn Pupuseh die Nerven verlor?

Die Frage nach dem Geschenk war so sinnlos, sie bedeutete ganz gewiß eine Provokation. Ich sollte mich empören, und dann würde er mir einen Schlag versetzen. Ich sah es jetzt oben in seinen Händen blitzen. Er hatte ein langes Klappmesser herausgeholt und reinigte sich damit gewissenhaft die Nägel, die berühmte Totschlägergeste aus dem Kino, oder wollte er sich wirklich die Nägel saubermachen? Sie waren schwarz, als ich sie mir ansah, er hatte Kinderhände, ich fand Pupusehs Hände in den seinen nicht wieder, diese reinen Ovale, schlank und rund zugleich. Hier saß ich wie ein Verdammter in der Hölle und wurde gekocht. Ich hielt es nicht mehr aus im Wasser.

»Gib mir die Kleider«, sagte ich, und dann kam mir der Einfall, den ich offenbar hatte finden sollen, als mein Geschick mich hierher führte. »Wir gehen nach Girmeler zu deiner Schwester, die Deutsch spricht, sie soll mir alles erklären.«

»Das geht nicht«, antwortete er, reichte mir aber die Hose herunter. »Die will dann auch ein Geschenk.«

»Gib mir die Schuhe«, sagte ich. In den Kleidern fühlte ich mich wie in einer Rüstung, jetzt konnte mir nichts mehr passieren. »Sie bekommt auch ein Geschenk, ein kleineres.« Wir konnten uns auf einmal sehr gut verständigen. Wozu dann noch die Hilfe der Schwester? In seiner Schlauheit fiel das dem Bürschchen offenbar gar nicht auf. Er war wahrscheinlich sehr dumm.

Neunzehntes Kapitel

Als ich mit Ibrahim auf dem Motorrad dem Bürschchen durch die Landschaft folgte, die sich in ihrer Offenheit nach kurzem schon wieder auftat, fühlte ich mich wie eine Schachfigur, mit der ein ihr selbst unbegreiflicher, aber nur innerhalb ihrer eigenen Gesetzmäßigkeiten möglicher Zug getan wird, und auch das abschüssige Feld, in seiner leichten Wölbung einem Segment der Weltkugel gleichend, kam mir in seinen Einteilungen wie ein übergroßes Schachspiel vor. Es sind ja die Globen durch Längen- und Breitengrade in Vierecke segmentiert.

Ibrahim sah kein Hindernis, mich nach Girmeler zu bringen. Die Schneiderei seines Stiles brachte gewiß nicht mehr viel, die schönen Lineale, die vor ihm schon mehreren Schneidern gedient haben mußten, hingen auch im übertragenen Sinne am Nagel. Mir war es lieb, ihn dabeizuhaben, obwohl die Verständigung mit ihm viel schwerer fiel als mit seinem Bruder Nihat. Es war mir, als bleibe er im Umgang mit mir entschlossener bei sich, weil er das ohnehin nie zu überwindende Fremdartige stärker empfand als Nihat, der mehr auf das menschlich Gemeinsame setzte. Ich hatte während meines gesamten Aufenthaltes an diesem Taurusabhang die Empfindung, als sei es mir unmöglich, Ibrahim jemals zu verblüffen, weil ich selbst in meiner ganzen Daseinsweise bereits das verblüffend Unverständliche darstellte. Aber dieser feste Sockel der Verständnislosigkeit kam mir jetzt wie eine Bastion vor, hinter der ich mich verbergen konnte. Wenn ich mit Ibrahim auftrat, würde mein Erscheinen durch die grundsätzliche Unverbindlichkeit eines aleatorisch überall eindringenden und sich wieder entfernenden Touristen harmlos wirken.

In einigem Abstand stand eine helle Staubwolke über der Straße, die in stillen Explosionen ihre Größe konstant hielt, während sie sich an den Rändern verflüchtigte. Jetzt trat ein Geräusch hinzu, als werde dort hinten eine Blechbüchse voll trockener Erbsen geschüttelt, auch dicke Regentropfen auf einem Laubdach konnten einen solchen Eindruck hervorrufen. Und dann mischten sich im Diskant vielstimmige Rufe in dies Gepladder und Getrappel, alles noch im Schutz der wandelnden Wolke. Von einem Augenblick zum anderen war sie dann bei uns und hüllte uns ein. Es war ein Heer von Hunderten schwarzer Ziegen, ein Zug, der kein Ende nahm und uns wie ein Sturzbach umspülte. Man hatte die Vorstellung, auf den schwarzlockigen Fellrücken wie auf einem lebendigen Teppich laufen zu können, so dicht gingen die Ziegen nebeneinander, und doch lag in den gelben Ziegenaugen viel Eigenwillen und ein ganz persönlicher Wissensdurst, wenn sie mich auf ihre durch den Abstand der Augen verursachte triumphierend spöttische Weise ansahen. Den Müttern hatte man das Euter in einen schwarzen Sack gesteckt, damit die Zicklein ihn nicht leertranken. Sie führten diese Euter wie Reisegepäck mit sich. Es war, als komme uns in hellen Haufen die in Ziegen verwandelten Einwohner von Girmeler entgegen, die vor den Dämonen flohen. Unser Innehalten in der Wolke dauerte auch gar nicht lange. Die Herde war verschwunden, wie sie gekommen war, nur der Staubpuder auf den Pflanzen am Wegesrand zeugte von ihrem Vorüberzug.

Dann lag Girmeler vor uns, wie von einer riesigen Hand tief in schweigend wucherndes Grün gedrückt. Kein Hund bellte, und kein Hahn krähte. Das Dorf war tatsächlich leer. Schon Yakaköy hatte in seine Häuschen viele Teile einer alten lykischen Stadt aufgenommen. Ich habe schon von den Quadern in den Mauern von Nihats Haus gesprochen, die in den letzten Jahrhunderten niemand mehr dort hätte metzen können. Aber Girmeler stand nicht einfach an der Stelle einer alten Stadt. Es war tatsächlich vollständig aus den Bausteinen der alten Stadt zusammengesetzt. Die Geschichte war mit Sidyma, so hatte der alte Kahlkopf die Griechenstadt hier genannt, umgegangen wie ein Dada-Künstler zu Anfang dieses Jahrhunderts mit einem köstlichen alten Werk voller Kupferstichtafeln. Knirschend fuhr da die moderne Genieschere in die gelblichen Büttenseiten und schnitt allerlei Reizvolles aus, um aus dieser Beute dann ein neues Bild zu kleben. So war auch Sidyma, unter beträchtlichem Abfall – wie ja auch das bewußte Kupferstichtafelwerk nach der Ausschlachtung ruiniert war –, zu diesem Dörfchen Girmeler geworden. Was dachten sich die Bauern, die hier nun hausten, wenn in ihrem Hofmäuerchen das Antlitz einer tragischen Maske mit aufgerissenen Augen und dem karpfenmaulartig geöffneten Mund, von den Korkenzieherlöckchen der diademförmigen Perücke eingerahmt, hervorglotzte? Fragten sie sich manchmal, was in die große Steinplatte am Kuhstall in ebenmäßigen klaren griechischen Buchstaben geschrieben stand? Wozu mochte der große steinerne Kasten mit dem wie ein Tempeldach von eingemeißelten Dachziegeln geschmückten gesprungenen Deckel, der umgekippt danebenlag, gedient haben, bevor er eine Viehtränke geworden war? Was allzuweit weg von den eigenen Wurzeln gewachsen ist, kann nicht mehr klassifiziert, ja nicht einmal mehr richtig gesehen werden. Hier in Girmeler gab es eben eine praktische Art von Steinen, die schon rechtwinklig im Boden steckten, wie es in anderen Dörfern einen guten Boden für Weizen oder für Kartoffeln gab. Aber durch diese barbarische Gleichgültigkeit und Wahrnehmungsunfähigkeit war nun wirklich etwas Neues entstanden, das von denen, die es geschaffen hatten – die in die Primitivität gestürzten Griechenbauern oder ihre Erben, die türkischen Hirten –, womöglich noch weniger hätte bezeichnet werden können als die bloßen Ruinen der untergegangenen Stadt, nämlich eine künstliche Art von Schönheit, wie sie zuerst von den französischen Malern aufgespürt worden ist, als sie sich beim Studium der Antike in Rom von lauter Ruinen umgeben fanden.

Nein, ich vergaß keineswegs, daß es Pupuseh war, die ich suchte, daß es ihre Gestalt war, die hier jeden Augenblick vor mir stehen konnte, aber deswegen sah ich eben schärfer und trank alles, was ich hier vorfand, in mich hinein. Dies war ihr Hintergrund. Aus diesen Steinen wuchs sie hervor. Angesichts der Mauern, die mich umgaben, trat das Bild der Pupuseh in der Wäscherei meiner Straße in die eigentliche Sphäre der Unwirklichkeit ein. Wer sie dort sah, war gewiß entzückt, wußte aber nichts von ihr. Die Mischung, die die Geschichte als dadaistische, die Werke der Menschen rücksichtslos zerschneidende und neu zusammenfügende Künstlerin hier geschaffen hatte, mußte mir Pupuseh auf die überraschendste Weise wieder näherrücken. Die verschleierte, ihre festen Schenkel in Pumphosen verbergende Pupuseh war schön, aber von mir weggerückt. Ihr Anblick erzeugte die beklemmende Furcht, daß es ein weiter und vielleicht ungangbarer Weg sei, der zu ihr führte. Aber wenn ich nun diese von einem fetten Putto wie von einem säuglingshaften Herkules hochgestemmte halbe Fruchtgirlande ansah, die, auf dem Kopf stehend, nicht mehr hängend, aufgeplatzte Granatäpfel und Lorbeerlaub in einer aus Schuttsteinen zusammengeworfenen Mauer zum Pflücken herauswölbte und den Türpfosten für eine aus verrotteten grünen Brettern gezimmerte Tür bildete, dann stand Pupuseh, sollte sie von Jugend an durch diese Tür gegangen sein, in einem weit europäischeren Zusammenhang, als ihn ihr alle deutschen Schulen auf einmal hätten vermitteln können. Wir Europäer hausten geistig gesehen doch auch seit langem schon in solchen aus alten Trümmern und neuem Abfall aufgetürmten Gebilden. Sie sahen nur häßlicher aus als das bukolische Girmeler, das für Ziegen und Hühner das antike Sidyma fortsetzte. Sidyma war übrigens das erste Wort, dessen Entzifferung mir gelang. Es stand auf einem großen Block, der unter der dörflichen Mammutplatane lag und dort wohl als Bänkchen für die alten Männer zur Abendstunde diente.

Das Bürschchen ging uns voran. Ibrahim folgte widerstrebend, denn er schätzte es, bei solchen Pausen ein Glas Tee mit den Leuten zu trinken, die sich auf der Straße aufhielten, aber hier war niemand, und so etwas wie ein Teehaus oder einen Barbier oder einen kleinen Laden gab es schon gar nicht. Das Aufbruchbereite, zugig Offene, das die Städtchen und Dörfer, die ich bisher kennengelernt hatte, prägte, fehlte hier. Girmeler saß gleichsam mit eingezogenem Genick fest in der Landschaft drin und rührte sich nicht. Hier herrschte nicht dies beliebige Kommen und Gehen, die lungernde Unruhe. Man konnte auch auf den Sträßchen hier nicht Motorrad fahren. Sie waren steingepflastert, in der Mitte hochgewölbt und nach den Seiten wie der Bogen einer kleinen Brücke tief abfallend.

Es überkam mich plötzlich das Gefühl, daß das Dorf gar nicht so leer sei, wie ich es zunächst annehmen mußte. Diese steinernen Häuschen, die aus derart mächtigen Blöcken gefügt waren, daß ich mir den Innenraum ganz dunkel und eng wie ein Burgverlies vorstellte, besaßen eine bedrängende Gegenwart. Vielleicht waren sie selbst es, die sich bewohnten und am Leben hielten, mehr, als es auf und in ihnen herumkrabbelnde Menschlein vermocht hätten.

Das Bürschchen lief etwas schneller voran, in Erwartung des fruchtbringenden Ereignisses, und blieb dann, von dem Verdacht überwältigt, ich könne mich vielleicht davonmachen, mißtrauisch stehen, mit den schwarzen Knopfaugen unser langsames Nachkommen überprüfend. Mir war es nicht eilig. Ich meinte fast sogar, noch etwas träger, absichtsloser sein zu sollen, um an Pupusehs Hof gleichsam angeschwemmt zu werden, ohne starre vorlaute Willensentfaltung, die dem Schicksal in den Arm fiel. Und außerdem nahm ich dies Dorf Girmeler in mich auf, dies erweiterte Gewand Pupusehs, ihre Mutter und Lehrmeisterin.

In *Tausendundeiner Nacht* wird von in der Wüste verlassenen Wunderstädten berichtet, der Messingstadt etwa, mit ihren bronzenen Wällen und Toren, den Innenhöfen voller Edelsteinpracht und der Abfolge ihrer gold- und rubingefüllten Säle. Da wandern dann staunende Wüstensöhne hindurch, füllen sich die Taschen mit bunten Steinen und müssen die Stadt schließlich wieder ihrem Schlaf überlassen, weil sie sie gar nicht mehr angemessen bewohnen könnten. Ich war in der Lage solcher Beduinen. Auch ich hätte mich gerne mit Steinen beladen, wenn sie nur nicht so groß gewesen wären. Es war auf dem buckligen hochgewölbten Pflaster, unter dem ich ein Rohr aus Ton vermutete, einen Zufluß für Thermenbecken oder den Teil eines Hypokaustensystems, als taste man sich durch einen geborstenen Palast, in dem die Pflanzen, grotesk gewachsene Feigenbäume vor allem, die ihre mit den Fingerblättern wie mit Händen bewachsenen knotigen Äste in rhetorischen Gebärden ausstreckten, die Rolle von Wandteppichen, Möbeln, Kandelabern und Kissen übernommen hatten.

Ob sich Girmeler noch irgendwo an den Stadtplan von Sidyma hielt, war uns nicht erkennbar, denn ich spürte in seiner Anlage überhaupt keinen Plan heraus. Ich stellte mir vor, daß Innen und Außen hier beständig verwechselt worden waren, aus Höfchen Zimmer, aus Straßenwinkeln Häuser, aus Hallen und Raumfolgen aber Plätze und Gassen wurden. An den Mauern sahen immer wieder Säulentrommeln in weißem Marmor hervor, als brauche man nur mit Hämmern gegen die Häuser zu schlagen, um alle spätere Zutat abfallen zu lassen und den darin steckenden Tempel wiederzufinden. Auf einem Platz stand ein einzelner hoher Türpfosten aus weißem Marmor, sein Pendant war umgesunken. In mehr als zwanzig Stufen wechselten an diesem Pfosten die Profile, als Perlenreihe, als Blätter und Mäanderbänder, als Würfel und als Arkanthusranken treppten sie sich einst der Türöffnung entgegen. Aber auch heute stand der hohe Pfosten keineswegs bloß als ornamentbedeckte Stele da. Von seiner Spitze führten rostige Drähte zu einem mit den Teilen einer Deckenkassette erbauten Haus, und über diese Drähte ringelte es sich grün und schlampig, eine lässige Dekoration der Natur, die hier vorführte, wie es aussieht, wenn sie ihr Rankenwerk selber spinnt. An diesem Plätzchen wurde die Fülle der alten Steine immer dichter. Das Spolienspiel ließ nun kaum mehr einen Zwischenraum. In das Ensemble eines aus kassettierten Marmorquadern errichteten Bauernhäuschens war ein kleines, vollständig erhaltenes Mausoleum in Tempelform einbezogen. Unter dem Tonnengewölbe glucksten und murrten braune Hühner. Auch sie durchbrachen das Gesetz der Stille nicht, das war ihnen womöglich unter Todesdrohung beigebracht worden, wenn solche Dressur bei Hühnern möglich ist. Von Girmeler erzählend, müßte ich mit dem Vokabular eines architekturhistorischen Handbuchs nur die Wörter Gebälk, Gesims, Aedicula, Pilaster, ionisches Kapitell, korinthisches Kapitell, Entasis, Rustika-Sockelzone, Tympanon und Architrav vor mir wie Sprachspolien ausstreuen, um daraus eine Vorstellung von dem lieblichen und überaus schönen Chaos zu schaffen, in dem Pupuseh aufgewachsen ist. Die sehr erlesen und auf hellenistischem Weltreichniveau gemeißelten Schmuckteile der verlorengegangenen Gebäude saßen nun nicht mehr an einer Stelle, wo sie unauffällig dienten und wo ihre Details eine auf die gesamte Gebäudemasse berechnete Funktion besaßen, von großen ungeschmückten Mauerflächen also gleichsam absorbiert wurden, sondern waren zu Bauklötzen einer unordentlichen Bauernwirtschaft geworden, die in aller Unschuld ihre Häuserhöhlen für das liebe Vieh und die Kinderschar wie in *Tausendundeiner Nacht* aus Edelsteinen aufbaute.

Auf dem ganzen Weg sahen wir keinen Menschen außer drei Frauen, die hinter einer Mauer auf dem Boden saßen und etwas Gelbes siebten. Der Weg führte hier höher, so daß man in den Hof von oben hineinschaute. Sowie sie uns sahen, standen sie auf und gingen mit abgewandten Gesichtern ins Haus. Das Bürschchen grüßte auch nicht etwa. Leichtfertige Fraternisation schien hier nicht geschätzt zu werden. Und dann erreichten wir

Pupusehs Haus, das Haus, in dem sie als arme Waise aufgenommen war und in dem sie sich zu fügen hatte. Es sah aus wie alle anderen Häuser, ein Sarkophag auf hohem Sockel überragte majestätisch den Hof, freundlich von hellem Grün umrankt, und zur Seite hin tat sich ein Steinbau, ein Mausoleum auf, dem aber die Vorderfront fehlte, die war in großen Blöcken vor dem Tempel zusammengefallen. Drinnen sah man die aus einem einzigen Riesenfels bestehende Decke, in die Kassetten mit Masken und Rosetten gehauen waren, einen Stein, wie man ihn in ganz Rom nicht finden kann, und hier waren große Autoreifen aufgestapelt, und ein rostiger Herd mit Ofenrohr stand auch dort, der jetzt vielleicht als Schränkchen diente. Den Hof bedeckten große gesprungene Steinplatten. Hier mußte also einmal etwas Forumartiges gewesen sein, und so war das für den Bürgermeister Muzafer Calik doch eine angemessene Residenz. Hier wich auch die Unbelebtheit. Auf brombeerfarben und hellblau gemustertem Teppich mit langen Fransen saß die Alte, die auch die Tomatenschlacht begleitet hatte, und spielte mit ihrem dünnen Stab auf dem Marmorpflaster. Als das Bürschchen das Wort an sie richtete, vermutlich um nach Pupuseh zu fragen, denn ich hörte den Namen aus seinen Worten ganz deutlich heraus – das erste Mal kam er unprovoziert von seinen Lippen, ein bedeutender Erfolg –, erhob sie nach einer zaudernden Kopfbewegung, sie war schwerhörig, die Arme und antwortete mit urtümlichem Schreien, als wolle sie davon berichten, daß hier alles umgebracht und ausgerottet sei.

»Sie ist nicht hier, sie ist in Kemer auf dem Markt«, sagte er verdrossen zu mir und wollte ohne Zweifel nun dennoch zu dem vielbesprochenen Geschenk gelangen, als er Stimmen hörte und zurückwich, ins Haus zunächst, aber von dort wohl noch weiter weg, denn er kam nicht zurück, und auch sein Motorrad stand später nicht mehr unter der Platane.

Die beiden Ingenieure waren es, die gesprochen hatten. Sie waren von einem kleinen dicken Mann begleitet, der schon halb kahl war, aber eine säuglingsfrische und zarte Haut hatte. Die Wangen waren purpurrot wie nach festem Schlaf in heißen Kissen. Das war nun auch wieder ein Glücksfall ohnegleichen, daß ich mich nicht im Zusammenhang der plumpen Bettelei mit ihren erpresserischen Zügen, wie Pupusehs Bruder sie offenbar zum Mißfallen seines Vormunds ausübte, hier einführen mußte, sondern in dieser hochachtbaren Gesellschaft, die auch Ibrahim, mit winzigen Spuren von Herablassung, gleichwohl brüderlich, mit einbezog. Er war in aller Harmlosigkeit ohnehin gern dabei. Daß der kleine Fazli uns nach dem Bad im heißen Wasser hier heraufnahm, war das Nächstliegende, was er tun konnte. Da mußte nichts mehr erklärt werden.

Die Ingenieure waren hier bevorzugte Gäste. Turhan war wieder der Bruder Lustig, Ünal schaute stumm und adlerhell um sich und zog seine unerschütterlichen Schlüsse. Aus dem Haus kam Fatma herbei. Man kann sagen, sie rollte, so wenig war das ein Gehen, ein alle Körperkugeln gleichzeitig in harmonisches Spiel Versetzen und dabei Vorwärtsgleiten. Sie ließ sich nieder, mit dem klingelnden Aluminiumtablett in der Hand, wo die goldenen Teegläser glitzerten. Ein Knie legte sie auf den Boden, den nackten weiß-runden Fuß zog sie an den Körper heran, bis ihre Ferse eine Hinterbacke berührte. Das andere Knie ragte in die Luft, in der Höhe von Fatmas Kinn. Von dünnem Pumphosenstoff verschleiert, lag ihr Schoß nun weit offen vor den Gästen. Alle sahen es mit stillem Wohlgefallen. So hockten wir zusammen, wie die Menschen es seit Millionen Jahren taten und wie Adam, vielleicht gerade erst lallend, mit seinen Gefährten zusammengehockt hatte. Auf der Wäscheleine, die hier einmal nicht von einem Tempeltor, sondern vom windschiefen Pfosten einer Pergola ausging, hing allerlei kleine Wäsche, Tücher vor allem, in Unbeweglichkeit. In diesen moosigen Geländefalten wehte es auch gleich viel weniger als auf dem Landschaftsbalkon bei Nihat. Und dort hing ein hellviolettes Tuch, mit Glasperlchenrand. Diese Perlenstickereien sollen das Tuch wohl schwerer machen, daß seine Zipfel gut fallen. Das war an diesem Tag die stärkste körperliche Erscheinungsform, die Pupuseh annahm, obwohl sie sich in dem lagernden Frieden, der Süße zwischen den grünen Feigenblättern und den alten Steinen überall gegenwärtig zeigte. Worüber sprechen die kleinen Gruppen, die sich im Schatten eines zerfallenden Tempels auf einem Gemälde Claude Lorrains zur Abendzeit zusammengefunden haben, um dem großen Landschaftskonzert um sich herum etwas von der Gegenwart menschlicher Seelen mitzuteilen? Es ist gleichgültig. Es genügt, ihr friedvolles Lagern zu betrachten. Aber gesprochen wird natürlich doch und gedacht womöglich auch.

»Ich bin nicht so radikal wie Ünal«, sagte Turhan. »Ich bin liberal.«

»Ich nicht!« sagte Ünal sehr bestimmt mit hellem Blick. »Ich bin radikal!«

»Ihr habt beide unrecht!« sagte Muzafer höflich und lächelte etwas gezwungen zwischen den dunkelroten festen Backen. »Man muß liberal sein, vernünftig, nicht extrem – aber regiert werden muß mit fester Hand, hart und klar!«

»Ja, dafür bin ich auch – meine Meinung!« rief Ünal. »Nur, etwas radikal ist nicht schlecht – solange es vernünftig ist.«

Fatma zerteilte puderzuckerüberstäubte Süßigkeiten mit einem schönen alten Messer, dem ersten Messer ohne Kunststoffgriff, das ich in Lykien sah. Als ich Miene machte, es zu bewundern, schenkte sie es mir sofort. Es war unmöglich, es zurückzuweisen. Die Klinge hatte das Silbrigschwarze von Makrelenhaut, ein wundervoll feinporig geschmiedeter Stahl, der Griff war geborstenes altes Holz. Es war traurig zu wissen, daß dieses Messer nun nicht mehr hier sein würde. Dem Ensemble von Girmeler fehlte dann etwas, ein lebendiges Stück der alten Zeit. Beim Betrachten gelang es mir, die winzige Schrift auf der Klinge zu entziffern: »Médaille d'Or; Exposition Mondiale Universelle 1878«. Die Klingenfabrik hieß »la Trompette«.

ZWANZIGSTES KAPITEL

Nihat legte mit seinen plumpen, wie ich mir vorstellte, nervenlosen Pratzen sechs soeben aufgesammelte weiße Eier mit größter Behutsamkeit in eine Email-Blümchen-Schüssel. Er war nicht oft mit solchen Arbeiten beschäftigt, obwohl er gewiß kein Faulpelz war und auch etwas Wettergegerbtes hatte, aber seitdem er nun mit seiner Familie hier in Yakaköy seßhaft geworden war, gab es eigentlich keine Tätigkeit, bei der ihm Seliha nicht überlegen gewesen wäre. So legte er die bewußten Pratzen denn meistens gehorsam in den Schoß. Dies Legen der Eier in die Schüssel aber war nun wirklich einmal sein Geschäft, denn daß eine der Töchter alleine zu dem fremden alten Kahlkopf hinübergeschickt wurde, das konnte denn doch nicht angehen. Solche außenpolitischen Aufgaben waren Männersache.

Ich war jetzt zu dem Schluß gekommen, daß ich dem alten

Mann nicht mißtrauen mußte. Obwohl er sich hier so vorzüglich auskannte und mit den Leuten auf vertrautem Fuß stand, rechnete ich ihn jetzt meiner Partei zu. Ich hatte ihm auch meine Dankbarkeit auszusprechen. Von dem, was er für mich getan hatte, zeugten immer noch die Schuhe, die allerdings schon etwas weniger glänzten. Der Staub legte sich auf sie, aber er ließ sich noch wie von einem Spiegel abwischen. Vor allem aber wollte ich hören, was er zu Pumphöschen zu sagen wußte. Da schien er genau informiert zu sein. Ich wollte mich ihm jetzt offenbaren. Ich wollte mich überhaupt gern offenbaren. Die Gespräche mit Zeynab waren mir viel zu wenig, denn ich fühlte mich ihr gegenüber gehemmt, meine Leidenschaft sehen zu lassen. Auch sie war schließlich ein hübsches Mädchen und mußte es als kränkend empfinden, nur als Klagemauer und Postbotin und geschlechtslose Vertraute in Anspruch genommen zu werden. Zeynab war, wie man weiß, körperlich eine Spur gröber als Pupuseh, aber wie sich, je öfter ich mit ihr sprach, herausstellte, von größtem Zartgefühl und der schon gelegentlich erwähnten Wärme, die Pupuseh in ihrer heftigen Ursprünglichkeit vielleicht sogar abging. Pupuseh war ein Wunder – Zeynab war ein anständiges, liebevolles Mädchen, so drückte ich das jetzt für mich aus, so hätte ich es womöglich auch geschrieben, wenn ich damals Aufzeichnungen gemacht hätte. Aber ich schrieb keine Zeile, wenn ich allein war, sondern seufzte nur und hielt mein Herz mit beiden Händen fest.

Als ich an Nihats Stelle die Eier überbrachte, kniete der alte Mann wie anbetend vor seinem Motorrad, richtete sich wie beim Freitagsgebet in der Moschee auf und warf sich wieder zu Boden. Er reparierte etwas und hatte sich die Schrauben, die er da gelockert hatte, bei Licht besehen, ehe er sie wieder anzog. Ich staunte über die Beweglichkeit und praktische Tüchtigkeit des Wohlbeleibten, der zwar in seinem Khaki sehr feld- und lagermäßig gekleidet war, aber aussah, als sei er gewohnt, bedient zu werden. Er bewohnte ein kleines, schiefes und in sich eingesunkenes Gemäuer, vor dem zwei Zypressen als Leibgardisten Wache standen. Das Häuschen lehnte sich an einen Felsen, der hier aus dem Boden hervorbrach und die trockene Pflanzen- und Erdschicht ringsum als dünne aufgeplatzte Haut erscheinen ließ. Ich stellte mich nun endlich vor und deutete sogar an, auf welche Weise und wo und bei wem ich mich wissenschaftlich bewährt hatte – die Doktorarbeit kam wieder zu Ehren –, um das Versteckspiel und jeden fatalen Nachgeschmack eines angemaßten Archäologentums endgültig zu beseitigen. Der Mann hieß Justus Palm. Seinerseits ließ er natürlich, im Vollbesitz der Souveränität, jeden Titel weg. Er sah mich freundlich an. Seine Wohnung in dem Häuschen bestand aus einem großen Zimmer. Da gab es die rußgeschwärzte Feuerstelle, ein Feldbett, das wie mit dem Lineal so akkurat gemacht war, als harre es der Inspektion durch den Feldwebel, einen Tisch mit blaugestrichenen Strohstühlen, auf dem Fensterbrett Bücher, eine mechanische Schreibmaschine, wie es bei der unsicheren Stromversorgung hier auch geraten war, an der Wand hing ein Rasierspiegel, und auf dem schiefen Bord davor stand der dicke Pinsel. An der Wand hing in lockeren Falten ein Kelim, er war oben mit Nägeln in den Dachbalken geschlagen. Die vielfarbigen Zacken und Rhomben dieses alten und auch leicht beschädigten Teppichs machten die Bedürfnislosigkeit des Raumes behaglich. Aber auch dieser Teppich diente keineswegs nur dekorativen Zwecken. Herr Palm hob ihn an, dahinter lag eine dunkle, in den Fels gehauene Grotte. Hier verwahrte er im Kühlen Flaschen und Vorräte. Auch die Eierschüssel wurde in diese Grotte gestellt. An ihrer Hinterwand war ein Alkoven in den Stein geschlagen, auf dem Lager gab es sogar eine schräge steinerne Kopfstütze. Dies sei eine Grabkammer, die wahrscheinlich erst vor hundert Jahren den Vorbau dieses Häuschens erhalten hätte.

»Ich lege mich gelegentlich in diese Grabnische hinein, auf diese steinerne Kline«, sagte Palm. Er liege dort dann stundenlang und blicke auf die Wölbung über sich. Das war nichts im Vergleich zu dem Toten, der hier vielleicht tausend Jahre in Frieden gelegen hatte und schließlich auch nur immer dieselbe Wölbung vor sich sah. Das Liegen in der Grabkammer müsse ihm allen anderen unmittelbaren Kontakt mit den einstigen Bewohnern dieser Landschaft ersetzen. Aber er sei davon überzeugt, daß man den Gegenständen ihr Geheimnis auf Dauer abringen könne, wenn man sie zu den Zwecken benutze, zu denen sie geschaffen worden seien. Es könne sich diese Grabhöhle sehr wohl der Erforschung verweigern, nicht aber dem Mann, der dauerhaft in ihr liege. Er treffe sogar Vorbereitungen, sich hier eines Tages selbst einmauern zu lassen. Das sei schwierig, vielleicht gelinge es nicht, aber das sei der Vorteil solcher Länder, wie er etwas höhnisch sagte, daß es das Wort »unmöglich« eigentlich nicht gebe. Das Unmögliche trete hier im Gewand des vom Schicksal Durchkreuzten, nicht weit genug Getriebenen, nicht Ausgeschöpften, Liegengelassenen auf. Unmöglich sei hier vor allem das, was dem einzelnen in der ihm gewährten Lebensfrist nicht zu erlangen gegeben sei. Das Unmögliche lerne man also dort kennen – er wies auf die steinerne Kline –, wie er sich überhaupt nach seinem Tod die entscheidenden Einsichten erhoffe. All dies fiel in der trockensten Weise, in schon mürrischer Leidenschaftslosigkeit, die bei ihm die ebenso stark entwickelte Unbeirrbarkeit begleitete.

Er setzte mir Raki vor. Es sei ihm von höchster Bedeutung, in dieser Umgebung am Alkohol festzuhalten, nicht als einer Lizenz, die er sich gestatte, sondern als eines christlichen Privilegs, das man in Anspruch zu nehmen verpflichtet sei. Ich wußte schon, daß er die Türken hier mit viel Abstand betrachtete.

»Ich bin zu lange hier, zu lange auf verlorenem Posten.« Er bilde eine Einmannarmee, ohne genau zu wissen, was das Kampfziel sei. Ich erfuhr, daß Herr Palm tatsächlich Archäologe war, daß es aber bei seiner akademischen Karriere große Hindernisse gegeben habe. Da sei vieles schiefgelaufen. Er habe sogar Jahre als Studienrat für Altphilologie auf der Schule verbracht, leere, vertane Zeit. Mit der ominösen Position des »Wissenschaftlichen Rates« sei er dann für die Zurückweisung seiner Habilitation entschädigt worden, spät genug. Ein Leben im Kampf mit der Institution, der wahren Chimäre – er erinnerte mich jetzt daran, daß die griechische Mythologie in diesen Landstrichen den Kampf Bellerophons mit der Chimäre angesiedelt hatte –, der Heros saß dabei allerdings auf dem Pegasus, führte also eine Art Helikopterangriff auf das Ungeheuer, konnte nach jedem Schlag wieder in die Höhe entkommen und von dort hinunterstoßen, während Herr Palm niemals aus dem stinkenden Atem des Monstrums herauskam, davon beständig halb benommen war und viele Fehler machte.

»Mein Leben als deutscher akademischer Archäologe ist die vollendete Misere«, sagte er und wirkte in seiner Unerschütterlichkeit geradezu zufrieden. Ganz zum Schluß noch hatte er sich an dem Grabungsprojekt beteiligen dürfen, das dem römischen Theater von Yakaköy galt, als Hilfskraft, auf einer

»halben Stelle«, wie das hieß, und unter Hinnahme der grotesken Ahnungslosigkeit, der Fehler, der Geldvergeudung und sogar der Zerstörungen, die der Leiter des Unternehmens, ein weltberühmter Mann, zu verantworten hatte. »Aber er hat mich hierher geführt«, sagte er, und auf seiner stets majestätisch verschlossenen Miene konnte sich der Triumph doch nicht verbergen.

Das Chimärische der Institution entfaltete seine hindernden, verstrickenden und lähmenden Eigenschaften gerade hier auf diesem Feld, wo die klassische Chimäre zu Hause war, mit besonderer Gewalt. Aber nun endlich verstand Herr Palm, daß ihm die dadurch verursachten Katastrophen nicht nur nicht schaden würden, sondern nützten, wenn er das Kämpfen anderen überließ und selbst nur die Lage sondierte. Kaum daß das römische Theater freigelegt – »und durch die Freilegung ohne unterstützende Bauten und Sicherung der Fundamente und Substruktionen nun in die wahrscheinlich gefahrenreichste Epoche seiner Existenz eingetreten« – war, überwarfen sich die deutschen und die türkischen Stellen, was die Fortsetzung des Unternehmens anging, und das gesamte große Grabungsvorhaben in Yakaköy sei, wie das hieß, eingefroren worden.

»Wir reisten ab mit allem Gerät. Wir brachen hier alles ab«, sagte Palm. Zugleich erreichte er die Altersgrenze. Das kam fast gleichzeitig. Und damit wäre er ohnehin von jeder weiteren Mitwirkung augenblicklich und ganz unbarmherzig ausgeschlossen worden. »Ich hätte mich hier nie wieder sehen lassen dürfen.« Aber nun waren die Feinde weg, aufgefressen von ihrem eigenen, von ihnen so häufig schon boshaft und durchtrieben eingesetzten Apparat. Und es gab niemanden mehr, der Herrn Palm daran hinderte, seine Pension in Yakaköy zu verzehren und auf den Äckern und Weiden, die über den Straßen und Plätzen der versunkenen Stadt lagen, spazierenzugehen.

»Ich spreche Türkisch und mache mich nützlich.« Nihats heißester Wunsch sei es gewesen, sein rosafarbenes Toilettenhäuschen ausgerechnet dort aufzubauen, wo nach Einschätzung der deutschen Archäologen der Zeustempel lag. »Das war Unsinn – wo Nihat wohnt, ist ein Forum aus der Hadrianszeit – wo der Zeustempel liegt, weiß ich, sag ich aber nicht.« Immerhin konnte Palm den örtlichen Denkmalpfleger soweit überzeugen, daß er Nihats Geschenke annahm und das Häuschen genehmigte. »So verpflichte ich mir die Leute«, sagte Palm und blickte unergründlich.

Der Bekenntnisdruck überwältigte mich jetzt. Ich sei in Girmeler gewesen. Mit den beiden jungen Herren, den Ingenieuren, hätte ich bei Muzafer Calik Tee getrunken. »Nicht zu vergessen Fatma – ich nenne sie *Fata mammarum*, um das Schicksalhafte von solch bedeutenden rollenden Brüsten zu würdigen«, sagte Palm. »Und haben Sie auch Pumphöschen gesehen?«

»Nein.« Ich weiß nicht, welches Bedauern, welche Not in diesem einzigen Wort mitgeschwungen haben, denn er faßte mich jetzt aufmerksam ins Auge.

»Ja so«, murmelte er, »sie ist ja gerade erst aus Deutschland wiedergekommen. Nicht allein offenbar.« Jetzt wurde er eindringlich: »Passen Sie gut auf! Dies ist kein Platz für unverbindliche Liebesabenteuer. In der Verteidigung der Ehre seines Hauses wird Muzafer sich von niemandem übertreffen lassen. Sie müssen, wenn es Ihnen ernst ist, ganz schnell den Schauplatz der Vorgänge verlegen – wenn es nicht ernst ist, dann reisen Sie ab und freuen Sie sich, daß Sie noch gesund sind.«

Pumphöschen – diesen Namen behielt er hartnäckig bei, wenn er einen neuen Namen dekretierte, ging der alte darin auf – sei nicht so mittellos, wie es erscheine. Sie verfüge nicht über ihr Erbe, das tue allein ihr Onkel Muzafer, und er entscheide auch allein darüber, wen er als Pumphöschens Ehemann in den wirtschaftlichen Familienverband hineinnehme. »Bestimmt keinen stellungslosen Akademiker aus Deutschland. Ich würde es an seiner Stelle auch nicht tun. Unsereins ist doch zu nichts richtig zu gebrauchen.« Ihm war seine Nutzlosigkeit ein Fest. In seinem Alter war ihm das asoziale Leben ein kostbares Gut. »Ich danke Ihnen für Ihr Vertrauen. Ich hätte allerdings selbst darauf kommen können, man merkt Ihnen an, wie tief Sie noch im Irrealen stecken – was hätten Sie getan, wenn Sie mit zerrissenen Hosen neulich in Girmeler angelangt wären? Gott sei Dank sind Sie in den Dornenbüschen hängengeblieben.«

Wir verließen jetzt das Häuschen. Palm nahm die große eisenzeitliche Sichel mit, sie hing bedrohlich nur mit einer Spitze an einem der Dachbalken wie ein schwarzer Halbmond. Wieder ging es durch die Macchia, wieder auf diesen kleinen unfruchtbar getrampelten Erdfleckchen, die sich im Voranschreiten zu einem Pfad formierten, aber wenn Herr Palm voranging, dann rissen diese Pfade nicht ab, sondern führten in erstaunlicher Geschwindigkeit durch das Hügelland. Alle meine Mühen mit dem Gestrüpp waren nur meiner Unkenntnis zu verdanken. Aber wenn mich auch die Dornen nicht kratzten, sondern mit ihren verholzten Ranken auf Abstand blieben, so zerrissen mich doch im Innern die Worte Palms, hinter dem ich nun wie besinnungslos, in schmerzvollen Hader versunken, einhertappte. Mein Selbstgefühl und der Stolz auf mein Entdeckerglück hatten mich anschwellen lassen vor Seligkeit, und nun machte Herr Palm, mit seiner Sichel womöglich, einen kleinen Hieb auf Verdacht durch die Luft, und der Ballon, der meine Brust, freudige Erregung erzeugend, ausfüllte, sank in sich zusammen. Aber es gab etwas, das standhielt, in allen diesen Prüfungen. Die Erscheinung Pupusehs, wie sie mir Zeichen durch das Wäschereifenster machte, ihr Erstarren und Erröten, wenn sie mich erkannte, ihre starke Freude, ihre wilde Hoffnung, ihr unbedingtes Vertrauen, daß der Mann, dessen Bild sich in ihr Herz gesenkt hatte, eine Lösung für alle sich aus diesem Ereignis ergebenden Schwierigkeiten finden werde. Was meinte Palm mit Schauplatzwechsel? Sollte ich Pupuseh entführen? Entführung war ein großes, ein romantisches Wort, wenn ich ihr einn Flugschein nach Frankfurt übergab, entführte ich sie nicht. Sie machte dann von ihrer Freiheit Gebrauch, sich dorthin zu begeben, wohin sie wollte. Dies war das Ende des zwanzigsten Jahrhunderts. Ein entrüsteter Ausruf ist das, der häufig erschallt, wenn irgend etwas vorgeht, das angeblich, bloß weil es zwanzig geschlagen hat, nicht vorgehen dürfte. Viel dumme Ohnmacht liegt in diesem Ausruf. War ich denn wirklich am Ende all meiner Möglichkeiten? »Wenn Sie es ernst meinen …« Und ob ich es ernst damit meinte, Pupuseh endlich allein zu sehen! Und dann … Und dann? Und dann? Was danach kam, konnte kein Mensch wissen, ich am wenigsten. Wer die französische Revolution machen wollte, wußte auch nicht, was danach kam und kommen würde, auf jeden Fall war es anders, als man es sich dachte, denn es hatte ein neues Zeitalter mit neuen, bis dahin nicht einmal zu ahnenden Gesetzen begonnen. Man stieß, durchaus auch mit Gewalt, durch die Mauer hindurch in den Raum des Neuen hinein, und das Neue würde dann schon zeigen, wie es sich mit ihm verhielt, und offenbaren, was es verlangte. Dann war nämlich fürs erste wieder Schluß mit der Handlungsfreiheit.

Lange Zeit gingen wir wie zwei Fliegen auf einer Kugellampe über eine weithin einsehbare, von niedrigem Bewuchs nur bedeckte Fläche, aber nun tat sich eine Geländefalte auf, und es ging auf einmal steil abwärts durch hohes Gebüsch. Jetzt waren wir verschwunden, aufgenommen von den Tiefen der Landschaft. Es rauschte jetzt lauter.

»Wir sind hier oberhalb der Schlucht, in er Sie so unbegabt herumgeplanscht sind«, sagte Herr Palm. Das Gestrüpp wurde undurchdringlich, eine Mauer. Aber das verwirrte Palm nicht. Er zog einen dicken Handschuh aus der Hosentasche und griff in das dickste Rankenwerk hinein. Ein Busch löste sich. Er legte ihn beiseite. Ein zweiter und dritter kam hinzu. Eine Öffnung tat sich auf. Ich passierte sie mehr rutschend als gehend. Es rauschte jetzt noch stärker. Der Bach mußte unmittelbar unter uns sein. Dann standen wir vor einer richtigen Mauer aus großen grauen Quadern, die hier unter den Dornenhecken schlief. Wir zwängten uns zwischen Mauern und Dornen entlang, es war dunkel hier, obwohl die Sonne hoch stand. Überall krabbelten kleine Tiere, auf meinem Handrücken saß plötzlich ein Käfer mit schildpattrot- und schwarzgefleckten Flügeln, wie von Boulle entworfen. Dann war Palm verschwunden. Aus dem Halbdunkel eines Loches winkte er mich zu sich herab. Ich rutschte auch dort hinunter. Und dann stand ich vor dem weißen Stier.

Er war vielleicht ein Viertel unter lebensgroß. In seinen starken Rücken war eine tiefe dreieckige Wunde geschlagen, die zeigte, daß es sich bei dem Relief um die Oberfläche eines dicken Marmorblocks handelte. Der Stier hatte weiße vorgewölbte Augen, die lyraartigen Hörner waren leicht gesenkt, der faltige Sack zwischen Kinn und Brust sehr ausgeprägt, fast wie bei einem Zebu; seit Jahrtausenden schritt er voran, geduldig und langsam, denn er wurde zum Opfer geführt. Palm strich mit den Fingerspitzen über die Erhebungen der Flanken, den Brustkorb, das herrliche Spiel der Muskeln unter der marmorweißen Decke. Die Nüstern wirkten feucht, weil der Stein dort dunkler war, ich sah sie von Wasser triefen. Der gewaltige Hodensack hing glockenartig zwischen den Hinterbeinen, die Hufe trugen zierlich das Riesengewicht des Tieres, man hörte es förmlich unter ihnen knirschen. Der Kopf war nervig, eine Ader ringelte sich über die Schläfe. Es war ein edler, furchterregender Stier, in der ganzen ergreifenden Geduld seines letzten Ganges.

»Dies ist eine Neuschöpfung der Welt«, sagte Palm, der noch viel verzauberter war als ich, »wer diesen Stier geschaffen hat, der konnte alles schaffen, alles noch einmal schaffen. Vor diesem Stier habe ich die alte Religion ganz verstanden. Ich habe ihn sogar angebetet. Einmal. Ich werde es wahrscheinlich nicht wieder tun, es ist nicht nötig. Er zählt die Opfer nicht.« Palm hatte diese kleine Grotte von Schutt und Erde befreit. Wir setzten uns auf Quader, die dalagen, als solle man von ihnen aus den Stier betrachten.

»Wie wird man der Finder eines solchen Werks? Der richtige Finder spielt in der Lebensgeschichte dieses Stieres dieselbe Rolle wie der Schöpfer. Wer wahllos die Landschaft umgräbt und die erbeuteten großen und kleinen Funde dann numeriert dem Museum überläßt, ist jedenfalls kein Finder. Ich habe in meiner Grabnische von diesem Stier geträumt. Er hat hier auf mich gewartet. Schon als er gemacht wurde, war ich in seinem Schicksal vorgesehen.« Das Westfälische in dieser bürgerlichen, nur als Akzent die Sprache einfärbenden Spielart nahm seiner Erklärung alles Pathos. Seine Worte waren so unerschütterlich wie der Stier in seiner gewölbten Grotte. In früheren Zeiten seien in Rom alle Glocken geläutet worden, wenn ein Werk solcher Qualität aus dem Boden gezogen wurde. Die größten Künstler hätten sich darum geschart, um davon zu lernen. Ein Meister wäre unfehlbar dann damit beauftragt worden, die Dreieckswunde im Nacken zu restaurieren, falsch vielleicht, aber aus seinem enthusiastischen Irrtum hätten ganze neue Schulen entspringen können. Wenn er heute den Fund angebe, werde man ihm sein Verdienst daran stehlen. Gut, so sei das eben, und dann komme der Stier in ein scheußliches Lapidarium, wo Wertloses und Geschmackloses und Kostbares durcheinandergewürfelt sei, und dann schöben sich in der Hitze die Touristen daran vorbei. »Erinnern Sie sich an Ali Baba und die vierzig Räuber? Das erstaunlichste an diesem Märchen ist sein Schluß. Ali Baba hat die Räuber getötet, er gebietet allein über die ungeheuren Schätze. Beutet er sie nun aus? Wird er mit ihrer Hilfe einer der Großen des Reiches? Nein. Das Wissen, sie zu besitzen, genügt ihm. Manchmal besucht er die Höhle und nimmt etwas Kleines daraus mit: etwas, das nicht beschwert und doch begehrt und von hohem Wert, wie es heißt, aber im ganzen läßt er den Schatz unversehrt. Gerade weil alles zur Hand ist, braucht nichts mehr genommen zu werden. Ich könnte auch nach Deutschland zurückfahren, aber ich will mich nicht von diesem Anblick lösen. Ich will den weißen Stier besuchen können. Sie sind der erste, der ihn sieht. Sie werden mich nicht verraten. Und wenn Sie klug sind, dann lassen Sie auch das Pumphöschen in Ali Babas Höhle und besuchen Sie dort die Erinnerung an sie, aber holen Sie sie nicht heraus in die Welt!« Solange der Stier vor uns stand, war ich fast geneigt, ihm recht zu geben.

Einundzwanzigstes Kapitel

Ali Baba hatte die Schatzkammern im Berg seinem habgierigen Bruder, der Sklavin Mardschana und seinem Sohn offenbart. Herr Palm hatte mir den von ihm vor drei Jahren gefundenen Stier offenbart, und ich weihte ihn nun in mein Pupusehgeheimnis ein. Ein Geheimnis ist etwas, das unterm Siegel der Verschwiegenheit mitgeteilt wird, also bereits keines mehr ist. Das Geheimnis ist wie ein Grashalm, der durch den dicksten Beton hinauf ans Licht drängt. Es muß schon viel Angst im Spiel sein, um die Münder zuzuhalten. Und diese Angst machte Palm mir jetzt auf dem Rückweg in den sachlichsten Worten. Wir seien hier nicht in Ankara oder Istanbul oder Antalya, sondern in der tiefsten Provinz. Pupuseh sei keine Studentin und stamme auch nicht aus laizistischem Milieu, im Gegenteil, Muzafer sei ein streng denkender Muselman, dem bereits Nihat wegen seiner Laxheit mißfalle. Wenn ich gegen Muzafers Willen Pupuseh nach Deutschland brächte, könne auch dort noch Ungemach geschehen. Muzafers Arm reiche durchaus nach Frankfurt, wie man an Pupusehs Heimholung gesehen habe. Nachdem er das alles umständlich und ungerührt und mit der Pedanterie eines Mannes, der zerknittertes Einwickelpapier glattstreicht, um es für das nächste Geschenk aufzuheben, dargelegt hatte, drehte er sich plötzlich um, sah mich an und zog den Schluß: »Ich sehe, daß diese Gesichtspunkte, die ich Sie dennoch bitte ernst zu nehmen, eher dazu geeignet sind, Ihre Vorsätze zu befestigen.«

Hatte er recht? Was mich tatsächlich entmutigte, waren nicht die Gefahren, denen ich tatsächlich glaubte trotzen zu können. Es war diese Landschaft, die ganze Umgebung, die mit Pupuseh zusammenschmolz, so daß es mir beinahe unmöglich vorkam, sie mir ohne diese Berge und die offenen Abhänge, ohne die Holzfeuer und den Wind, ohne die alten Steingräber und die neuen Betongräber in den Wäldern auch nur vorzustellen.

Ich hatte Pupuseh in der Wäscherei in der bewußten leicht vorgebeugten Haltung mit den hautengen Hosen und den hohen Absätzen Wäschepakete verstauen sehen, und dieser Anblick hatte mich ganz in Besitz genommen, als etwas Isoliertes, eine fixe Idee; das war eine Frau ohne Lebensgeschichte, die sich mir da eingeprägt hatte. Daß sie Türkin war, hatte für mich zunächst nur bedeutet, daß sie den ganzen aus unendlichen Teilchen bestehenden Milieu- und Kulturhintergrund einer Deutschen nicht besaß. Sie sprach etwas Deutsch und betrieb dieses Geschäft nach deutschen Regeln, und sie argumentierte wie eine Deutsche, sie dachte dann womöglich gar wie eine Deutsche, und sie kleidete sich wie deutsche Mädchen, die hinter Ladentheken stehen, aber sie hatte an dem dicken Humus unter der Oberfläche keinen Anteil. Sie rollte wie eine Kugel darüber hinweg. Da führten keine Würzelchen nach unten. Es sprach nichts mit, wenn sie etwas sagte, das Milieu gab weder Schützenhilfe, noch war es Ballast. Pupuseh war eine schwebende Frau für mich gewesen. Die hohen Absätze waren es nicht, die sie über den Boden hoben, sie tarnten vielmehr, daß das Mädchen den Boden Frankfurts und Deutschlands in Wahrheit gar nicht berührte.

Aber jetzt schwebte sie nicht mehr. Jetzt wuchs sie wie eine sich ausfaltende und ihre Blätter in prächtigem Kreis um sich auslegende Agave, die aus ihrer Mitte die einzigartige und nie wiederkehrende Blüte hervorschießen läßt, aus dem Boden des Taurushanges hervor. Ich habe für meinen Vergleich bewußt keine lieblichere Blüte gewählt, weil ich bei den Agavenblättern die Vollgesogenheit mit allen Kräften und jedem Tropfen des weiten Umkreises mitdenke, und ebenso vollgesogen von den eiskalten raschen Bächen aus den Firnschneegebieten sah ich auch Pupuseh. Die Vorstellung einer Agave erlaubte mir auch, Pupuseh mit einem weiten um sie ausgebreiteten Rock zu sehen, der an den Rändern in das Bergland überging, einen breiten Saum aus Macchia-Stickerei besaß und den die Bäche als Glasperlenstränge und Silberfäden durchzogen.

Mit den Wäschepaketen war sie, wie man sich erinnert, etwas geziert beim Hantieren umgegangen, und diese leichte Affektiertheit, die einen entzückenden Gegensatz zu ihrer leidenschaftlichen Direktheit und kindlichen Gradheit bildeten, gehörte damals für mich ganz fest zu Pupusehs Bild, aber nun hatte ich sie an der Tomatenwanne gesehen, gänzlich ungeziert, mit bäuerlichem Zugriff und ohne sich bei der Arbeit zu schonen. Ich hatte sie auch Rücken an Rücken, in geduldiger Gefaßtheit, mit den anderen Frauen auf dem Traktoranhänger erlebt, und dieses Bild, bei dem man sie gar nicht erkannte, weil sie in ihrer Zartheit und Wohlgebildetheit hier in der Schar der Frauen einfach aufging und eine den Regeln und Geboten gehorsame Frau unter vielen war, rührte mich besonders. Es schnitt mir geradezu ins Herz, wenn ich es mir wieder vor Augen stellte.

»Zerstückte Glieder«, sagte Palm plötzlich mit westfälisch am Zügel gehaltenem, dadurch aber dunkler und kraftvoller wirkendem Pathos. An der Felswand, die wir auf unserem Rückweg nach Yakaköy streiften, sahen die Fassaden lykischer Grabkammern auf uns herab. Die Tore erschienen wie Fenster, so daß man den Felsen für hohl, für eine ungefüge, zusammengebackene Festung, die in vielen Epochen von immer neuen Generationen ausgebaut worden ist, halten konnte. Es war, als habe jede neue Zeit den Versuch unternommen, mit neuen stattlich gefaßten Fenstern doch noch zu einer aus einem einzigen Guß geschaffenen Fassade zu gelangen, und als habe die jeweils nächste Generation dies Vorhaben mit eigenen Plänen wieder durchkreuzt.

Für den Blick eines Archäologen, so Palm, erscheine eine Landschaft wie die von Yakaköy als riesiges Schlacht- und Totenfeld. Aber es sei nicht nur die Vergangenheit, die hier zerhackt liege, sondern auch die Zukunft. Aus solchen Ruinenresten sei in Italien in den großen neueren Jahrhunderten wieder etwas Neues gefügt worden. Nur daß man dort eben habe mit dem Anblick der römischen Backsteinhaufen vorliebnehmen müssen. »Man stelle sich vor, ein großer Architekt des

Quattrocento habe diese Zyklopenmauer dort drüben aus den roten Riesenquadern gesehen und er habe einen Palast nach Vorbild dieser Mauer und des Tores darin gebaut und habe in die Mauer diese kleinen, schachtartigen, von Pilastern gerahmten griechischen Felsengrabfenster gesetzt: er hätte einen Bau geschaffen, wie ihn Francesco di Giorgio Martini und Alberti nicht entworfen haben. Die Renaissance hätte eine ganz andere Richtung genommen, wenn dies hier noch vor Augen gelegen und nicht hinter einem seldschukisch-osmanischen Paravent verschwunden wäre. Und jetzt ist die Weltstunde, in der es möglich war, diese Reste zu nutzen, folgenlos verstrichen, mit Folgen für uns und alle Zeiten.« So trauerte er, daß lykische Gräber nicht zu florentinischen Fassaden geworden waren, während ich mit dem Gedanken furchtsam umging, meine neulykische Pupuseh zu einer Frankfurterin oder New Yorkerin zu machen.

Unter Nihats Platane fanden wir die Töchterschar und Seliha, die ohne Respekt für das väterliche Haupt mit unverhohlenem Lächeln den dicken Erzeuger dabei beobachteten, wie er auf den Rücksitz von Ibrahims Motorrad stieg. Ibrahim war vor allem der Kutscher seiner Familie. Die schönen Lineale hingen ungebraucht, während ihr Meister das Motorrad bediente. Seine Frau und Tochter lächelten nicht. Daß ein hängender Bauch beim Heben eines Beines hinderlich sein kann, war für sie ein rein mechanisches Problem ohne komische Konnotation.

»Wir werden uns den beiden anschließen«, sagte Palm. »Ich tue Ihnen diesen Gefallen. Ich will Sie richtig hier hineintunken, daß Sie endlich begreifen, was Sie tun. Es findet jetzt ein Treffen der Veteranen statt. Man lagert sich da irgendwo im Grünen. Muzafer Calik ist in allen solchen militärischen Belangen sehr eifrig. Sie werden ihn dort als Ersatzgeneral und Groß-Korporal der Veteranen erleben. Sie können ihn gar nicht gut genug kennenlernen.«

Herr Palm hatte sein Wochenwerk, den Besuch bei dem Stier, hinter sich. Er war frei. Ich spürte auch, daß es ihm bei all seiner ausgetrockneten Münsterländerei, diesem Zermahlen einzelner Pumpernickelkörner zwischen den Backenzähnen, während gleichzeitig gesprochen wird, guttat, viel zu reden, und zwar auf deutsch. Die Einsiedler ziehen sich aus Weltekel in die Wüste zurück, erleben dort in sturmdurchheulten Nächten den Großangriff ihrer Erinnerungen und ihrer Gedanken, bewältigen das alles mit Titanenkraft und gelangen dahin, ohne Bedauern und Anstrengung zu schweigen. Aber dann kommt unerwünschter Besuch, wird unwillig empfangen, bekommt, weil es sich so gehört, eine Erfrischung vorgesetzt, und auf einmal brechen die Dämme, und Fluten von Mitteilsamkeit ergießen sich über die ausgedörrten Felder.

Am Horizont war von Yakaköy aus, flimmernd wie eine Luftspiegelung, ein irreales Luftbühnenbild, zu erahnen, daß die weit ausholende, terrassierende Bewegung, mit der das Land von den Berggipfeln herunterkam, in weiter Ferne schließlich ein Ende hatte. Die Talebene verengte sich dort, das Flußbett aus weißem Geröll füllte das Tal beinahe ganz aus, und zur Linken rückte eine vielhundert Meter hohe Felswand an den Fluß heran, die in der Mitte wie von einem einzigen Schlag von oben bis unten gespalten war. Was in der Gegend von Yakaköy auf breiter Front in tausend Adern rieselte und perlte, wurde hier mit Überdruck herausgeschleudert. Der Wildbach schoß zwischen den Felswänden mit Turbinenkraft hervor. Aber sobald die große pressende Gewalt vergessen war, gebärdete sich das Wasser wieder friedlich. Die Weite, in die es sich aus höchster Drangsal hineinverlor, machte die Aufrechterhaltung charaktervoller Stärke unmöglich. Im Schatten der Felswand, von der dramatischen Spalte nicht weit entfernt, herrschte schon wieder der tiefste Friede. Hier waren mehrere Bacharme entstanden, die sich dann etwas später mit dem leeren Flußbett vereinigten und dort endgültig nur noch ein flaches Rinnsal waren. Aber an diesen Armen wuchsen Trauerweiden wie Zelte aus grünen Perlvorhängen, die schön abgeschlossene, intime Räume über dem Wasser schufen und die das Licht vielfältig gebrochen einsickern ließen.

»Hier sehen Sie, was in der Türkei als Paradies auf Erden gilt, eine im Zeitlichen verwirklichte Paradiesesvorstellung«, sagte Palm, als wir uns dem Netz aus beschatteten Bächen und Kanälen näherten. Auf Pfählen waren in das schon kaum mehr rasch fließende klare Wasser Holzterrassen hineingebaut, die wie am Ufer festgemachte Flöße aussahen. Auf diese Terrassen hatte man Teppiche gebreitet, natürlich immer maschinengewebte mit prächtigen Farben und persischen Palastmustern, niedrige Diwane aus Kissen, gestopften Rollen, Matratzen und Polstern gehäuft, und die mir schon bekannten handbreit hohen Tischchen gestellt. Und hier hockten und lagerten schon viele Männer in schwarzen Lederjacken oder hellblauen und braunen Anzügen mit Mützen; die Schuhe standen in großem Haufen am Rand und sahen, wie ein Haufen getragener Schuhe immer aussieht, besonders abgetragen und unsauber aus, und auf dem Teppich und den improvisierten, mit vielen Mustern bedeckten Diwanen lag und lümmelte man sich in Socken.

Die Frauen der Veteranen hockten auf ihrem eigenen Floß; aus dem wie Heiligenscheine auf einem mittelalterlichen Bild hintereinander gestaffelten Kopftuchköpfen stach Fatma mit ihrem blassen quellenden Blick sofort hervor. Obwohl noch jung und blühend, vertrat sie hier, wie überall, die Rolle der ersten Dame, und sie hatte auch einiges angelegt, was sonst zu Hause in der Schmuckkassette ruhte; um die nicht zarten Handgelenke blitzte es golden. Das Frauenfloß war zugleich die Lagerküche. Im Schneidersitz wurden hier Pfannkuchen ausgerollt. Die Hinterteile dieser Bäckerinnen in den hochsitzenden, gleich unter den Brüsten zugeschnürten Pumphosen erschienen enorm, und das war auch die Aufgabe dieser schönen Tracht, sie blies selbst Pupusehs voll und fest und schlank geformten Körper zum traubenhaft Schwerhängenden hin auf. Pupuseh war nicht unter den Kopftüchern, sosehr ich sie mir aus der Entfernung des Männerfloßes auch alle einzeln wieder und wieder vornahm, dabei ständig die weißen Hinterköpfe miteinander verwechselnd.

Muzafer thronte im Schneidersitz auf dem zentralen Diwan. Er nickte gnädig, als er mich sah. Ich kannte schon sein angestrengt wirkendes Lächeln zwischen den wie von Ohrfeigen blaurot geschlagenen Säuglingsbacken. Es waren offenbar durchaus nicht nur Ausgemusterte und Veteranen gebeten. Ich brauchte mich nicht als Eindringling zu empfinden, denn zu Muzafers Seite saßen Ünal und Turhan. Ünal sah heldenhaft um sich, während Turhans festgemauerte Stirn sich über sein Gesicht beugte und in ihrem Schatten das immer vergnügte Lächeln seines Mundes gedeihen ließ, so poetisch drückte ich mich in Gedanken aus, denn mir war auf diesen Flößen zwischen den bunten Kissen zumute, als sei ich in den fürstlichen Garten einer persischen Miniatur versetzt. Diese Kissen waren alle zugleich Throne, und diese Teppiche und gestreiften Tücher erinnerten an reich geschmückte Zelte, und manche Stoffe waren auch zu unseren Köpfen zwischen dem Gezweig ausgespannt. Von dort hingen Lampions herab, die mit Seidenschals umwunden waren und mit den die Wasseroberfläche streifenden und kräuselnden Zweigen im lauen Wind wehten. Und wenn ich dann den Moder der Kissen und Tücher roch, die hier wohl irgendwo in einer Hütte immer etwas feucht gelagert wurden, dann dachte ich an das Zelten und Lagern zu Kinderzeiten mit Kissen und Decken aus Gartenhäuschen auf dem Gras, das ich als nicht minder beglückend paradiesisch empfunden hatte.

Diese Lager im Grünen am Wasser waren ein großer erotischer Traum, ohne daß die leiseste erotische Stimmung in der Luft lag. Wie machten sie das, diese wollüstigen Orte vorzubereiten und sich gern an ihnen aufzuhalten, in sie voll Behagen hineinzuschlüpfen und dabei ganz ohne Rausch zu bleiben? Jeder Gast würde diese Wassergärten, die zum Sichverlieren und Sichentgrenzen geschaffen waren, so nüchtern verlassen, wie er gekommen war. Wie war ein Leben ohne Betrunkenheit? Die Frage klingt aus meinem Munde etwas heuchlerisch, denn ein tanzender Dionysos bin ich wahrlich nie gewesen. Schnäpse nach dem Essen tun mir gut, und ich habe in Spannungszeiten auch an manchen Tagen mehr Wein getrunken, als mir bekam. Ich vertrage gar nicht viel und leide nach kleinen Exzessen am nächsten Tag unter Kopfschmerzen. Aber wenn ich mich wirklich einmal nach einer Flasche Wein gesehnt habe, dann hier, in den Polstern lehnend und das Wasserfließen betrachtend. Hier mit Pupuseh zu liegen, die Dämmerung zu erwarten, die bunten Lampions über uns schweben zu sehen, zu trinken und zu küssen, wie es dann wohl in der persischen Anakreontik hieße, das wäre der Gipfel, das wäre die Erfüllung eines ganzen Lebens. Aber solche Träume standen im Gegensatz zu meiner realen Umgebung. Dies war ein anderes Volk, nicht die Nachfahren von Hafis. Um bei diesen Menschen die Spuren von sinnlicher Freude und Lust herauszuschmecken, mußte man die Zunge eines Teeverkosters haben. Hier in dieser naiv bunten Umgebung, diesem Kinderfasching im Grünen, ging es um ganz verborgene Reize, für Pfeffer und Salz gewohnte Münder nicht wahrnehmbar. Das spröde hellgrün bitter Frühlingshafte war der Grundton hinter allem. Es war über den Wassern sogar ein wenig kühl.

An der Seite hockte ein magerer ausgemergelter alter Mann mit wenigen Zähnen, einer Bürstenfrisur und einem Anzug, der ihm beinahe vom Leibe fiel, gallengelben Augen und krummen Fingern, ein Bild des Jammers, den ich nur wegen des Anzugs nicht für einen Bettler hielt. Er rauchte aus einer hölzernen Zigarettenspitze, und der Umgang mit dieser Spitze gab ihm in seiner Heruntergekommenheit etwas Verwöhntes, Eitles. Keiner beachtete ihn, und er verfügte über die Geduld zu warten. Und dann kam seine Stunde. Muzafer winkte vom Diwan mit verzerrter Freundlichkeit, die Düsterkeit dahinter war jetzt sichtbar. Der alte Mann nahm ein kleines mandolinenartiges Saiteninstrument mit einer Saite, stellte es als winziges Cello zwischen die entfleischten Schenkel und strich recht roh mit einem schmutzigen Bogen auf dieser Saite herum, einen sägenden, scharfen Lärm wie ein überlautes Zikadenreiben erzeugend. Aber das ergriffene Neigen des Kopfes über das Instrument, wie es den professionellen Cellisten eignet, die den Ton gleichsam von innen her zu hören scheinen und auf jeden Fall etwas vollkommen anderes hören als die stumpfen Zuhörer, das beherrschte er auch. Und dann legte er den Kopf zurück und krächzte und schrie einen traurigen Gesang in das monotone Zikaden- und Drehorgeltösen hinein und heulte mit geschlossenen Augen, holte rasselnd Atem, während das Instrument ohne Unterlaß lärmte, und stieß mit der Atemluft zugleich einen neuen Raubvogelschrei aus. Lang zog sich das hin, in den Wiederholungen erkannte man allmählich Reste einer Melodie, schließlich summte ich sogar mit, leise, denn die anderen lauschten still, und nach einer Weile hoffte ich, der Mann werde niemals aufhören.

Palm übersetzte mir das Lied: »In einem Garten / mit schönen Blumen / kam ein Schaf mit seinem Lamm / und beide fraßen / alle Rosen, alle Veilchen / alle Lilien / trotz Zaun und Mauer / der Wächter schlief / In meinem Garten / mit meiner Blume / kamen die Räuber Eis und Schnee / und beide stachen / die Rosenlippe / die Lilienwange / trotz Zaun und Mauer / dieweil ich schlief.« Turhan half bei schwierigen Wörtern. Er kannte das Lied. Es hatte viele Strophen. Niemand konnte diese Klagen so glaubhaft vortragen wie dieser Hiob, dem alles Frische, Blütenhafte seines Lebens so sichtbar genommen war.

Ich dachte plötzlich, daß ich zum Betreiben einer Forellenzucht mindestens ebenso geeignet sei wie für ein New Yorker Antiquariat. Einarbeiten mußte man sich überall. Ein Startkapital hier wäre gewiß aufzutreiben, da half mir auch meine Mutter. Gut, Turhan und Ünal waren Ingenieure, aber sie waren auch Einfaltspinsel; was sie mir voraushatten, war gewiß wettzumachen. Wie ich das einschätzte, wäre Muzafer über einen der Ingenieure als Schwiegersohn sicher erfreut. Da hatte ich aber mehr zu bieten, wenn es darum ging, die Forellenfilets auf die dänischen Tische zu bringen. Ich schwöre es: das dachte ich tatsächlich.

ZWEIUNDZWANZIGSTES KAPITEL

Wenn ich in dem finsteren und mit Warenpaketen überfüllten Laden stand, um mit Zeynab zu telephonieren, umgaben mich säuberlich staubige Lagergerüche von Getreidestaub, Metallstaub, Papierstaub, Bonbonstaub und Kunststoffstaub, das alles mit Zigarettenrauch untermischt, aber sowie ich ihre Stimme hörte, hatte ich den Geruch nach Haarspray, Shampoo und Espresso in der Nase, der für mich durch die Geräusche des Salons heraufbeschworen wurde. Man war bei dem Neapolitaner meine Anrufe jetzt schon gewöhnt und ahnte, daß es da nicht um Terminbestellungen ging: »Für dich, Zeynab«, rief das Mädchen oder der Jüngling, die den Hörer abnahmen, und fügte manchmal etwas leiser auch hinzu: »Dein Verehrer.« Diese läppische Friseurangestelltenatmosphäre zerging augenblicklich, wenn sie sich meldete, immer alarmiert, tief besorgt, leidenschaftlich Anteil nehmend, meinem Anruf und seinen Neuigkeiten mit äußerster Spannung entgegensehend; und ich sah vor mir, wie dunkel ihre Augen dabei wurden und wie ihre halbgeöffneten Lippen glänzten. Nur die Haarfarbe konnte ich mir natürlich nicht vorstellen, denn sie war gewiß unerwartet. Ich bedrängte sie, darüber nachzudenken, wie ich Pupuseh schreiben könne. Das schien mir jetzt vordringlich in meinen einsamen Überlegungen. Die fanden übrigens nicht nachts statt. Anders als man denken könnte, schlief ich weiterhin köstlich und etwa eine Stunde länger, als ich es gewohnt war. Noch bevor die letzten Funken im Kamin erloschen, die mein Eindämmern als rötliche Glühwürmchen begleiteten, war ich weggesunken. Das Wasserrauschen fügte gewiß noch Einlullendes hinzu. Aber der Kernpunkt war, daß ich mich im Tiefschlaf Pupuseh näher fühlte. Dies war eine Sphäre, in der nichts uns trennte. Die Erscheinungsfülle und die Gedanken, die immer schon zuviel ausformulierten und häufig an Wörtern hängenblieben wie an Dornen, auch dazu neigten, immer denselben Weg noch einnal zu nehmen und sich zugleich haarscharf neben dem zu bewegen, was man eigentlich hatte fassen wollen, traten zurück, und die Grundgewißheit, die mich erfüllte, stand ruhig und unverdeckt in mir und ließ sich besehen. Ich litt überhaupt nicht. Es war nichts in mir, was sich poetisch in ein Liebeslamento hätte kleiden lassen. Mein neuer Zustand hatte das Unfrohe und Sorgenvolle meines Lebens überwunden. Eine gnadenhafte Erleuchtung eröffnete mir die Fähigkeit, das Nächstliegende, für mich Bestimmte und in nächster Nähe auf mich Wartende wahrzunehmen. Und ich hatte es wahrgenommen und flog und glitt nun unablässig auf dies Ziel zu. Wie in einer Landschaft mit weiten Horizonten sah ich es deutlich, verschätzte mich aber bei der Entfernung. Es war weiter als geahnt, aber der Flug dorthin war schön, fast war es schon unvorstellbar anzukommen, so lustvoll und friedvoll war diese große Bewegung.

Wenn ich mich in dieser Verfassung befand, spürte ich nicht die mindeste Notwendigkeit, mich Pupuseh mitzuteilen. Sie war gewiß in derselben Verfassung wie ich. Sie wußte alles über mich – das wichtigste nämlich: daß ich der ihr Bestimmte sei –, und mit dem Rest konnte sie ohnehin nichts anfangen. Zeynab hatte ihr meinen Namen genannt – wirklich, hatte sie das schon getan? Der tat doch eigentlich auch nichts zur Sache, obwohl ich ein großes Glück genoß, wenn ich mich mit dem Namen Pupuseh beschäftigte und ihn hin und her wandte und ihn gelegentlich sogar mit meinem Nachnamen verband und mich daran erbaute, wie hübsch das aussah und wie interessant sich das anhörte. Bei diesem Spiel klang noch einmal ganz schwach das alte Motiv meines Ehrgeizes an, von dem ich mich eigentlich äonenweit entfernt glaubte.

Was konnte ich Pupuseh über meine Stellung in der Welt

mitteilen? Sollte ich ihr etwa den Inhalt meiner Doktorarbeit darstellen, mit Auszügen aus Ryschens Beurteilung womöglich und dem Waschzettel des Verlags, der sie in seiner wissenschaftlichen Reihe beerdigt hatte? Ein heiliger Mann spricht von der »Doktor-Tor-Würde«, und töricht empfand ich sie, wenn ich mir vorstellte, Pupuseh die Bedeutung und den Wert der akademischen Titelwirtschaft erklären zu müssen. Und nun gar unter dem Gesichtspunkt, daß ich die Bedeutungslosigkeit dieses ganzen Betriebes endlich durchschaut hatte. Die Promotion war eine beträchtlich anstrengende Initiation, nach der der feierlich Eingeweihte durch die Kulissen des akademischen Peristyls diskret zur Hintertür geleitet wurde und sich jählings auf der Straße wiederfand. Hirsch in New York, durfte er über das mysteriöse Telegramm nicht ordentlich verstimmt sein, vor allem, weil danach nichts mehr zu hören war? Wenn ich ihn jetzt anrief, was wollte ich ihm sagen? Ich konnte keine Auskunft geben, wann ich meine Mission abgeschlossen haben wollte. Das würde so lange dauern, wie es dauerte, das war nun eben einmal keine Doktorarbeit, ich war ganz auf Zeitlosigkeit eingestellt und meinte, obwohl ich erst eine Woche hier war, schon seit langem am Taurusrand zu leben. Kurze Episoden erschienen hier lang, lange kurz, das war das Gesetz dieser Gegend, und es war auch das Gesetz einer glücklichen Liebe: In ihrer Werbungszeit wächst jeder Augenblick zu größter historischer Bedeutung an, und das lange Leben danach verstreicht in Eile, man wacht eines Tages auf und ist alt geworden, ohne es gemerkt zu haben. Wenn Hirsch sich ungezogen traktiert vorkommen sollte – die Engländerin würde das gewiß noch anheizen, Ungenauigkeit des Personals duldete sie gewiß am allerwenigsten, weil sie letztlich gleichfalls Personal war, die Gouvernante –, dann hatte ich überhaupt nichts Vorzeigbares in Händen. Zugleich fühlte ich eine Hemmung, Pupuseh darüber aufzuklären, was ich für sie im Stich gelassen hätte. Es war selbstverständlich, daß ich das tat, da gab es nichts zu rühmen und nichts zu beklagen. Ich hatte die Erwähnung von allem, was mich bei Pupuseh schmücken, was sie beeindrucken könnte, unbedingt zu vermeiden, nicht aus taktischer Bescheidenheit, sondern in nüchterner Erkenntnis der Lage. Ich warb nicht um sie, ich machte keine Balztänze und warf mich nicht in die Brust. Ich stellte nichts Verlockendes in Aussicht, als sei ich ein Zeitungsabonnement, das bei Bestellung durch ein verführerisches Geschenk belohnt wurde. Die Phase der Anbahnung unseres Liebesverhältnisses war längst vorbei, es hatte sie eigentlich nie gegeben, wir hatten sie übersprungen. Wann hatte dieser Sprung stattgefunden? Als ich Pupuseh zum allerersten Mal sah und sie wegen der Wäsche anherrschte und sie feste und feindselige Antworten gab? Heute wollte mir scheinen, daß dies bereits der erste Liebesdialog gewesen sei. Es gab kein unverbindliches Kennen von Pupuseh: Wir hatten uns gesehen und erkannt, noch nicht im alttestamentarischen Gebrauch des Wortes, aber kurz davor oder sogar schon darüber hinaus. Pupuseh war womöglich noch schneller und klüger gewesen. Wie konnte ich da einen Brief schreiben, der Erklärungen abgab, die weit unter der Höhe blieben, auf der wir in absoluter Gewißheit bereits täglich lebten? Allerdings bedurfte diese Gewißheit auch der Nahrung. Sie wollte leben, und das hieß atmen und genießen. Das Genießen war einfach die Daseinsform dieser Gewißheit. Und der höchste Genuß, der im Augenblick zu hoffen war, konnten nur Worte sein, gesprochene und geschriebene. Da war es nur anständig, jetzt auszusprechen, daß ich zu allem bereit hier auf sie wartete. Daß nichts mich hindere, alles zu tun, was sie wünsche und für gut halte, um unser Zusammensein zu beschleunigen.

Nun tat sich freilich ein neues großes Problem auf. Wie gut waren ihre Deutschkenntnisse? Was konnte ich ihr zumuten? Konnte sie deutsche Schreibschrift lesen? Oft bewegt man sich ganz hurtig und versatil in einer Fremdsprache, ohne sie eigentlich zu beherrschen. Daraus erwachsen dann die schlimmsten oder komischsten Mißverständnisse. Im Fall Pupusehs konnte es freilich keine komischen Mißverständnisse geben, ich schauderte bei der Vorstellung des allergeringsten Schattens, den ein Mißverständnis über ihre Stirn legte. Ein Fetzchen Papier mit gekrakelten Buchstaben von ihr, in einer Orthographie, die nur nach Meditation den Sinn der Wörter eröffnete, hätte sie mir so etwas zukommen lassen, ich hätte es wie ein blutgetränktes Reliquienläppchen aufbewahrt. Ich fühlte mich imstande, solche falschen Wörter aufzuschließen, die Fehlerquellen zu erahnen und aus dem bloßen Klang zur Bedeutung zu gelangen. Das würde sie nicht leisten können, da war ich sicher. Andererseits durfte ich sie durch zu große Einfachheit nicht verletzen. Wenn ich in Großbuchstaben schrieb oder meinen Brief geradezu malte, wie es wahrscheinlich das gescheiteste war, fühlte sie sich am Ende in ihren Fähigkeiten unterschätzt. Mich versuchte die Vorstellung, ihr in Kinderschrift und mit den primitivsten Wendungen zu schreiben, als würfe ich auf diese Art alles, was ich an falschem, unehrlichem Anspruch noch mit mir herumtrug, über Bord und langte leicht, ohne Gepäck, nur mit einem Hemd auf dem Leibe bei ihr an.

Es stellte sich dann die nächste, die kulturelle Frage: Würde sie einen Brief, wie ich ihn aufrichtigerweise in höchster Ergriffenheit an sie richtete, nicht dennoch armselig und banal finden? Das geradezu Abstrakte unserer Verbindung, dies zutiefst Axiomatische, Nackte, Reine, Asoziale unserer Anziehung – denn daß sie eine Schönheit war, ein bildhübsches Mädchen, das konnte den ganzen Irrsinn dieses felsenfest Überzeugt- und Angeschmiedetseins doch wohl nicht begründen, sonst hätte ich mich jeden Tag verlieben müssen, wie manche Leute das tatsächlich tun, seufzende Dauerverliebte, die schon längst bei der übernächsten sind, wenn man sie nach dem Stand der Dinge fragt –, wie sollte ich das Unfaßbare so ausdrücken, daß es ihr als Liebeserklärung auch einleuchtete? Es gab schließlich die reichen orientalischen Konventionen, die womöglich hier, wo so streng auf Ordnung gesehen wurde, noch im Schwange waren. Womöglich fand Pupuseh es vollkommen angemessen, ungeachtet des Außerordentlichen, Unvergleichlichen und eigentlich nicht Ausdrückbaren, sondern nur Lebbaren unseres Zustandes etwas von Nachtigallen und Rosen zu hören, was auf tausend andere Verhältnisse auch paßte und auch passen sollte; es war ja das Verdienst solcher sprachlichen Blumen, daß sie das allzu Persönliche diskret mit ihren Blütenblättern bedeckten und das menschlich Allgemeine in den Mittelpunkt stellten. Dann spielten alle die ihnen zugedachte Rolle, schmachteten und küßten in einem vorgegebenen Rhythmus, der das Unordentliche mäßigte und einband und der das mickrig Armselige auf eine immer noch ansehnliche Höhe hob.

Herr Palm hatte mir nach unserem Ausflug zu der Stiergrotte den Band aus *Tausendundeiner Nacht* geliehen, aus dem er seine Erkenntnisse bezüglich Ali Babas und dessen Umgang mit der Schatzhöhle im Sinne des Apostels Paulus – »Besitzet, als besäßet Ihr nicht« – bezogen hatte. Das war gerade die passende Lektüre für mich. Da standen die richtigen Briefe an die abwesende Geliebte zuhauf, die einzelnen Briefe übrigens sehr ähnlich, häufig mit fast identischen Formulierungen, als hätten die Verliebten alle denselben Briefsteller benutzt, und das war *Tausendundeine Nacht* neben anderen Vorzügen wohl auch lange gewesen, ein Briefsteller für viele Lebenslagen.

»Von dem Elenden, der vor Liebe brennt / dem Betrübten, der von dir getrennt / dessen Jugend durch die Liebe zu dir verschwindet / und der sich um deinetwillen in endlosen Qualen windet / wollte ich dir die langen Leiden zu schildern wagen / und was ich alles an Trübsal ertragen / wie die Leidenschaften an mir nagen / welche Leiden mir Weinen und Seufzen flicht / wie mein betrübtes Herz zerbricht / wie der Gram mich begleitet / und die Sorge mich geleitet / was ich leide, von dir getrennt zu sein / an Kümmernis und brennender Pein / so würden der Worte im Brief zuviel …« hieß es da, aber damit hörte der Brief keineswegs auf, sondern die Liebesflammen wurden so heftig beschworen, daß der Schreiber schließlich noch in Versform die Befürchtung mitteilte, sie könnten das Papier des Briefes verzehren.

Erwartete sie möglicherweise trotz ihres Aufenthaltes in Deutschland, engen Hosen, gefärbtem Haar, Verkleidung als Großstadtnymphe einen Brief in dieser Richtung? Machte ich mich mit Versuchen in dieser Richtung am Ende noch lächerlich als zweiter »Tartarin von Tarascon« mit einem papierenen Fez aus orientalischen Liebesbriefen auf dem Kopf? Der Umgang mit dem Formelhaften wollte mir einfach nicht gelingen.

Gut, elend durfte ich mich nennen, ich war im Ausland, von meinen spärlichen Ressourcen abgeschnitten, aber es ist fraglich, ob man sich als Elender einem blühend schönen Mädchen unbedingt empfiehlt. Sie sollte nicht meine Krankenschwester werden. Ich bemühte mich nicht darum, ihr Mitleid zu erregen. Das war ohnehin abscheulich, solche Mitleidserpressungen, und die Frau, die darauf hereinfiel, bekam, was sie verdiente. Meine Jugend schwand auch durch die Liebe zu Pupuseh nicht hin, sondern sie war dadurch eigentlich erst wirklich entstanden, ich fühlte mich jünger als vor zehn Jahren; damals ein naseweiser und dabei auch zugleich verwelkter Abiturient, von altklug toter Blässe und der fatalen Mischung aus Ehrgeiz und Unsicherheit. Nein, es waren nicht endlose Qualen, Weinen und Seufzen, Gram, Kümmernis und Sorge, von denen ich zu berichten hatte. Es war ein Spannungszustand, der mir manchmal den Atem verschlug, eine Faust ums Herz, die es drückte, bis es weh tat, dazu eine Neigung zum Staunen und zur Begeisterung, wie ich sie noch niemals gekannt hatte, keinerlei Ehrgeiz mehr, keinerlei Unsicherheit, keinerlei Gram und Kümmernis, eine Aufgekratztheit vielmehr wie im Kaffeerausch, leider auch gar keine Sorgen im Sinn eines wachsamen Nachdenkens über die Zukunft, das ich Pupuseh vielleicht doch schuldete, wenn ich hier in Konventionen dachte, mit denen sie rechnete. Nein, einen Tausendundeine-Nacht-Brief konnte ich nicht schreiben, so weit wollte ich mich von der Wirklichkeit nicht entfernen.

Dafür fand ich im Blättern Pupusehs Beschreibung, wie sie auch der westliche Realist wiedererkennen durfte. In das hier beschriebene Bild eines schönen Mädchens fand ich mich ganz leicht hinein, und gerade in den lyrischen Vergleichen war Pupuseh genau beobachtet.

»Ihre Nase ist wie des gefegten Schwertes Schneide« – ja, so glatt und gerade war dies Näschen, nicht die kleinste levantinische Krümmung war darin, und der Rücken war zart, und ich hätte ihn porzellanen genannt, aber ein Schwert ins Spiel zu bringen, traf Pupusehs Wildheit und Offenheit besser. »Ihre Wangen sind wie Purpurwein, ja wie rote Anemonen sind beide.« Wein wird, selbst wenn er sehr dunkel ist, auf dem weißen Tischtuch rosa, eine helle Lasur, und Pupuseh nahm in Frankfurt ein winziges bißchen Rouge, das war wie ausgeschütteter Rotwein so blaß auf ihrer Haut. »Ihre Lippen scheinen Korallen und Karneole zu sein« – die Steine waren vorzüglich gewählt, denn beide haben etwas Fleischartiges, und es gibt tiefrote Korallen mit bräunlichem Ton, der genau ihren Lippen entsprach, und so ähnlich würden dann auch die Brustwarzen sein, dunkle Korallenkugeln. »Der Tau ihres Mundes ist lieblicher als alter Wein« – ich war besonders dankbar, daß ihr Speichel erwähnt wurde, den ich zwar noch niemals geschmeckt, aber gesehen hatte, als winziges Spinnenfädchen, von ihrem Daumen zur Lippe führend, und wenn ich mir nun einen alten ganz durchgegorenen Wein vorstellte, der kaum mehr Körper hatte, eine leichte edle Säure und wie eine heilsame Tinktur schmeckte, dann war das am Ende genau, was sich auf den Lippen von Pupuseh sammelte. »Sie hat zwei Brüste wie Kistchen aus Elfenbein, von deren Glanze Sonn und Mond ihr nicht entleihen« – hier mußte ich von Vermutungen ausgehen, aber die Elfenbeinkästchen sah ich genau vor mir, romanische Schnitzereien, vielfigurig, die die Wände eines solchen Kästchens umranken, der Deckel oben ist dann glatt und mit großen Sprüngen durchzogen. Und wenn man nun von dem Eckigen dieser Kästchen absah – nichts an Pupuseh war eckig –, dann konnte man sich eine Ähnlichkeit zwischen der zackigen und geknorpelten und wie von Termiten zerfressenen Figurenschnitzerei und der harten Kunststoffspitze ihres Büstenhalters schon vorstellen, und darauf und darüber wölbte sich dann das herrlich angerauchte, gelbliche Weiß, an dem sich an manchen Stellen schattenhaft die Adern zeigten, die es durchzogen, aber nicht trübten. »Der Leib mit Falten so zart wie koptisches Gewebe ägyptischer Art, gewirkt mit einer Faltenzier wie dem gekräuselten Papier.« Diese Märchenautoren waren Kenner der weiblichen Haut. Es waren gerade gewisse Fältchen, die überhaupt erst ein Gefühl für die weiche Gefülltheit der Glieder entstehen ließen. Die Fältchen unter der Achsel etwa, der Einschnitt, der sich auch unter jungen Brüsten oft schon findet, ganz kleine Fettfältchen in der Bauchnabelgegend, sie erst lassen einen fehlerlosen Körper nicht als Gummipuppe, sondern als durchpulstes, warmes Wesen erscheinen. Besaß Pupuseh einen fehlerlosen Körper? Nichts war gleichgültiger, alles was sie offenbaren würde, war das mir Bestimmte und das nur von mir zu Begreifende und zu Genießende. Und die erwähnten Fältchen würde sie schon haben.

Man sieht, ich kam dem orientalischen Stil näher. Wenn er noch im Schwange sein sollte, würde ich mich vielleicht da hineinfinden können. Die Ingenieure mochten mir hier einen Rat geben, behutsam ausgehorcht. Was sagte Ünal zu seiner Braut, die er mitsamt ihrer Bergwasserquelle in sein Haus führen würde? Ich fürchtete, das war kein Mann von Komplimenten. Mit seinen blauen Augen und der Adlernase zielte er in bedeutende Ferne, was sich in der Nähe tat, war nicht ernsthaft genug. Aber Turhan hatte doch gewiß Erfahrung. Unterdessen würde ich Pupuseh überhaupt erst einmal etwas schenken. Das war besser als ein Brief. Etwas Goldenes. In dem Laden, wo das Telephon stand, gab es goldene Vasen auf dem Regal, geformt als Frauenhände, die ein Füllhorn halten, satt vergoldeter Ton, leicht rötlich übersprüht. Ich versuchte sie mit Pupusehs Augen anzusehen. Jetzt waren sie wunderschön. Eine Rose in einer solchen Vase war ein königliches Geschenk. Die Vase kostete zwei Mark fünfzig. Ich kaufte sie, für Seliha, wie ich mir sagte. Für Pupuseh würde ich in die Stadt fahren müssen. Mit dem alten Messer aus Girmeler schnitt ich ihre Verbindung zu Muzafers Haus entzwei. Mit einer goldenen Kette würde ich uns aneinanderfesseln.

DREIUNDZWANZIGSTES KAPITEL

Meine Stimmungsveränderung, ein regelrechter Einbruch, muß mit dem Mond zu tun gehabt haben. Die Luna stellte plötzlich eine andere Laune in mir her. Vielleicht war Neumond. In den letzten Tagen war mir schwebend zumute gewesen, meine Verfassung hatte sich verflüssigt, sie fügte sich den Umständen mühelos an und drang in sie ein. Jetzt war mir stumpf und schwer zumute. Herz und Magen schienen zusammengebacken. Hinzu trat das Gefühl einer bösen Vorahnung. Gestern war ein leichter Regen gefallen, der den Boden gründlich durchfeuchtet hatte. Alles füllte sich mit Saft, der Boden wurde nicht zu Schlamm, sondern so federnd und lebenerfüllt wie Rindfleisch, und dennoch hatte der kurze Weg zu Palms Grabeskämmerchen die schönen neuen Schuhe, wie ich sie seit ihrer Wiedergeburt nannte, durchweicht. Palm war nicht ergiebig. Er hatte sich auf die steinerne Kline gelegt und hielt Zwiesprache mit dem Bildhauer seines Stiers, bestand dann zwar darauf, mit mir Raki zu trinken, blieb aber zerstreut.

In meinem hölzernen Griechenschrein stellte ich die Schuhe in den Kamin, wo ein schönes Feuer brannte. Die Hitze brachte das Wasser im Leder zum Dampfen. Es war eine Lust zu sehen, wie hier der Feuchtigkeit der Garaus gemacht wurde, ein Hinschlachten des Feuchten war das, es zischte geradezu, wenn ich die Ohren spitzte. Wie Brathühner rückte ich die Schuhe hin und her. Das dem Feuer zugewandte Leder glühte, wenn ich sie umdrehte. Dies alles war eine so sinnvolle und greifbare Tätigkeit, so tief befriedigend, daß ich darüber einschlummerte. Die Polster, die Nihats Töchter ringsum ausgelegt hatten, fingen mich auf.

Wie abscheulich ein halb verkohlter Schuh aussieht! Wie verwüstet und brutal! Es könnte kaum schlimmer sein, wenn noch ein Fuß drinsteckte. Am meisten schmerzte mich aber der Untergang der Arbeit, die von den beiden schwarz verschmierten Schuhflickerkindern geschaffen worden war, diese glorreiche und in der Reparatur vervollkommnende Wiederherstellung. Daß dies Werk zerstört war, erschütterte mich. Ich dachte sogar jetzt noch daran, die halb aufgezehrten Ruinen wieder in das Hüttchen der Kinder zu tragen. Sie sahen nicht so aus, als ob sie jemals etwas wegwürfen. Aber dann kam Nihat und mußte sein breites Wohlbehagen angesichts dieses Malheurs vorführen und meinen Verdruß erst richtig herauskitzeln, vorher trauerte ich, jetzt war ich übellaunig. Nuray oder Gülai, das waren die beiden Mädchen, die ich am wenigsten auseinanderhalten konnte, brachten die Reste hinaus. Später sah ich sie auf dem Abfallhaufen liegen. Sie bildeten dort ein Stilleben mit den Innereien eines Huhns, von grünmetallischen Riesenfliegen umschwärmt.

Der ganze Haushalt Nihats war mir auf einmal zuwider. Jetzt sah sein braunes breites Mondgesicht, dessen Augen nach Ost und West schön weit abgetrieben waren, aus dem Fenster. Man könnte sagen, er ließ sein Staunen über seinem Hof aufgehen. Unten führte Seliha einen großen Stier vorbei, nicht ganz so dinosaurisch wie der aus der Schlucht, aber, vor allem verglichen mit ihr, immer noch ein Ungetüm. Nihat winkte mir. Welches Wunder spielte sich da unten ab! Seliha führte den Stier. Sie zerrte an seinem Strick und schrie ihm gellende Worte ins Ohr, wenn es nicht voranging. Nihat gab zu verstehen, daß er niemals zu solchen Taten imstande sei, niemals nähere er sich dem bösen Stier, den Seliha wie ein Lämmchen umherführte. Sie sah gar nicht, wie groß und gefährlich er war. Sie empfand nur ihren Willen, und der war ungestüm und duldete keinen Widerstand. Wenn nicht Geist, so war es doch die reine unsichtbare Energie, die hier die großen Massen bewegte. Den Stier und vor allem auch Nihat. Nihat war hier der eigentliche Stier, oder vielleicht auch Ochse. Das Staunen des Stiers, einem fremden Willen, der in winziger Gestalt verkörpert war, gehorchen zu müssen, konnte nicht größer als Nihats ständige Verwunderung darüber sein, welche Macht Seliha so ungehemmt auch über ihn ausübte.

Vom Fenster weg wandte er sich mir, bequem in die Kissen gelehnt, nun zu. Er hatte sich rasieren lassen. Schwach umgab ihn noch durchaus fremdartig wie eine feine Watteschicht der süße Duft aus der großen Flasche. Das waren Vorbereitungen, wie er mir jetzt vermittelte. Er hatte etwas Schönes vor. Wenn Seliha den Stier zur Kuh gebracht hatte, war sie frei für Nihat. Nihat begehrte mein kleines Wörterbuch. Er kam jetzt recht gut damit zu Rande. Was ich mit einer Frau alles machen würde, wollte er wissen, ob es dasselbe war, was er mit Seliha mache? Was war da zu antworten? Nun, Nihat wurde deutlicher: küssen – küßte ich? Er küßte. Lecken – leckte ich? Er leckte. Kneten? Knetete ich? Er knetete. Er saugte auch. Außerdem kitzelte er auch. Streicheln und massieren – gleichfalls vorgesehen. Und wie lange denn alles zusammen dauere? Vom ersten Kuß über die ganze Prozedur bis zum *tokmak* – stoßen hieß das in meinem kleinen Buch unverfänglich. Bei ihm eine Stunde. Einmal – eine Stunde. Zweimal – zwei Stunden. Dreimal – drei Stunden.

Es knackte auf der Treppe. Nihat schrak zusammen, fahl konnte er unter seiner dicken Lederhaut nicht werden, aber der Schrecken stand in seinen Augen. Seliha dürfe solche Gespräche nicht hören! Sie werde dann *üzüntülü*. War sie draußen? Es knackte nochmals auf der Treppe. Die Tür sprang auf. Sie war es. Mit Augen, die in eine kühle Ferne sahen, als gelte es, eine Ziegenherde über einen vereisten Paß zu führen, sah sie an uns vorbei und durch uns hindurch. Sie brachte Holz und legte es auf die sinnvollste Weise an die Glut. Schon leckten die Flammen darüber. Niemand würde sie daran hindern, alles, was sie tat, richtig zu tun. Sie ging wieder aus dem Zimmer. Der von allen Friseursgrazien begossene Nihat tappte auf Socken hinterher.

Ich war jetzt in der Verfassung, diese Art ehelichen Liebeslebens widerwärtig zu finden. Wie plump das alles war, wenn Nihat da zum Decken geführt wurde wie seine Rindviecher. Und besaß ich etwa ein Recht, mich darüber zu erheben? Wie würde sich Pupusehs und meine Vereinigung, wenn es denn hoffentlich bald dazu kam, von Nihat und Seliha unterscheiden? Ja, das wäre natürlich etwas ganz anderes, dachte ich höhnisch, das wäre die Verschmelzung zweier zitternder Flammen, ein reines Glühen, ein Seelenaustausch, wenn unter den zahllosen

Küssen die Seelen hinüber und herüber flossen, kurzum eine hochgeistige Angelegenheit. Ich zerrte jetzt alles, was mir ein geheimes Heiligtum gewesen war, meine herzerwärmenden innigen Gedanken beim Einschlafen, auf die rußgeschwärzte Esse, auf der eben noch meine Schuhe verkohlt waren. Ja, nicht wahr, es war vor allem Pupusehs Seele, in die ich mich verliebt hatte? Und diese Seele hatte ihren vollkommenen Ausdruck in ihrem Körper gefunden, nicht wahr? Wie dieser brombeerfarbene, von mir aus auch karneolfarbene Mund – je nachdem welcher Lippenstift favorisiert wurde – im Gesicht stand, dieser Schwung wie von zwei Flügeln, das war natürlich eine seelische Tatsache, es kamen das Blutdurchpulste, das Geschwungene, das auch irgendwie Verletzte und zugleich Weiche und Schöne dieser Seele hier zum Ausdruck. Diese weiße, um die Augen aber bräunliche, in den Fältchen gleichfalls von bräunlichen Pigmentansammlungen vertieften Hauttöne, bei denen man sofort fürchtete, man bringe ihnen bei zu heftiger Berührung blaue Flecken bei, die verkörperten die Seelendelikatesse, die tiefe geistige Empfindsamkeit, die höhere Artung. Die Brüstchen waren nicht einfach besonders wohlgelungene stramme kleine Brüstchen, nein, sie waren Zeugen ihrer höchst persönlichen Wesensart, wie Augen und Mund sprachen sie, sie gehörten zu ihrer Miene, sie bedienten sich ihrer Stimme. In der leicht vorgeneigten Haltung, mit der sie in der Wäscherei Pakete herumgeschoben hatte, wurde die Essenz ihres Seins sichtbar, ihr leicht gekrümmtes, im Kosmos kindlich schlafend treibendes Sein. Nein, solche Schlüpfrigkeiten, wie sie in *Tausendundeiner Nacht* in dem dafür berühmten lüstern parfümierten Stil geschildert wurden, die lagen mir fern: »Nun streckte er die Hand aus« – nein, ich nicht –, »und er fand ihren Schenkel weicher als Rahm und zarter als Seide, bis er dorthin gelangte, wo die Kuppel kam, die reich an Segnungen und Bewegungen war«.

Man sieht, ich schmorte wie die nassen Schuhe in der Glut. Es war doch eben noch ein solches Paradiesesglück gewesen, in diesem Griechenhäuschen am Feuer zu sitzen? Jetzt glaubte ich, in dem Käfig hier den Verstand zu verlieren.

Es sollte dem Menschen offenbar grundsätzlich unmöglich sein, in eine Sphäre einzutreten, in der er sich mit der Geschlechtlichkeit aller Lebewesen, und damit auch der eigenen, und damit auch der fremden, anziehenden oder abstoßenden, nicht abgeben mußte. Ich war jetzt so überreizt, daß mir das Blättern in meinem kleinen Wörterbuch vorkam wie das Durcheilen eines pornographischen Romans. In ganz frühen Pubertätsjahren hatte es in der Klasse den Sport gegeben, der dann schon gar nichts Sportliches, sondern Besessenes bekam und schließlich als peinlicher Zwang empfunden wurde, jeden beliebigen Satz, der im Unterricht fiel, ins obszön Anspielende auszudeuten und umzudenken. Manche wurden darin Meister. Es war in ihrer Gegenwart nicht mehr möglich, um einen Bleistiftspitzer zu bitten, ohne anzügliches Gelächter auszulösen. Genauso wie damals kam ich mir jetzt vor, wenn ich irgendein Wort nachschlug und feststellte, ob es männlich oder weiblich war. Mit der Erfindung, sich die Wörter geschlechtlich zu denken, hatte die Sprache das ständige Erwägen und Berücksichtigen dieses Unterschieds in die abstraktesten, die keuschesten, die nüchternsten Gefilde eingeführt. Es ging immer um Mann und Frau, »der« Wille durchdrang immerfort »die« Vorstellung, anders sollten wir offenbar gar nicht auffassen dürfen! Der Abend hieß türkisch *aksam* und war auch da männlich, *gece* war weiblich wie die Nacht. Was sollten denn diese Geschlechtszuweisungen hier überhaupt besagen? Sollte das heißen, daß sich der Abend als ein drohnenhaftes Männchen in eine immer dicker und dunkler werdende Nacht wie in eine Bienenkönigin oder Gottesanbeterin hineinverströmte, die, wenn sie sich am Abendsamen gesättigt hatte, dem Gatten den Hals brach und ihn dann verschluckte? So etwas Fatales und Widriges sollte doch hier offenbar suggeriert werden, anders hatte ja dieses Geschlechtsverhältnis keinen Sinn, und daß es sich dabei um Zufälle oder ein bloßes Ordnungssystem handelte, war auszuschließen. Die Sprache stammte aus Regionen, in denen man sich bei solchen Sachen etwas dachte. Seliha hatte mir eine Tube *merhem* für *omuz* gebracht, Salbe für meine Schulter, die nachts Zug bekommen hatte und leicht schmerzte. Was wollte das sagen, daß *merhem* weiblich war und *omuz* gleichfalls? Warum war auch die Schulter eines Mannes weiblich? Weil sie, auch bei behaarten Männern, meist unbehaart war, ein Stück Frauenkörper, das der Mann in sich eingepflanzt mit herumtrug, als sei bei der paradiesischen Operation, als die Frau aus der Seite des Mannes herausgeschnitten wurde, nicht alles Weibliche herauszubringen gewesen? Von der Salbe erst sei gar nicht gesprochen. Ich verfing mich in ein groteskes Grübeln, das an den Haaren die Bedeutungen zusammenzerrte, bis ich mich selbst vom Nagel, der in den Deckenbalken eingeschlagen war, ausgelacht fühlte: er saß zufrieden in seinem Loch, während ich mir Nihats Geschwätz anhörte, meine Schuhe verbrannten und ich im Wörterbuch mehr Zweideutigkeiten als Eindeutigkeiten entdeckte.

Die Kinder kamen aus der Schule, eine Horde kleiner Jungen in blauen Kitteln mit weißen Kragen und großen blauen Seidenschleifen, wie Atatürk in seinem französischen Frack das befohlen hatte. Einer von ihnen hatte ein kleines Radio oder Tonbandgerät dabei, aus dem es türkisch herausdudelte, nicht die zikadenhafte Liebesklage des alten Mannes, sondern mit großem Orchester eine aufgeregte Zirkusmusik. Sulukule heißt der Stadtteil in Istanbul, wo zu solcher Musik Zigeunerinnen, denen die Glasperlenstränge von den Brüsten und zwischen den Beinen herabrieseln, tanzen, und Sulukule wird deshalb auch die Musik genannt. Die kleinen Buben wußten jedenfalls in ihren Kinderschürzen, worum es ging. Sie wackelten mit den Hinterteilen, schüttelten die mageren Brüstchen, an denen es gar nichts zu schütteln gab, schoben die Hüften hin und her, reckten die Ärmchen, das hatte nichts mit den schlängelnden windenden Bewegungen schier knochenloser Arme zu tun, aber sie karikierten das nicht schlecht. Und bei ihrem ganzen lüsternen Gewackel wollten sich die Früchtchen vor Lachen schier ausschütten, und in meinem jetzt schon kräftig angewachsenen Beziehungswahn bezog ich auch diese Darbietung auf mich. Und war das etwa nicht passend? Spielte ich nicht längst eine überaus komische Rolle? Solange ich nicht dazu fähig war, Pupuseh an mich heranzuziehen, sie zu ergreifen, sie in den Armen zu halten und an mich zu drücken, nützte weder ihr noch mir meine edle Erregung. Meine Verliebtheit wuchs sich dann sogar zu einer Bedrohung aus für sie. Ich ließ sie nicht in Ruhe, hielt mich vielsagend-nichtssagend in ihrer Nähe auf, tat nichts und glotzte nur wie ein Kalb, auffällig und nicht besonders verführerisch.

Nun weiß ich selbst, daß ich keinen Charme habe, das mußte mir niemand mehr vorhalten. Ich war sogar bis zu einem gewissen Grad stolz darauf. Was gemeinhin als charmant gilt, ist doch bei Licht gesehen oft recht ekelhaft. Es wird in sachliche und vernünftige Beziehungen da immer etwas Schmieriges hineingemischt, und geschmiert werden soll ja auch, es sollen Vorteile erreicht und eingestrichen und Zugeständnisse erzwungen werden, die den, der sie macht, schädigen, denn die Gegenleistung soll in dem bewußten Charme bestehen. Ich kannte sehr wohl das Phänomen von Leuten, die alles erhielten, was sie forderten. Ich habe mich dem auch oft gefügt, wütend allerdings und mit dem Vorsatz, dem- oder derjenigen nie wieder einen Gefallen zu tun. So kann das Spielen mit dem Charme gefährlich werden, aber hier ging es auch gar nicht um Charme. Das war doch das Besondere, das Einzigartige an Pupuseh und mir, daß wir uns nicht gegenseitig hereinlegen mußten, daß es hier nicht darum ging, einen besonderen Eindruck zu erzielen und irgend etwas vorzuspiegeln. Ich hatte Pupuseh wahrlich nicht durch meinen Charme eingenommen und sie mich auch nicht, so wütend, wie sie beim ersten Mal war. Aber dieses Wissen verblaßte jetzt. Ich hatte einen Kater, nicht von zuviel, sondern von zuwenig Rausch, einen Entbehrungskater. Das Alleinsein und Sichsehnen hatte etwas in mir erzeugt, das mir nicht bekam. Ich war eben kein guter Charakter, der im Warten und Verzichten und Sehnen und selbstlosen Hindenken immer besser und reiner und edler wird, sondern ein schlechter, dem das übel bekam, da bildeten sich giftige Gase und erzeugten einen unerträglichen Druck. Und daraus wuchs Überdruß schon vor dem Genuß an diesem schlimmen Tag.

Nihat war ins Detail gegangen, was seine Vorbereitungen anging. Nicht nur der Wochenbart war gefallen, auch das Haar unter den Achseln und auf der Brust und das Schamhaar hatte er sich abrasiert. Er war jetzt, von seinem bürstenartigen Schnurrbart abgesehen, haarlos wie ein Säugling. Daß ich mich nicht am Körper rasierte, verblüffte ihn. Es war ihm anzusehen, daß er sich Mühe gab zu verbergen, daß er mich für einen solch unzivilisierten Wilden doch nicht gehalten habe. Bei sachlicher Betrachtung hätte ich mir sagen können, daß es etwas anderes war, wenn sich ein einziger Mann die Achseln rasierte, als wenn alle es taten. Dann war es eine kulturelle Tatsache, die ein weiser Mensch hinzunehmen hat. Solche Sitten entziehen sich der Kommentierung. Wer sich dennoch darüber entrüstet, ist nahe dem Weltverbesserer und Schlimmerem. In den Zelten, aus denen Nihat stammte, war es gewiß das vernünftigste, den Läusen so wenig Siedlungsraum wie möglich zu gewähren. Solche

Argumente zählten jetzt aber nicht. Nein, ich dachte nicht daran, mich für Pupuseh zu rasieren. Es war unmöglich. Es war eine Entstellung, eine Travestie, und es war häßlich. Selbst die schönheitsbesessenen Griechen erkannten dem Mann einen Rest haariger Garstigkeit zu und meißelten ihm das schneckenhauslockige Schamhaar, das sie bei der Frau mit vollem Recht wegließen. Daß diese groben Bauern – ich beschimpfte den weichherzigen, zartsinnigen Nihat in meinen Gedanken als groben Bauern – sich solche effeminierten Sitten zugelegt hatten, stieß mich ab.

Und mit dieser Vorstellung war mir plötzlich die ganze Liebe, das ganze körperliche Zueinanderdrängen und Sichumfangen abscheulich. Welches Bild gab ich ab. Ich hatte mein ganzes bisheriges Leben in Frage gestellt. Durch meine verrückte Abreise in die Türkei, nicht eigentlich eine Flucht, nein, ein Einbruch von Irrsinn in mein bis dahin in eiserner Konsequenz geführtes Leben, das mir wahrlich nicht leichtgefallen war, machte ich meine Zukunft zunichte. Alle Überwindung des Widerwillens, alle Anstrengung zur Disziplin sollte nun sinnlos gewesen sein. Ich machte mich zu jenem Typus Mann, den ich am tiefsten verachtete: der die Liebe zu seinem Schicksal macht. Das waren Herren, die ihre ganze Lebenslast abwarfen und anderen aufbürdeten. Sie waren nichts und wollten nichts sein ohne die Geliebte, das klang so wehmütig und absolut und hingebungsvoll und war doch nur das Eingeständnis peinlicher Unfertigkeit, denn dieses Nichts, das forderte jetzt natürlich, von außen mit Liebesglück aufgefüllt zu werden und eine Aufwertung zu erfahren, die schon an Betrug grenzte. Gut, ich hatte mich in ein Mädchen in einer Wäscherei verguckt – warum nicht? Es klang etwas unerwachsen romantisch, es war nicht ganz zeitgemäß, die »entzückende kleine Putzmacherin oder Modistin« gehörte ans Ende des letzten Jahrhunderts, höchstens noch ins Tagebuch Ernst Jüngers. Aber gut, es war geschehen, und sie war es wert, denn sie war schön. Aber was ging sie das an? Warum behandelte ich diese Aufwallung nicht wie eine Erkältung, die mich während der Einarbeitungszeit in New York etwas beeinträchtigt hätte, aber doch wohl beherrschbar war? Was hatte ich für eine klebrige Situation geschaffen? Hirsch durfte mich zu Recht für ungeeignet halten, seine Geschäfte zu führen. Ich hatte die erste ernsthafte

Lebensprobe nicht bestanden. Ich war eine haltlose Existenz. Ich amüsierte mich über Nihat und Seliha und den Stier. Genauso hatte ich mich doch an der Nase durch Europa nach Lykien führen lassen – aber wie kam ich wieder zurück?

Vierundzwanzigstes Kapitel

Es heißt, ein jeder müsse nur soviel leiden, wie er ertrage, ein zweischneidiges Wort, denn die Unerträglichkeit der Leiden kann auch mit dem Tod erst zu Ende gehen. Ich jedenfalls wußte mir gar keinen Ausweg mehr: Bleiben, hier bei Nihat am Feuer, und weiter warten – nein! Abfahren – wohin eigentlich? Das Flugzeug landete in Frankfurt, aber ich hatte dort gar nichts mehr zu suchen. Ich hatte dort wirklich alles abgebrochen, dort standen in fremden Kellern ein paar Kisten. Darauf konnte ich mich setzen, ein Denkmal der Heimatlosigkeit. Meinen ganzen Unmut durfte Zeynab jetzt büßen. Sie, die Allerunschuldigste, bekam jetzt Vorwürfe zu hören, mich nicht genügend vor Girmeler gewarnt zu haben, als ob solche Warnungen das mindeste gefruchtet hätten. Anstatt empört zu sein, war sie die Freundschaft und das Verständnis selbst.

»Es gibt etwas Wichtiges«, sagte sie in gedämpftem Verschwörerton, als schalle ihre Stimme sonst über die Meere und Hügel bis nach Girmeler hinüber, »Nihat fährt mit seinen Töchtern zum Bayram-Opfer zu Muzafer. Versuche mitzufahren! Das läßt Pupuseh dir ausrichten.«

Da war sie wieder, die Treue und Selbstlosigkeit dieses Mädchens. Auch sie schminkte sich die Wangen rot, aber das war in ihrem braunen Gesicht kein durchscheinender Hauch, wie von innen angeflogen, sondern ein lustiger Farbbatzen, in dem im ganzen etwas lauteren und lärmenderen Konzert ihrer Reize aber ein hübscher Akzent, und war es nicht überhaupt tief anrührend, daß ein solches im Äußerlichen schwelgendes, kräftig anziehendes Mädchen ein derart schlichtes, gutherzig hilfreiches Gemüt offenbarte? Ja, ich badete mich an ihr gesund, ihre Stimme war wie das türkisklare warme Wasser der Felsentherme. Das Zwischen-allem-Hängen war plötzlich wieder ein erträglicher, ein gar erheiternder Zustand. Mein Leben hielt den Atem an. Ich genoß einen zeitlosen Augenblick hier auf den Taurusabhängen, die Kausalitätenkette würde sich bald schon wieder fortentwickeln, dann würde ich ohnehin nicht mehr gefragt. Bei Kugelspielen kommt es manchmal dazu, daß die Kugel, von einem kleinen Hindernis aufgehalten, ein labiles Gleichgewicht wahrt und nicht weiterrollt. Nach rechts führt ein Weg und nach links führt ein Weg hinab, aber sie überlegt es sich noch und liegt dort bequem, bis ein Lufthauch sie in die eine oder andere Richtung hineinfallen läßt.

Es war leicht, Palm für die Fahrt nach Girmeler zu gewinnen. Er sei ein großer Freund des Bayram-Opfers. Dies Bayram-Opfer schaffe den Türken im Grund erst die Legitimität, sich hier im kleinasiatischen Griechenland aufzuhalten. Alle Mittelmeervölker hätten das Opfern aufgegeben. Die Opferaltäre lägen verwaist. Es müsse nun aber einmal Blut fließen, und dann besser in Opfern, als in den vom Eigennutz diktierten Schlächtereien von Kriegen und Ausrottungen. Und natürlich gehe es in jedem Opfer zunächst um das Menschenopfer, ein anderes Opfer habe auch gar keinen Sinn. Im Grunde begehre Gott das Menschenopfer und könne auch nur daran Genüge finden. Das sei die Grundüberzeugung aller am Mittelmeer entstandenen und offenbarten Religionen. Von seiner steinernen Kline aus, das Rakiglas griffbereit, zählte er auf: es gab die Moloch-Menschenopfer der Phönizier, Baal forderte Menschenleben, Iphigenie wurde auf den Altar gelegt, um die Ausfahrt der Griechen nach Troja zu begünstigen, Curtius sprang mit seinem Pferd in die unheimliche Erdspalte auf dem Forum Romanum, die Kelten schlachteten Jungfrauen, die Kreter trieben dem Minotaurus eine blühende Jugend zu, und Gott forderte von Abraham das Opfer seines einzigen rechtmäßigen Sohnes.

»Und der Kern der Abraham-Geschichte ist nicht, daß dem Vater schließlich das Schlachten des Sohnes erspart wird und der Widder anstelle des Sohnes getötet wird. Der Hauptpunkt ist Abrahams Überzeugung, daß Gottes Forderung unbedingt Folge zu leisten ist. Gott hat das Recht, dieses Opfer zu fordern. Das lehrt Abraham. Er bestätigt Gottes Recht auf dies Opfer – daß es dann nicht geleistet werden muß, steht auf einem ganz anderen Blatt. Die Christen erklären ohnehin, damals sei diese Menschenopferforderung nur vertagt worden. Das Blutopfer aus Abrahams Nachkommenschaft sei in der Fülle der Zeiten schließlich doch noch eingefordert worden.

Nein, ruft Mohammed, der große Religionskompilator, keineswegs. Am Kreuz sei Jesus nur zum Schein erblaßt, die Engel hätten ihn, den letzten Vorläufer des Propheten, bei bester Gesundheit von dem Schreckensort Golgatha entrückt. Ich möchte den großen Mohammed mit einem Patience-Spieler vergleichen, der die Fülle der Karten vor sich liegen hat, sie müssen alle in eine Ordnung gebracht werden, keine soll verlorengehen, aber das will nicht gelingen, die Ordnung stellt sich nicht her, immerfort liegt da ein Kärtchen im Wege und hindert, daß die Kolonnen sich fehlerfrei reihen. Er ist aber kein Meditator, kein passiv sich versenkender Geist, sondern ein Imperator, ein Religionsalexander, der sich mit Theologenrätselknoten aufzuhalten nicht die Zeit hat. Da wird dann eingegriffen, von mir aus im Zustand der Erleuchtung, aber immer noch handfest eingegriffen und umgeordnet gegen die Lage der Dinge, bis es stimmt. So störte ihn die Verheißung, die Abraham für die Nachkommen des Isaak erhält. Das paßt nicht. Es geht nicht auf, die Juden derart übermäßig beschenkt und bevorzugt zu sehen. Nun hatte Abraham mit der Magd Hagar noch einen zweiten Sohn, den Ismael, der als schlechter Ersatz nach der Geburt des Spätlings Isaak von der Hauptfrau Sara in der Wüste ausgesetzt und dort der Stammvater aller Wüstensöhne, der Araber geworden ist, mithin Mohammeds edler Vorfahr und deshalb viel würdiger, an der Opfergeschichte beteiligt zu sein. Nun kommen Sie und sagen: mit dem Ismael als Opfer verliert der ganze schreckliche Vorgang doch seine Pointe! Ismaels illegitime Söhne konnte Abraham in Fülle zeugen und hat es gewiß auch, gemäß den Sitten seiner Zeit, getan. Bei Isaak aber forderte Gott sein eigens vorher feierlich und wunderbar gewährtes Geschenk zurück, den einzigen Sohn der unfruchtbaren Hauptfrau, und die Ungeheuerlichkeit der Verheißung korrespondiert unmittelbar mit der Ungeheuerlichkeit der für Recht erkannten Zumutung. Schön, hätte Mohammed da gesagt: Ich schlage Ihnen vor, sie diskutieren diese Fragen mit Herrn Doktor Kierkegaard in einer Kellerkneipe in Kopenhagen bei einer Flasche Aquavit. Ich habe dafür keine Zeit, denn ich bin dabei, ganzen Kontinenten eine neue Raumordnung und Kultur und Religion zu geben. Und deshalb geht es morgen von Marokko bis Indonesien Millionen Lämmern und Ziegenböcken ans Leben. Wir reden bloß: ›Dann wirst Du ein rechtes Opfer, ein Ganzopfer, ein Brandopfer erhalten / dann wird man auf Deinen Altar Kälber legen‹ – aber die tun es.«

Herr Palm war überhaupt in dichterischer Laune. Als ich fragte, ob auch die Frauen dabeisein würden – in scheinheiliger Objektivität, ich wollte natürlich vor allem herauskriegen, wie Pupuseh sich unsere Begegnung dachte –, rief er, als zitiere er einen Gesang: » … und ihre Fingerspitzen / so rot gefärbt wie in des Drachenblutes Saft!«

Ich hatte plötzlich die Eingebung, daß Palm sich die Einsamkeit und Ausgesetztheit, in die er sich hier gegeben hatte, mit Trankopfern erträglich machte. Er artikulierte messerscharf, aber er war zu meiner Begrüßung nicht aufgestanden, wie er es sonst zu tun pflegte. Er war von herrischer Höflichkeit, könnte man sagen, bestand darauf, stets den Vortritt zu gewähren, und erhob sich, wenn jemand hinzutrat, und das sah aus, als löse sich unaufhaltsam von einem Bergmassiv ein Felsbrocken, um zu Tal zu rollen; dem solcherart Geehrten wurde dann ganz bänglich zumute. Man sah sich strenger Behandlung ausgesetzt. Aber der Raki vermochte ihm zuzusetzen. Ich hatte die Wirkung an mir feststellen dürfen. Nach einem einsamen Besäufnis an Nihats Kamin fühlte ich mich am nächsten Tag wie vergiftet, es war, als weigerten sich die Hände, meinen Wünschen zu folgen. Palms und meine Lage war nicht so verschieden. Wir sahen uns beide der Notwendigkeit gegenüber, die Wartezeiten auf die gelegentlichen Erlebnishöhepunkte abzukürzen oder irgendwie auszublenden. Er lebte auf dem Gipfel seines Lebens und seines Glücks, wie ein Bergsteiger, dem die Bezwingung eines eisschroffen Felszackens gelungen ist: nun ist er angekommen, umgeben von frostigem Blau, es war genau, was er immer wollte, aber der Aufenthalt dort ist schwer auszuhalten. Ich wurde bescheidener, als ich Palms kleines Entlastungslaster entdeckte. Wenn selbst diesem Mann gelegentlich der Geduldsfaden riß, was wollte ich da sagen?

Am Bayram-Morgen brachen wir auf, bevor die Sonne den Berghang überstiegen hatte. Es war nicht mehr dunkel, aber das Licht hatte noch keine Kraft. Es war ein Unterweltslicht, das grau und gleichmäßig herumwallte, so schien das, denn aus den Bächen und Wiesen stieg Nebel auf, das Tal lag ganz in einem unabsehbaren Wolkenkissen verborgen, aus dem sich Daunen und einzelne Greisenlöckchen schwächlich ablösten und hinaufwehten, dem massiven Nebelpolster tat das gar nichts. Die Nihat-Karawane war schon unterwegs. Auch Ibrahims Motorrad hatte durch die Morgenkühle schon geknattert. Als wir losrollten, war es, als seien in den Geländefalten Brände gelegt, so raucharig stieg von dort der Nebel auf. Man meinte, die schmorenden Meiler lokalisieren zu können. Ja, es war ein guter Opfermorgen. Die Welt präsentierte sich unfrisch. Sie fiel gleichsam aus dem ungemachten Bett heraus. Es war ein unheiliger Naturzustand. Die Landschaft zerfiel in ein gleichgültiges Chaos. »So sieht es halt hier aus«, sagte sie trotzig in ihrer verstümperten Unfertigkeit. Da mußte etwas geschehen. In diesen träg abziehenden Nachtmief mußte hineingefahren werden, durch Öffnung eines kosmischen Fensters. Von diesem frühmorgendlichen Chaoshauch wurde selbst Girmeler ein trostloser Steinhaufen. Wir sahen die Häuser von oben auf sie herunterkommen. Aus manchen Schornsteinen stieg Rauch auf. Eine kleine Fahne von diesem Holzrauch streifte meine Nase. Es war ein Hoffnungszeichen.

Von manchen Bäumen hier hing ein Gewirr toter Ranken herab, als habe man Taue und Schnüre in sie geworfen, als seien Leitungen abgerissen und in ihren Ästen verfangen. Das waren Schlingpflanzen, die erst später grün wurden, aber vor der geborstenen und zerstückelten Stadt Sidyma wirkten diese Bäume wie Gespenster aus einer schaurigen Schattenwelt.

Dann stand plötzlich ein Standbild vor uns. Auf einem reichen Piedestal mit einem Kranzgewinde und vielfältigem Profil hatte sich ein großer Ziegenbock aufgestellt, ein prächtiges Tier, das völlig still mit seinen Hufen jene Stellen auf der Steinfläche einnahm, auf die ein Bildhauer sein Werk gesetzt hätte. Das Gehörn wand sich in großzügigen Drehungen. Mit seinen feinen Rillen und den zierlichen Spitzen, in die es auslief, sah es kostbar aus, wie ein kronenartiger Kopfschmuck, nicht wie eine Waffe. Daß sich unter diesem Bock ein Mann festkrallen konnte, wie es in der Höhle des Polyphem die Männer des Odysseus getan hatten, schien möglich. Er war ein starkes Tier, ein Denkmal der eigenen Kraft. Aus seinen schrägen Augen sah er uns unverwandt an, aber diesmal entdeckte ich nichts von Ziegenneugier und Ziegenspott in seinen Augen, auch keine Angriffslust, sondern eine Art Ratlosigkeit. Aus den dicken weißen Zotteln seiner Brust ging ein Hanfseil hervor. Da das

Fell es rings verdeckte, sah es aus, als trete es aus dem Innern der Brust. Dies unwürdige Seil, der alte abgegriffene Bauernstrick war wie eine Entweihung des schönen Tiers, als hätten Arbeiter bei seiner Aufstellung ihr Handwerkszeug liegenlassen.

Es war mir klar, daß dieses außergewöhnliche Tier ausgesondert war, um heute die Hauptrolle zu spielen. Nun stand es zwischen den zerfahrenen, halb abgestorbenen, halb lebendigen Bäumen in einem Vorzimmer des Todes und wartete. Daß der Zustand, in dem der Ziegenbock sich befand, sich von seinem Alltagsleben unterschied, hatte er verstanden. Er blieb ruhig. Ich glaubte zu erkennen, daß er Ruhe hielt, weil er mehr zu verstehen versuchte. Aber es war eine nur in Sidyma mögliche Fügung, daß er nun in dieser Lage in die Nachbarschaft eines antiken Piedestals geraten war, von dessen Funktion hier niemandem etwas bekannt war. Nur der Bock wußte, was man damit anfing, in dieser herausragenden Stunde seines Lebens: man stellte sich darauf, und das Seil war zum Glück lang genug, obwohl bereits straff gespannt.

In Muzafers Haus herrschte Geschäftigkeit. Wegen der morgendlichen Kühle hockte noch niemand vorm Haus. In der finsteren Küche aber brannte ein großes Feuer, und hier saß Fatma, barfuß und, wie häufig, leicht erhitzt und in festlicher Aufregung, wenn die Zurückhaltung und Disziplin, die sich die Frauen immer auferlegten, diesen Ausdruck überhaupt erlauben. Muzafer hatte einige Männer eingeladen, die hier Tee tranken. Es waren Junge und Ältere, ein würdiger Grauhaariger mit schwarzem Anzug war auch dabei, das waren seine Brüder. Seine Mutter hatte einundzwanzigmal geboren. Sie selbst sprach nur von siebzehnmal, denn sie zählte die toten Kinder nicht mit. Das war die Greisin, die mit ihrem Stab über die Hühner regierte. Auch heute saß sie auf ihrem Teppich, und dieser Teppich hätte mit ihr weit weg in andere Welten fliegen können, solange sie darauf saß, war sie zu Hause. Jetzt war sie verschrumpelt wie ein Ledersäckchen. Das Gesicht war klein, als habe man den harten Schädel dahinter nach Art der Kopfjäger schon herausgezogen, die Augen glänzten wie eingelegte Oliven.

»Zahnschmerzen sind schlimmer, als ein Kind zu kriegen«, sagte sie zu Palm, der es mir übersetzte. Jetzt war sie von beiden Plagen befreit, denn ihr Mund war zahnlos. Nihats Heiterkeit und Hingabe war in dieser Umgebung gehemmt. Wenn man Muzafer sah, der stehend oder lagernd seine Brüder empfing, Weniges und Ernstes mit ihnen besprach, den Kopf wiegte und schwere Dinge bedachte, junge Leute wegschickte und sie bei ihrer Rückkehr berichten ließ, war es, als sehe man einem Emir zu, der im Kreis seiner Getreuen und Knechte Recht spricht, Krieg führt, Botschaften versendet und vieles von dem, was zu ihm getragen wird, in sein unergründliches Herz einschließt. Nihats Rahmen war viel enger gesteckt, das fühlte er jetzt aufs neue. Zu Hause konnte er über Muzafers Regierungsstil seine Scherze machen, »Muzafer Diktator« rufen und mussolinesk die Augen rollen, aber hier war er froh, unbeobachtet zu bleiben. Kaum wagte er mich zu begrüßen.

Hinter der Küche tat sich ein Zimmer auf, das von der Familie augenscheinlich nur selten benutzt wurde, Muzafers Salon. Auf übereinandergebreiteten Teppichen standen vor der rosa getünchten Wand prunkvolle Sessel mit reichen Schnitzereien in einem karamellbonbonglänzend lackierten Holz. Sie waren aufgereiht wie in einem offiziellen Empfangszimmer. Keine Wohnzimmergemütlichkeit herrschte hier, und von der Decke zitierte ein kleiner blitzender Lüster die nicht endende Lüsterpracht des Dolmabahce-Palastes und der Moscheen von Stambul.

Die ganze Gesellschaft wartete auf den Imam. Es war dann in der Ferne ein Motorradgeräusch hörbar. Der Imam fuhr heute von Familie zu Familie. Er war von einem Metzger begleitet, der das getötete Tier verarbeiten würde. Der Imam war jung. Er hatte etwas Militärisches, mit schwarzer Lederjacke über dem weißen Hemd. Es konnte jetzt ungesäumt losgehen. Alle standen auf und suchten ihre Schuhe. Jetzt entstand auf einmal große Eile. Es war, als müsse das, was kam, ganz schnell erledigt werden.

Die Sonne stand schon höher, über den Schneegipfeln der Ferne funkelte es, die Nebel zogen jetzt zügiger ab, ganze Schwaden flogen durch die Luft, als dürften sie sich, wenn die Sonne die Berge endlich überkletterte, nicht mehr blicken lassen. Wir erreichten den Platz, wo zwischen den weißen Steinquadern von Sidyma der Bock angebunden war. Er stand jetzt neben dem Piedestal.

»Ich probiere jetzt aus, wie es ist, neben dem Piedestal zu stehen«, schien er zu denken. Mäuerchen, vertrocknetes Pflanzenwerk, feuchtgrüne Blätter, sattschwarz vollgesogener Ackerboden, Blicke in die Ferne, wo vereinzelte Sarkophage auf hohen Sockeln standen, und ein großes Mausoleum mit nur zum Teil eingestürztem Tonnengewölbe umgrenzten das Opferfeld. Unter freiem Himmel, bei gereinigter Luft und herrlichen Sonnenstrahlen sollte es geschehen. Der Bock blickte die Menschen an. Wahrscheinlich hatte er noch niemals nach einem Leben in der Herde so viele Menschen gesehen. Von keinem durfte er Rettung erwarten. Es war keiner da, der für ihn nur eine Hand gehoben hätte.

Von einer anderen Seite näherten sich jetzt einige Frauen. Fatma, die im Sitzen so Anmutige, lief schwerfällig wie eine Haremsdame, die das Laufen nicht gewöhnt ist, dahinter kam ein junges Mädchen. Das Kopftuch war besonders tief in die Stirn gezogen. Ein Seitenzipfel verdeckte auch ein Stück vom Mund und die ganze Narbe. Es war Pupuseh. Sie trug eine Schüssel mit einem weißen Tuch und einem scharf geschliffenen Messer.

Nihat machte sich mit einem Spaten nützlich. Ins fette Ackerland grub er einen kleinen Schacht. Muzafer fand das selbstverständlich. Nihat brauchte gar nicht gebeten zu werden, er war froh, etwas zu tun, um seine Anwesenheit zu rechtfertigen. Jetzt wurde der Bock herbeigeführt. Er wandelte still. Manchmal knackte etwas unter seinem Schritt. Er hob dann den Kopf und lauschte. Ja, er verursachte noch Geräusche, er dirigierte seine Muskelpracht und sein Gewicht, die Hörner und das Zottelfell noch sicher über die Erde. Darin hatte sein Leben bestanden, diese schöne Last fortzubewegen, zu nähren und zu tragen. Was würde er jetzt erfahren? Mir war, er sehe den Imam eindringlich fragend an.

In einer einzigen Bewegung war der Bock überwältigt. Er war am Kopf in einem engen Kreis geführt worden, gehorsam mitgegangen – »seht ihr, ich versuche alles zu tun, wie ihr es wollt«, schien er zu sagen – und wurde plötzlich, als sei er keine Statue, sondern schon ausgestopft, auf die Seite geworfen. Muzafer kniete sich mit seinem ganzen Gewicht auf ihn. Der Imam im weißen Hemd neigte sich zum Kopf des Bocks und flüsterte etwas in sein Ohr, während er in die Ferne sah. Pupuseh trat hinzu. Der Imam sah sie an und nahm das Messer von der Schüssel. Der Bock blickte zu mir herüber. Erkannte er mich? Dachte er: »Diesen da habe ich vorhin schon einmal gesehen«? Der Imam stach zu. Es war nichts zu hören, nur ein Zucken ging durch den großen Leib, das anders war als der Versuch, Muzafers Last abzuschütteln. Und nun ergoß sich tiefdunkles Rot in den von Nihat gegrabenen Schacht. Dies Blut war in seiner Farbe und Tiefe so überstark, daß es das einzig Reale des ganzen morgendlichen Bildes zu sein schien. Es war, als reiße eine feine Bildhaut, ein schillernder Film auf und lasse den Quell entspringen, der in Wahrheit hinter allem sprudelte.

Dieser Eindruck dauerte so lange, wie der dicke Schwall sich aus dem Bockshals ergoß. Dann löste die Szene sich auf. Das Opfer war gebracht. Der Kopf des Bockes wurde abgeschnitten. Das stolze Opfertier war jetzt nur noch eine Ansammlung von nützlichen und unnützen Substanzen. Der Metzger vollbrachte ein Kunststück. Dem an den Hinterbeinen aufgehängten Bock wurde das Fell abgezogen, ohne mehr als notwendig davon zu zerschneiden, mit feinem Messer trennte er, behutsam schneidend, die Lederhaut von den Muskeln und zog und schnitt, während aus dem Hals des Tieres noch das Blut tropfte. Auch jetzt noch herrschte Eile. Die Gesellschaft in Muzafers Haus wollte das Opfermahl halten und das gebratene Fleisch des Ziegenbocks essen. Mit Palm ging ich langsam hinter den anderen zum Haus zurück.

Da kam mir mit schnellen Schritten Pupuseh entgegen. Sie hielt die leere Schüssel in der Hand und wollte noch einmal zum Metzger gehen. Sie lächelte nicht, als sie mich sah. Ihr Gesicht war unbewegt. Und aus diesem Maskengesicht kam schnell und klar der Satz: »Siehst du die Ruine dort hinten? Dorthin komme ich in zwei Tagen um elf Uhr nachts.« Dann war sie schon weitergelaufen. Etwas Merkwürdiges fiel mir ein, als ich mich umdrehte und das halb eingestürzte Tonnengewölbe am Rande des Ackers betrachtete: Nickels Grab – sieht das nicht aus wie Nickels Grab?

Draußen herrschte jetzt triumphierender Sonnenschein, während in Muzafers dunkler Küche die Männer auf dem Boden vor dem Feuer hockten, um das Opfermahl zu halten. Die Frauen kamen später an die Reihe und waren, bis auf Fatma, die das Fleisch briet, unsichtbar. Sie beugte sich über die Glut und lehnte sich zurück und reichte Teller weiter und beugte sich wieder vor, auf den runden Hinterbacken wie auf einem Kugellager rollend. Das Fleisch war dem toten Bock aus dem Leib gerissen, so sah es aus, Fetzen wurden da gebraten, und das geopferte Tier brachte sich jedem noch einmal gründlich ins Gedächtnis, denn es war so zäh, daß man es auf dem Feuer gebraten eigentlich gar nicht hätte zubereiten dürfen; nach stundenlangem Schmoren in einer Kasserolle wäre es vielleicht genießbar geworden. Aber hier ging es nicht um den kulinarischen Erfolg. Es mußte alles genau so sein, und es war so, und niemand fand etwas daran auszusetzen. Nur Nihat flüsterte bedrückt mit Herrn Palm und zeigte mit dem Finger an die rußige Zimmerdecke. Es beunruhigte ihn, wie Palm mir übersetzte, daß die Sonne schien. Wenn Gott das Opfer annahm, pflegte er einen kräftigen Donner rollen zu lassen, *Masallah* hieß dieser Himmelslärm, und es war bis auf das Vogelzwitschern lind und leise in den Lüften gewesen. War das auch Muzafers Sorge? Seinem sorgenvollen, die Sorgenherrscherhaft zurückdrängenden Gesicht war das nicht anzumerken. Auch ich hatte Anlaß, beim Kauen in Gedanken zu sein, ja, es war, als bestehe ein Zusammenhang zwischen der Mechanik der Kinnbacken und dem Denken, als würde da wie mit dem Trittbrett einer Nähmaschine ein Gedankenschwungrad angetrieben, das etwas aufrollte und ausbreitete.

Ich verweilte zunächst immer wieder bei dem Bild der das Messer reichenden Pupuseh. Dies war ein derart selbstverständlicher Ablauf gewesen, als habe sie von jung auf bei solchen Opferhandlungen ministriert. Sie schien hier nicht das mindeste fremdartig zu empfinden. Dies waren alles Vorgänge, die keinerlei Rechtfertigung bedurften. Ich erfuhr hier etwas Neues über sie. Sie war schon längst nicht mehr das Mädchen aus der Wäscherei für mich, das war nun längst schon eine Verkleidung, unter der sie mit mir in Verbindung getreten war, um mich auf bisher unbetretenes Territorium zu locken. Es war bei mir wohl unausgesprochen die Überzeugung vorhanden gewesen, Pupuseh befinde sich mit ihrer Umgebung und ihrem Herkommen in einem gewissen Dissens. Sie gehe nicht darin auf, empfinde ihr Anderssein schmerzlich und fühle sich unverstanden. Sie suche Zuflucht bei mir. Sie sei mir zugetrieben, eine entwurzelte Pflanze, die ich nun mit neuem Humus zu umgeben und zu umfangen hätte, wobei ich selbst mich als gleichfalls wurzellos treibend empfand und schon in dieser Gleichheit eine Zugehörigkeit und grundsätzliche Anziehung sah. Aber das war falsch. Pupuseh mußte sich nicht überwinden, als sie das scharfe Messer dem Imam reichte, und sie mußte den Kopf nicht abwenden, als er es dem Bock knirschend in den Hals stach, zu dessen höchstem Erstaunen, er war nach dem Flüstern wohl auf etwas anderes gefaßt gewesen. Es erschreckte mich keineswegs, daß sie sich so bereitwillig an der Tötung des Bocks beteiligte. Ich erwartete bei Pupuseh nicht die Seelenlage einer tierschützenden westlichen Großstädterin; im übrigen war der Bock auch gar kein Tier mehr gewesen, die Umstände seines Todes hatten ihn, so schien mir, weit über seine Möglichkeiten hinausgetrieben. Was war nun neu an Pupuseh? Sie hatte mich dorthin bestellt. Wollte sie, daß ich sie so erlebte? Aber nein, sie sah ja gar nichts Außerordentliches in ihrer Handlungsweise, und es hatte am Vortag wahrscheinlich nicht einmal festgestanden, daß die Aufgabe ihr zufiel, das Schlachtmesser herbeizutragen. Sie dachte gewiß fast überhaupt nicht an die Tötung des Bocks als an etwas, das ihre Person berührte oder näher bezeichnete. Sie hatte in ihren Augen dem jugendlichen Imam das Messer nicht anders gereicht als den alten Frauen in der Frankfurter Anlage die Süßigkeiten. Dies alles waren Pflichten, die sich aus dem Leben selbst ergaben. In meinem Leben gab es solche Pflichten nicht. Aus meinem Leben ergab sich gar nichts.

Ich hatte mir vorgestellt, Pupuseh empfinde sich als halber Mensch in ihrer Einsamkeit. Dahinter standen meine Schullektüre griechischer Philosophie und irgendwelche Gedichte, die die Liebespaare als zwei Teile eines Wesens schilderten, die danach strebten, sich wieder zu diesem einst gewaltsam gespaltenen Wesen zu vereinigen. Das war die hochgestochene Version meines starken Gefühls, Pupuseh zu brauchen, auf sie angewiesen zu sein, aus der ich ohne weiteres den Schluß zog, daß auch sie mich brauche und auf mich angewiesen sei. Aber wenn das vielleicht und hoffentlich auch der Fall war, dann jedenfalls in ganz anderer Weise, als ich das bisher gesehen hatte. Pupuseh war etwas Fertiges, ein rund in sich ruhendes Wesen, das zwar zu mir hinstrebte, aber nicht aus einem Gefühl des Mangels heraus. Ich würde ihr nichts hinzufügen, sie mir allerdings Beträchtliches, und vieles davon würde gar nicht so einfach zu konsumieren sein.

Ich staunte über die Kühnheit und Entschlossenheit, mit der sie mir ihre Botschaft, man könnte auch sagen ihren Befehl, vermittelt hatte. Palm ging in diesen Augenblicken einen Schritt voraus, aber der deutsche Klang flog ihn dennoch an. Er drehte sich um. Da war sie schon fortgelaufen. Es wurde jetzt ernst.

Von Girmeler war es nicht mehr weit nach Kemer, einer schmutzigen, in unbeholfenen Betonbauten rund um den Fluß hingeworfenen Stadt. Auch Pappeln und Eukalyptusbäume standen dort herum und zeugten von den fahrigen Versuchen, etwas schattig Gartenhaftes in das Durcheinander zu bringen. Dort gab es eine Bank, und neben vielen Läden mit Bedarf für die Landwirtschaft auch einen Juwelier oder Händler mit Goldsachen. Dieses Geschäft war gleichfalls auf die Bedürfnisse der Bauern eingerichtet, denn Gold und Goldschmuck galten hier als die eigentliche Mitgift einer Frau. Für Hochzeiten rüstete man sich in diesem Lädchen aus. Es ging dabei vor allem um Gold; Perlen und Steine waren in ihrem Wert viel zu schwierig einzuschätzen. Für das Gold gab es die Waage, und der Goldpreis stand in der Zeitung, das waren überschaubare Transaktionen. Obwohl ich mit Herrn Palm nach Girmeler gekommen war, nahm ich mir für die Weiterfahrt Ibrahim, der sich freute, aus dem lastenden Umkreis Muzafers zu entkommen, so ehrenvoll es für ihn war, sich dort aufzuhalten, denn ich wollte mich vor Palm nicht offenbaren, ich wollte weder seine Mahnungen noch Bedenken hören und schämte mich überhaupt, wie das mit solchen süßen Geheimnissen eben manchmal ist; man glaubt, sie verfliegen wie ein Parfüm, wenn man die Flasche offen stehenläßt.

In der Nähe des Goldladens lungerte Fazli herum und sandte mir einen vollendet ausdruckslosen Blick zu. Seitdem ich bei

Leute, die dem Teufel vor die Tür gehen, müßten bei dem Gedanken erbleichen, daß man in ihrer Wohnung ein ausgelegtes Spitzendeckchen entdeckte und ihnen dieses Deckchen auch zurechnete. Und weil die Verachtung des Spitzendeckchens inzwischen die gesamte Gesellschaft durchsäuert hat und es ein Milieu, das seine Möbel und Deckchen schont, gar nicht mehr gibt – der kleinbürgerliche Geschmack begünstigt inzwischen ganz andere Gegenstände –, dürfen sich alle Deutschen in diesem Punkt überlegen und frei vorkommen. Und weil ich meinerseits nun gerade einen wirklichen Schritt in die Freiheit getan hatte und auch schon die völlig veränderte Luft atmete, die in ihr wehte, den Kopf, wie ich fühlte, ganz anders auf den Schultern trug und geradezu ein wenig berauscht war, wandte ich mich mit wirklichem Interesse und unbefangenem Urteil den ausgelegten Deckchen zu und wählte wirklich aus, ernsthaft die Vorzüge des einen gegen die des anderen abwägend. Es war jetzt ganz anders als mit der goldenen Vase. Die goldene Vase war fast ein surrealer Gegenstand, sie war auf eine theatralische Weise geschmacklos, man konnte behaupten, damit einen absurden Fund gemacht zu haben. Ich hatte sie Seliha geschenkt, weil sie nicht gut genug für Pupuseh gewesen war. Aber Seliha präsentierte ich die beiden sorgfältig ausgewählten Deckchen jetzt ohne innere Distanz. Und deshalb vermochte mich ihre Aufnahme auch wirklich einzuschüchtern.

Als sie sie ausgepackt hatte, untersuchte sie sie sorgfältig. Dann erhob sie sich von den Knien und ging elastisch wie immer hinaus. Nach kurzem kam sie mit einem Paket zurück, das in Frotteehandtücher gewickelt war. Die Handtücher wurden aufgerollt und gaben ihr Inneres preis. Und bald sah es aus, als habe es in dem Zimmer handtellergroße Schneeflocken geschneit. Alle Arten geometrischer Muster, in Deckchen gehäkelt, lagen um mich herum. Gotisches Maßwerk, Kaschmir-Fischblasen, Sterne, Blumen, Zacken, Würfelwerk, Sechsecke, Achtecke, Zwölfecke, Kreise und Ellipsen. Alle waren reicher im Muster als die von mir ausgesuchten. Sie ließ sich jetzt den Preis sagen und versteinerte in vornehmer Ablehnung solchen Betrugs, als ich ihn nannte. Sie ließ die braune Hand über die Fülle der Deckchen schweifen. Es war alles ihr Werk und das Werk ihrer Töchter. Die Fülle an Mustern in ihrem Kopf war unerschöpflich. Wie die Natur gebar sie unablässig neue Kristalle. Der

Meerschaum und der Firnschnee, die Apfelblüte und der Rauhreif, die weiße Asche eines verglühten Baumstamms und die Spinnennetze, alles das konnte sie in Spitzenform umsetzen und in den Kreis eines Deckchens einfangen. Niemals würden ihre Töchter, und heirateten sie noch so vorteilhaft, so viele Sofas und Tischchen besitzen, um dies alles auszulegen. Das Spitzenhäkeln war längst jedem Gebrauch enthoben. Es war wie ein Gedichteschreiben. Man mußte Seliha bewundern wie einen großen Architekten, der seine Kuppeln immer komplizierter auftürmt. Es war nicht ihre Schuld, daß sie in ihrer Welt nur Fäden in die Hand bekam, um Formen zu schaffen. Es war, als sie inmitten der Deckchen kniete, als sei sie von ihrem weiten Brautkleid umgeben und zeige noch einmal, was sie Nihat mitgebracht hatte.

Er schlug sich vor Vergnügen auf die Schenkel, während sie mit der gleichen Sorgfalt nun alles wieder einpackte, meine Geschenke übrigens mit einbezog und offenbar doch für irgend etwas brauchbar erachtete. Sie war kaum aus der Tür, da blies er die Wangen wie ein Wasserspeier auf und warf sich in die Brust. Er hatte Sorgen und zu viele Töchter, aber eine Frau, die ihresgleichen nicht hatte.

Besaß auch Pupuseh solche wunderbaren Talente? Würde auch sie, durch Fatma angeleitet, unablässig häkelnd und stickend alles in ihrer Umgebung einspinnen und umhüllen, als Nachfahrin der teppichknüpfenden und stickenden Zeltbewohner? Das war jetzt nur die Frage, ob Pupuseh noch mehr bewunderungswürdige Talente in sich trug als die mir schon bekannten. Ich fürchtete die Antwort nicht. Ich bejahte alles, was sie mitbringen oder ererbt haben mochte. Solche Deckchen wirkten in den Häusern von Nihat und Muzafer anders als in Frankfurt. Wo es eigentlich gar keine Möbel gab, sondern nur dies Übereinander von Teppichen, Kissen und Tüchern, sahen sie viel weniger kleinlich aus. Sie konnten auch nicht so ostentativ irgendein Möbel dekorieren wollen, weil alles hier mehr in eins schwamm. Ja, ich wollte für Pupuseh mit den hiesigen Möglichkeiten einen kleinen Palast errichten.

Viel Glitzerndes würde sie umgeben. Ein Kronleuchter aus buntem Glas mit glänzenden Weihnachtskugeln würde von der Decke hängen. Die Fenster strahlten rubinrot und tintenblau und raubten einem Rosenstrauß, der vor ihnen stand, alle Farbe, denn künstliche Farben waren schöner als natürliche, die natürliche Welt würde vergehen und verfallen, die künstliche aber bot einen Vorgeschmack auf den Himmel. Wir würden auf wildgelockten und geschneckten und geschnitzten Sesseln sitzen, Möbel im adrianopolischen oder im Koromandelstil müßten es sein, aus korallenartig zerklüftetem Holz, alles vergoldet und versilbert. Ich sah mit Goldstoff bezogene Louis-Seize-Sessel vor mir wie aus einem altertümlichen Luxusbordell – ja, her damit, die waren genau das richtige. Und Ampeln aus buntem Glas, anders bunt als die Fensterscheiben, und pfenniggroß gehackte Spiegelstückchen, die wie ein Silberregen in die Wand gegipst waren, wieder in einem herrlichen Muster. Muster mußten her, eine Überfülle von einander übertrumpfenden, totschlagenden Mustern, Muster, um schwindelig zu werden, wie in einem Warenlager. Und ein Bett wie ein Zelt, mit rauschenden rosa Seidenvorhängen, mit Papageien und Pfauen und Riesenschmetterlingen bedruckt, und übereinandergestapelten Matratzen, ein Lager, kein Möbel, wer weiß wo aufgeschlagen. Und nirgendwo würde ein einziges Bild sein, um den Propheten zu ehren und um in ihm Pupuseh zu ehren, die in all dieser farbigen Überfülle das einzige Bild wäre. Ihr weißer Körper und ihr Gesicht mit seiner genauen Stirn mußten als immer neuer Schock in diesem gehäuften Goldplunder erscheinen.

So träumte ich und sah schon alles zum Greifen vor mir, denn es waren keine Phantastereien, alles war aus der Wirklichkeit genommen und nur noch ein bißchen wollüstiger gesteigert und arrangiert. Friedlich ging ich zu der Platane, wo an diesem Festabend Palm mit seiner Rakiflasche die beiden Ingenieure bewirtete, die von ihren Forellenbecken heruntergekommen waren. Die Ingenieure hatten kein Bayram gefeiert. Ünal lehnte das Bayram-Opfer nicht ab, erklärte aber, nicht dabeisein zu brauchen; wenn es wirke, wirke es auch ohne ihn. Turhan waren solche Erklärungen ersichtlich unheimlich. Er fand, er sage, wenn er schon nicht hingehe, lieber gar nichts. Bei einem so stämmigen großen Mann wirke diese Auffassung ein wenig kläglich. Turhan war überhaupt heute stiller. Der Bruder Lustig war nicht mit sich im Einklang. Ünal hingegen hielt den Kopf in den Nacken gelegt und blickte stolz und streng um sich. Er sah auf eine idealistische Weise hübsch aus mit seinen dunkelblonden Locken, aber es fiel mir wieder seine kindliche Magerkeit auf. Sein Ernst hatte plötzlich etwas von der Humorlosigkeit eines Gymnasiasten. Die Sonne wärmte noch, und Schweißtröpfchen standen auf Ünals Stirn. Er holte ein großes Tuch aus der Hosentasche hervor, am Rand mit schwarzen Glasperlchen bestickt, und wischte sich damit ab. Das geschah nicht ohne Bedeutung. Das Tuch wurde aufgefaltet und wieder zusammengefaltet und kam dann zurück in die Hosentasche.

»Das ist ein Schleier, den ihm seine Liebste geschenkt hat«, sagte Turhan spöttisch.

»Niemals würde sie so etwas tun«, sagte Ünal tadelnd, »sie ist ein anständiges Mädchen. Ihr Bruder hat ihn mir verkauft.«

SECHSUNDZWANZIGSTES KAPITEL

Man hat gesagt, das Erotische liege in einer Neigung des Nackens, in einer Bewegung, es sitze in den Augenwinkeln. Wo saß es bei Zeynab? In Frankfurt hätte ich geantwortet: »Gewiß nicht in den großen Brüsten und dem vollen Mund.« Jetzt wußte ich es. Es saß in ihrer Stimme. Die Entdeckung befriedigte mich, und so ließ ich sie reden. Sie hatte Zeit, denn der Salon war schon geschlossen. Die Ruine, von der Pupuseh sprach, Nickels Grab – warum sagte ich immer Nickels Grab, wenn ich an dieses Gewölbe dachte? – war ihr genau bekannt. Sie wollte mich jetzt zu einem Versprechen verpflichten.

»Wenn du Pupuseh in der Ruine gesehen hast, versprichst du mir, daß du danach sofort abreist? Ich verstehe, daß du hingehst, ich verstehe auch Pupuseh, aber danach mußt du aus der Gegend verschwinden, sonst bringst du euch beide in Gefahr.« Hüssein, der Wäschetürke, wolle von Muzafer Pupuseh erzwingen, und Hüssein sei reich. Er laufe durch Frankfurt und stoße Verwünschungen Muzafers aus, ganz Frankfurt sei auf dem laufenden, so sagte sie in aller Naivität, indem sie die türkische Kolonie der Münchner Straße als »ganz Frankfurt« bezeichnete, aber so machte es schließlich jeder, die dreißig Leute, mit denen man umgeht, nennt man »ganz Frankfurt«.

Seit wann duzte mich Zeynab eigentlich? Vielleicht wollte sie ihre Warnungen und Anweisungen dadurch dringender machen. »Du mußt« klingt überzeugender als »Sie sollten«. Ich hatte auf einmal das Gefühl, sie wisse etwas, was sie mir nicht verraten wolle. Mußte ich etwa befürchten, daß Zeynab sich zwischen mich und Pupuseh stellte? Gab es da etwa eine Eifersucht? Hatte Zeynab etwa die Überzeugung gewonnen, Pupuseh vor mir schützen zu müssen? Wir hatten bisher ganz offen gesprochen. Mußte ich mich vor Zeynab etwa in acht nehmen? Tatsächlich würde das nächtliche Treffen an Nickels Grab – ich behielt schon gleich diesen unbestimmt komisch klingenden Ausdruck bei – eine Wende bringen. Es würde sich dann herausstellen, ob ich gemeinsam mit Pupuseh hierblieb oder gemeinsam mit ihr abreiste. Nur allein würde ich mit hoher Wahrscheinlichkeit nichts unternehmen, denn alles, was nach diesem Treffen kam, würde hoch heikel sein, da konnte ich sie nicht ohne meinen Schutz zurücklassen. Und gegenwärtig war die Not doch eigentlich gar nicht so groß, wie Zeynab das behauptete. Hüssein lief in Frankfurt herum. Nun, das war weit weg. Von mir wußte er nichts. Muzafer war darauf konzentriert, sein Mündel vor allem Hüssein zu entziehen, wegen dessen losen Sitten vermutlich, die in Muzafers puritanischem Familienkreis streng verurteilt wurden. Und doch war es lieblich, Zeynab zu lauschen. Ich ließ es mich was kosten. Die Wärme ihrer Stimme strahlte über ein Timbre von vielen auch metallisch surrenden Schwingungen. Es war, als klopfe man auf eine große dicke Gitarre, bringe damit aber außer dem Holzton und seinem Echo noch ein ganz leichtes Saitenschnarren und Brummen hervor.

Palm hingegen hatte sich zu einer neuen Haltung entschlossen. Er warnte nicht mehr. Auf die einschneidende, mein Leben wie mit einem Messer köstlich öffnende und befreiende Sekundenbegegnung in Girmeler nach dem Opfer, die er halb mitbekommen hatte, ohne ein Wort zu verstehen, nur eben begreifend, daß da hinter ihm etwas geschah, sagte er mir westfälisch ironisch: »Pumphöschen, Pumphöschen! Vorsicht, Vorsicht!«, aber sonst schenkte er sich jeden Kommentar. Allerdings bemerkte ich manchmal, daß er mich nachdenklich betrachtete. Es lag dann Resignation in seiner Miene. Man kann euch nicht raten, man kann niemandem raten, jeder muß alles allein bewältigen, schien er zu denken, aber ohne Verdrossenheit, väterlich geradezu. Und deshalb war ich auch gern bereit, mich ihm unterzuordnen und seinen Forderungen im Gespräch zu folgen. Palm war gewohnt, das Thema anzugeben. Ich verstand allmählich, daß es für einen ordentlichen Professor und

Chef eines Ausgrabungsvorhabens sehr mühevoll sein mußte, mit einem Untergebenen Palm zu arbeiten. Er fuhr den Leuten einfach über den Mund. Ich zweifelte nicht daran, daß er das auch mit seinen Vorgesetzten so gemacht hatte. Angemaßte Autoritäten wurden fleißig demontiert, und nachher, wenn man sich seiner entledigt hatte, durfte er ein weiteres Mal resümieren, daß da »manches nicht gut gelaufen sei«. Als ich eben noch den diskret mit seinem Liebespfand prunkenden Ünal nach dem Wohlbefinden seiner Braut und seinen Hochzeitsplänen, nach der Quelle kurzum, aus der bald sein Erfolg und sein Glück als Ehemann sprudeln würden, befragen wollte, fuhr Herr Palm einfach dazwischen und begann ohne Rücksicht mit Ausführungen, die viel Bedenkenswertes enthielten, es den beiden Ingenieuren aber beim besten Willen unmöglich machten zu folgen. Sie verabschiedeten sich denn auch nach einer Weile, in der sie dennoch höflich gelauscht hatten, mit dem gewohnten Respekt, und er schien nicht einmal zu bemerken, daß er sie vertrieben hatte.

Mit Ünal über Girmeler zu plaudern wäre mir dabei willkommen gewesen. Wir befanden uns in ähnlicher Lage. Für die Bauern von Girmeler war Ünal, der studierte und diplomierte Ingenieur, Abgesandter einer anderen Welt. Der Abstand mußte riesengroß sein, dachte ich mir, mindestens so groß wie zu mir, ja, vielleicht größer, denn ich besaß aus meinem westlichen Blickwinkel heraus die Möglichkeit zur Einfühlung in diese Leute. Ünal hatte sich von ihnen entfernt, ich hingegen näherte mich ihnen an; er wollte nicht mehr verstehen, was er allzugut kannte, ich wollte verstehen, was ich noch nicht kannte, was sich aber immer weiter offenbaren würde.

»Man darf sich die Kontinuität, die hier abgerissen ist, nicht zu strahlend vorstellen«, sagte Palm. »Die Griechen, die hier hausten, waren seit langem von allem abgeschnitten und verbauert, wenn man von den Städten absieht, Smyrna war eine reiche und bedeutende Stadt. Aber es war doch noch ein Zusammenhang da mit dem, was hier einmal entstanden ist. Sidyma ist der Ort eines Konzils. Die Gemeinde wurde durch einen Schüler des heiligen Paulus gegründet. Seit Konstantin war Sidyma Residenz eines Erzbischofs. Wenn Sie heute das Päpstliche Jahrbuch aufschlagen, werden Sie die Erzdiözese Sidyma noch aufgeführt finden, denn die Römer lassen solche Institutionen nicht einfach fallen; der Erzbischof von Sidyma, den sie dort nennen, ist Australier und Nuntius in Toronto, er hat seine Erzdiözese nie gesehen und tut auch gut daran, sich dort nicht blicken zu lassen. Muzafer würde von wahrhaft heiligem Zorn befallen bei allem, was nach christlicher Inbesitznahme aussehen könnte. Wenn Sie Steine und Quader von Sidyma geschickt würfeln und in die richtige Ordnung fallen lassen, bekommen Sie nicht nur einen Aphroditetempel, sondern auch eine ziemlich große Basilika heraus.« Nihats Vater habe noch orthodoxe Christen hier erlebt. Da wurden sonderbare Gerüchte weitergetragen von dem unverständlichen Treiben dieser Leute. Damals standen noch einige Kirchen, die dann alle später sorgfältig abgerissen wurden, um jede Erinnerung an die eigentlichen Erben des Landes auszulöschen. Besonders die orthodoxe Osternacht war den Türken unheimlich. Mitten in der Nacht zogen da Männer und Frauen mit Kerzen in die Kirche und schlossen sich dort ein. Heraus drangen trüber Lichtschein und langgezogene Gesänge, und alle, die die Kirche verließen, küßten sich. Da mußten schaudererregende Orgien gefeiert werden. Alle Männer fielen da über alle Frauen her. Nihats Gesicht glühte vor Anteilnahme, nur Selihas Anwesenheit hinderte ihn daran, alles, was man ihm zugetragen hatte, auszuführen, denn wenn es auch nur Griechen waren, die so etwas taten, und wenn sie nun auch tot und verjagt waren, konnte man doch nicht wissen, was eine Frau aus alldem für sich herauslas.

»Und wie primitiv die Leute auch gewesen sein mögen, sie haben bis in die zwanziger Jahre hier Hymnen aus dem vierten Jahrhundert gesungen und haben das griechische Flämmchen damit am Leben gehalten.« Auf einmal wurde er zornig. Es war ein rhetorischer Zorn allerdings: »Sie suchen hier das Andersartige, das Fremde. Sie stürzen sich hier in exotische Abenteuer, weil Sie mit Ihrem Gefühlsleben in Frankfurt nicht zu Rande gekommen sind, aber Sie machen sich etwas vor. Dies ist das Land von Paulus, Nikolaus von Myra und dem Riesen Christophorus. Sie könnten hier Mozarts wienerisch-deutsche Zauberflöte spielen lassen, in einem der großen Theater, in denen schon vor zweitausend Jahren Oper gespielt wurde: Die Königin der Nacht als die große Diana von Ephesus mit hundert Brüsten und Schlangen in den Händen, Sarastro als Haupt einer gnostischen Sekte oder als frühchristlicher Abt und Mönchsvater, Papageno als Pan, die Musik von Orpheus' Lyra, die die wilden Tiere anzieht, wird von der Flöte übernommen, die schaurigen lykischen Grabfelsen mit Harpyien und Sirenen bilden den religiösen Humus und Morast. Ich stelle mir wirklich manchmal vor, Schikaneder sei hier gewesen oder habe in Reiseberichten aus Lykien geschmökert, als er sein Stück erfunden hat. Im Grunde ist Ihr Pumphöschen hier genauso fremd wie in der Wäscherei in Frankfurt.«

Jetzt klang seine Zunge schwerer. Die scharf blickenden Augen wandten sich nicht mehr nach außen, so sah das aus, das Leben war aus ihnen gewichen, er schien nach innen zu blicken. Da waren weite Hallen zu durchmessen, in die er sich allmählich entfernte. Ich begleitete ihn zu seinem Häuschen, wo die Zypressen ihn erwarteten. Mit jedem Schritt nach vorn wich seine Geistesgegenwart ein Stück zurück. Im Häuschen wünschte er kein Licht. Ein wenig Glut lag noch im Kamin, die genügte ihm, um sich zurechtzufinden. So wankte er seiner Grabeshöhle entgegen, dem Ort, an dem er sich dem Leben, wie es sich in Vergangenheit und Zukunft ausdehnt, am nächsten fühlte.

So gut ich auch in den letzten Tagen geschlafen hatte, ich war froh, heute dem Schlafbedürfnis durch Palms Raki nachgeholfen zu haben, denn nun, wo die Uhr lief und die Begegnung mit Pupuseh unmittelbar bevorstand, war es um meine Ruhe geschehen. Vor allem auch um ein gelassenes Denk- und Zergliederungsvermögen: ich bekam einfach keine Ordnung hinein in das, was in dieser Nacht gesagt werden und geschehen sollte. Ich mußte damit rechnen, daß sie nicht viel Zeit hatte, weil sie sich mit List aus dem Hause stahl. Offenbar war die Gelegenheit übermorgen dazu besonders günstig. Oder aber sie hatte besonders viel Zeit, weil sie gar nicht mehr zurückzukehren gedachte; und auch für diesen Fall mußte ich gerüstet sein, am besten durch Geld, um ein Auto oder ein Motorrad zu beschaffen. Aber ich sah sie nur immer mir entgegenkommen, eilends mit strahlendem Lächeln, und dann gingen alle anderen erforderlichen Überlegungen in diesem Bild auf. Dabei wäre es naheliegend gewesen, sich hier ein paar Gedanken zu machen, denn nach Antalya war es weit, und wenn es darauf ankam, einen gewissen Vorsprung zu gewinnen, dann mußte diese

Fahrt sehr gut vorbereitet sein. Ich erinnerte mich an den würdigen Offizier in seinem rosa gestrichenen Büro, wo er mit dem osmanischen Dragoman zeremoniell plaudernd die Zollformalitäten erledigte. Dieser Mann würde, wenn er von Muzafer aufgeschreckt würde, sehr nachdrücklich tätig werden, wenn ich mit Pupuseh dort abzureisen hoffte. Vielleicht war es das allerklügste, nur zum Meer zu fahren, um mit einem Boot eine der vom Ufer aus fast greifbaren griechischen Inseln anzusteuern. Dann war auf jeden Fall schon einmal das Land verlassen. Aber was geschah dann in Griechenland mit Pupuseh? Würde man ihr die Weiterreise erlauben? Das alles wußte ich nicht. Ich hielt für möglich, daß es ganz einfach war. Aber schuldete ich ihr nicht Sicherheit und eine Reise ohne Ängste? Ich war natürlich verwöhnt. Alles hatte sich bisher gelöst, wie wenn Buchseiten umgeschlagen werden. In der Vermessenheit des Glücklichen sagte ich mir, daß ich nun schon völlig zu Hause in dieser Region sei, ihre Gesetzmäßigkeiten kenne und ebenso improvisierend operieren könne, wie ich es in Frankfurt durfte. Das war ein seliger Einschlafgedanke in meinem hölzernen Kästchen.

Dann sah ich mich draußen mit Pupuseh wieder. Wir waren unterwegs. Wir wanderten durch die Landschaft, einem unbekannten Ziel entgegen. Sie trug ihr weißes Kopftuch und war mir darin auch nun schon viel vertrauter als mit dem schönen wilden Haar in Hüsseins Wäscherei. Dunkelgraue Wolken trieben über den Himmel, eine Bewegung, ein Wind war über den Hügeln, und es kamen uns nun Leute entgegen. Erst einige und dann immer mehr: Männer in dunklen weiten Anzügen mit kragenlosen Hemden und Mützen und Frauen in Schwarz mit Kopftüchern, die aber anders als Pupusehs Schleier gebunden waren. Sie waren aus festerem Stoff und ließen die Stirn frei, und unterm Kinn gab es einfach einen dicken Knoten. Die Leute trugen Betten und Säcke und geschnürte Bündel. Es waren auch Kinder dabei. Alle hatten braune Gesichter. Niemand sah uns an. Das strömte einfach an uns vorbei, und wir standen darin in diesem nun schwarz wimmelnden Heer. Sie hatten es eilig, die Leute. Ihre Gesichter waren verschlossen. Sie blickten einem Ziel entgegen, das noch in weiter Ferne lag und schwer zu erreichen war. Und als es mir gelang, Pupuseh an den Rand auf einen kleinen Felsvorsprung zu ziehen, da sahen wir, daß überall im Land solcher Aufbruch herrschte. Von weit weg liegenden Höfen bewegten sich die Züge der Frauen in Schwarz und der Männer in Schwarz, als gelte es, hier ein großes allgemeines Leichenbegängnis zu feiern, wenn nicht alle so viel mitgeschleppt hätten. Das nahm diesen Zügen das Feierliche. Sie waren wie die Ameisen, diese finsteren Scharen, und trugen und schleiften und zerrten hinter sich her weit über ihre Kraft. Feuer traten nun auch auf, zuerst waren es Rauchwolken wie von einem brennenden Komposthaufen, fettweiß, dann verteilte sich der Rauch und wurde immer größer und legte nun unter die weißziehende Wolkenschicht eine zweite bräunliche. Und jetzt sah man es auch brennen. Es brannte überall. Feuerpünktchen funkelten in der Ebene, und aus den Geländefalten, in denen Dörfer lagen, quoll schwarzer Rauch; und Flammenprasseln wurde hörbar wie ausgeschüttetes Wasser.

»Dies dauert nicht mehr lange«, sagte Pupuseh, »dann sind sie weg«. Und tatsächlich, von unserem Standpunkt aus wurden diese dahinziehenden Menschenscharen mit ihrer Habe bald zu Strömen, in denen sich der einzelne nicht mehr unterscheiden ließ, und sie hatten nun wirklich etwas Fließendes, wie sie da zu Tal rannen, und dann war es, als vereinige sich dort in der Tiefe alle schwarze Tinte und verschwinde in einem Loch wie in einem Abfluß. Da waren wir wieder allein.

Die Landschaft wirkte nun frostiger, auch zerrupfter, da und dort stand ein Haus mit offener Tür, die sich im Winde bewegte. Aber wir zogen weiter und erstiegen einen Berg und mußten uns einen holprigen Feldweg hinaufmühen, der von Dornenhecken eingefaßt war. Hier war es sehr dunkel, aber es gab keinen Aufenthalt, und dann standen wir vor dornenbewehrten Zäunen. Ich dachte an Palms weißen Stier, sagte Pupuseh aber nichts davon, das war ein Geheimnis. Und dann sah ich etwas überraschend Neues, was ich auf meinen Wegen zwischen Yakaköy und Girmeler noch nie bemerkt hatte, und Pupuseh war nicht wirklich überrascht, aber auch nicht interessiert, ich mußte sie einweihen.

»Dies hier ist nun eine richtige orthodoxe Kirche«, sagte ich lehrhaft zu ihr, »man erkennt sie an den kleinen goldenen Kuppeln, und dieses Türkis ist eigentlich mehr für Rußland typisch, wie das wohl hierherkommt?« Und zu meiner Verblüffung war sie geöffnet. »Ich kann dir jetzt ganz genau erklären, was das ist und wie es darin zugeht und was das alles bedeutet!« sagte ich zu Pupuseh, und sie sah mich sehr lieb und willig und hoffnungsvoll an. Da erschien auch schon eine Art Priester, ein Diakon wohl eher, in einem zerknitterten Gewand aus synthetischem Goldstoff, das im Wind flatterte wie eine Gardine. Sein Haar stand ab. Er war mager und krank. Er versuchte die Leute, die nun überall sichtbar wurden, zu bewegen, endlich einzutreten, damit die Liturgie anfangen könne. Die Leute krochen mühsam näher. Sie waren arm, in zusammengestoppeltes Zeug gekleidet, triste Anoraks und häßliche Kunstpelzmützen, das Armwirbeln des Diakons glich einem Zusammenscheuchen von Federn, die dadurch mehr vertrieben als eingesammelt werden. Im Innern war alles verwüstet. Alle Bilder waren herausgerissen, die Kronleuchter heruntergerissen, an vielen Stellen sah das nackte Mauerwerk hervor. Die Ikonostase war mit Reproduktionen aus einem Ikonenkalender beklebt. Da und dort brannte ein Kerzlein, ein rotes Lichtpünktchen und ein goldenes. In der Nähe der Ikonostase stand ein Häuflein armseliger Menschen, die die Hände rangen. Es fing nicht an und fing nicht an. Im Hintergrund gab es einen ärmlichen Markt. Dort wurden in Pappkartons Glühbirnen und Kochlöffel und rostiges Eisen und kleine Bonbons verkauft, die Verkäufer standen mit ablehnenden Gesichtern und sahen auf die Leute herab, die in den Kartons wühlten. Der Diakon mit seiner Goldgardine eilte hin und her. Er hatte trotz seiner Jugend Zahnlücken und sah von Sorgen niedergewalzt aus.

»Dies ist die feierliche orthodoxe Liturgie«, sagte ich zu Pupuseh, während sie mich mit kindlicher Treuherzigkeit ansah. »Die göttliche Liturgie des heiligen Johannes Chrysosthomos. Sie ist das Schönste, was es gibt.« Pupusehs Augen waren vor Erwartung groß. Sie sah sich um. Sie sah den geplünderten und verwüsteten Raum, den kranken Diakon, den kleinen Markt mit seinen Ständen, das rote Kerzchen und das gelbe, das inzwischen erloschen war. Die Kraft der Versammelten hatte gerade ausgereicht, um hierherzukommen. Sie würden nicht einmal mehr den Boden von dem Unrat befreien können. Vor meinen Füßen lag eine tote Maus.

»Ist dies das Schönste, was es gibt?« fragte sie, und ihr Vertrauen war grenzenlos, aber ich spürte nun auch ihre Verzweiflung, nicht zu verstehen, was ich sagte, und es doch so gern verstehen zu wollen, weil es nun galt, mit mir durch dick und dünn zu gehen.

Man könnte denken, daß dies ein Traum war, den ich unmittelbar nach dem Gespräch mit Herrn Palm träumte, der dies Gespräch also aufgriff und fortführte. Aber als ich aus ihm erwachte, war es heller Tag. Er hatte sich in den Augenblicken vor dem Aufwachen abgespielt. Von draußen waren Männerstimmen zu hören, und nun erschien auch Seliha mit Tee und machte das Feuer an. Es war Zeit, das rosa Toilettenhäuschen aufzusuchen. Ich tat das jetzt ganz ungeniert im Schlafanzug, und wenn auch alle Töchter des Hauses auf dem Hof Gemüse putzten. Heute waren aber keine Frauen draußen. Durchs Fenster erkannte ich ein großes Auto. Nihat hatte Besuch, vielleicht vom Museumsdirektor, der das Toilettenhäuschen noch einmal genehmigen wollte?

Im nächsten Augenblick schoß mir ein scharfer Schmerz durch die Stirn. Ich war mit voller Wucht gegen den eisernen Türrahmen mit dem Kopf geprallt. Bei den Augenbrauen fühlte es sich feucht an. Sie waren, wie meine Fingerspitzen nach dem Betasten zeigten, mit Blut vollgesogen. Und dennoch ging ich nicht die Treppe hinunter oder rief um Hilfe oder versuchte wenigstens in einen Spiegel zu schauen. Selbst am Fenster kroch ich auf allen vieren vorbei. Denn im Hof stand Hüssein, der Wäschetürke, in friedlichem Gespräch mit Nihat.

Siebenundzwanzigstes Kapitel

Hüssein mochte seine ländlichen Wurzeln haben – er hatte sie, wie sich herausstellte –, aber seine ganze Erscheinung war ein Einbruch des modern Städtischen in diese Umgebung. Vor dem dunkelblauen Lack und den grüngetönten Scheiben des neuen Autos und vor Hüsseins Flanellhosen und dem Telephon in der Hand, das hier, wie er schon feststellen würde, gar nicht funktionierte, wurden Nihats Haus und Hof, die mir nun schon so anmutig vertraut waren, klein und schäbig und Nihat selbst zum hinter dem Mond hausenden Bauerntölpel. Hüssein sah schlecht aus, trotz fettschmieriger Schokoladenbräune. Die Ringe unter den Augen gaben ihm bei seiner Wohlgenährtheit etwas Hohläugiges. Er stand gelassen wie an der geöffneten

Tür seiner Wäscherei auf Nihats von lykischem Gestein buckligem Gelände. Zeitlos und absichtslos sah er um sich. So unangestrengt, wie da unten geplaudert wurde, würde es noch Stoff für Stunden gehen. Meine Stirnwunde erwachte aus der Betäubung des harten Schlags und begann höllisch zu schmerzen. Mitten auf der Stirn würde ich eine Narbe bekommen, damit war zu rechnen. Und dies, was ich hier erlebte, durfte doch nicht folgenlos an mir abgleiten. Es mußte sich schließlich auch am Körper etwas verändern. Es wäre unbefriedigend, wenn er so glatt und nichtssagend, wie er hierhergereist war, auch wieder zurückkehrte.

Ich hatte Zeit zu solchen Gedanken, denn Hüssein ging nicht weg. Aber das Gefühl der Gefährdung legte sich allmählich. Ich gewann die Überzeugung, daß er nicht hier war, um mich zu suchen. Er hatte da unten gewiß schon längst gehört, daß Nihat neuerdings wieder einen Archäologen beherberge, einen Gehilfen oder Mitarbeiter des alten Glatzkopfes, der da drüben schon so lange kampierte. Was diese Leute umtrieb und was eigentlich genau sie taten, würde man ohnehin nie begreifen. Zeynabs Einschätzung, daß Hüsseins Aufmerksamkeit nun schon längst nicht mehr auf mich gerichtet war, traf gewiß zu. Hätte er irgendeinen Verdacht gefaßt, wie leicht wäre es gewesen, sich blitzschnell von meiner Anwesenheit zu überzeugen. Nichts würde ihn hindern, mit Nihat einfach bei mir einzutreten. Nihat aß bei mir und konnte ohne weiteres wen er wollte zu diesen Mahlzeiten dazubitten. Ich besaß dann keinerlei Rückzugsmöglichkeiten. Nein, Hüsseins Energie war nicht auf mich gerichtet. Er ging zum Großangriff auf Muzafer über. Er erschien hier, um von Muzafer Pupuseh herauszufordern, jedenfalls klar zu schildern, wie er sich seine Heirat mit Pupuseh vorstellte. Wenn er tatsächlich noch verheiratet war und die Scheidung anstrebte, konnte er Muzafer etwa eine bedeutende Geldsumme anbieten, um sich bis zum Datum erfolgter Scheidung auf Pupuseh eine Option zu sichern. So stellte ich mir das vor. Diese Art Geschäft erschien mir wahrscheinlich. Hüssein trat offenbar mit der ganzen Rücksichtslosigkeit des erfolgsgewohnten Geschäftsmannes auf, der die Widerstände einfach zu Boden walzt. Was er in Frankfurt alles betrieb, mochte ohne weiteres viel mehr einbringen als Muzafers sämtliche Ziegen, Quellen und Tomatengewächshäuser. Mit diesem aus anderen wirtschaftlichen Verhältnissen gewonnenen Gold konnte Hüssein diese bescheidene, stille, agrarische Welt erblassen lassen, wie er es jetzt schon allein mit seinem Auftreten tat.

Und dennoch war es ein Schein, mit dem Hüssein kämpfte und den Hüssein zu überwältigen suchte, denn er bezog in seine Rechnungen meine Gegenwart hier nicht ein. So sicher und entspannt, wie er da draußen mit Nihat plauderte, war er nur, weil er nicht alle Faktoren der Lage kannte. Hätte er mich zufällig gesehen und erkannt, wäre eine ganze Wunsch- und Traumarchitektur in ihm zusammengebrochen. Sowenig dieses Gebäude aber auch in der Wirklichkeit verankert war, bei seinem Einsturz würde es eine beträchtliche und überaus reale Erschütterung bewirken, mit den gemeingefährlichen Folgen einer Gasexplosion.

Was Hüssein tun würde, wenn er mich sah, war als Gefahr nicht zu unterschätzen. Und ob ihn der Zorn packte und er sich auf mich stürzte – hier trat er mir nicht als der Wäschereibesitzer entgegen und bot fremde Unterhosen an, weil er die meinen nicht wiederfand – oder ob er mit eiskalter Berechnung Muzafer auf mich aufmerksam machte, war fast gleichgültig, denn als Ergebnis stand vor allem eine schärfere Überwachung Pupusehs fest, von unangenehmen Folgen für mich ganz zu schweigen. Vom Treffen an Nickels Grab konnte dann schon gar keine Rede mehr sein. Und da ich, wie man weiß, gar nicht imstande war, über dieses Treffen hinaus zu denken und zu planen, war auch jetzt mein Entschluß allein im Hinblick auf diese Verabredung gefaßt. Ich mußte, bis ich mich dort einfand, verschwinden. Ich durfte zwei Tage lang hier in dem Gebiet um Girmeler herum nicht gesehen werden. Solange Hüssein mich nicht bemerkte, waren Pupuseh und ich in Sicherheit.

Hüssein trank jetzt Tee unter der Platane. Mehmet wurde zur Begrüßung vorgeführt und starrte den Fremden hart an, der sich darum bemühte, dem Kleinen die Reserviertheit zu nehmen, ihm über den rasierten Kopf strich und ihn »Memele« nannte, das in meinem hinter den Fenstern gespitzten Ohr eigentümlich schwäbisch klang, aber offenbar als nicht fremdartig empfunden wurde. Hüssein hatte eine charmante Art, auch mit den Kunden, diese erschöpfte Weichheit des befriedigten Lasterhaften, so wollte ich das jetzt sehen. Daß Pupuseh vor diesem Mann bewahrt wurde, war ein objektives Erfordernis. Es hatte nichts mit meinen Wünschen zu tun. Dieser sanfte Wolf sollte andere Mädchen auf seine Bedürfnisse abrichten. Mehmet taute kein bißchen auf. Dies Kind besaß ein sein Alter übertreffendes Ahnungsvermögen. Ich fand Mehmet sonst oft feindselig, seine Gegenwart belastete mich. Jetzt bewunderte ich ihn.

Schließlich hatte auch diese Rast ihr Ende gefunden. Hüssein ergriff die Autoschlüssel, mit denen er schon vorher klimpernd gespielt hatte, und schloß seinen Wagen auf. Die Auspuffwolke drang bis zu mir ins Zimmer. So jungfräulich, säuglingshaft frisch und zart war hier die Luft und die ganze Atmosphäre, daß sich solche technische Brutalität augenblicklich weit spürbar mit ihrem Gift verbreitete. Vorsichtig verließ ich das Haus, immer bereit zurückzuweichen. Als Nihat mich mit meiner von eingetrocknetem Blut bedeckten Stirn näher kommen sah, ergriff ihn wieder sein frommes Gelächter, die Antwort auf alle Schicksalsschläge. Wäre ich wie der heilige Dionysos mit dem Kopf unterm Arm die Treppe heruntergekommen, hätte Nihats Bauch wohl gleichfalls im Lachen gebebt.

Palm war nicht in seinem Häuschen. Er mochte wieder einmal seinen Stier besuchen. Ich entschied mich, nicht zu Nihat zurückzugehen, sondern hier zu warten. Es war auf jeden Fall ein sichererer Platz. Ich nahm mir einen Stuhl und setzte mich hin. Dies war ein seltsamer Raum. Ich wußte, daß sich hinter dem Kelim nicht die Mauer befand, sondern daß es da tiefer in den Berg und die Zeit hineinführte. Während ich so still dasaß, wurde mir dies Wissen zu einer regelrechten Beunruhigung. Ein Lüftchen zog durch die Tür, die ich offengelassen hatte. Der Teppich bewegte sich ganz leise. Ich war hier Eindringling; daß ich auf dem Stuhl saß, würde Herr Palm mir zugestehen, aber ich wollte auf keinen Fall die Diskretion verletzen. Und hinter den Teppich zu schauen, das war eine solche Verletzung. So leicht er im Winde wehte, er war eine Grenze. So mußte ich mich denn meiner Einbildung überlassen. War ich wirklich allein? Wartete dort hinter dem Vorhang in der Grabeshöhle jemand darauf, daß ich die Geduld verlor und nachsah? Lag Palm dort betrunken und schlief? War er vielleicht tot? Stand Hüssein hinter dem Vorhang? Muzafer oder Fazli? Im Wahn gibt es keine Grenzen, dem überreizten Hirn scheint alles wahrscheinlich.

Ich geriet in Gedanken, so daß ich zutiefst erschrak, als sich die Türöffnung verdunkelte und Palm im Rahmen stand.

Als ich ihm beschrieb, wer aufgetaucht war, mit allem, was das bedeuten mochte, wurde er ernst. Eifersuchtsdramen nähmen in dieser Region oft eine häßliche Wendung. Wenn Hüssein schon in Frankfurt auf mich aufmerksam geworden sei, dann ziehe ein böses Unwetter auf, sobald er mich hier entdeckte. Ja, er teile meine Einschätzung, daß ich von hier zu verschwinden hätte. Dem Hüssein sei Dank, nun endlich sei ich selbst zu diesem Schluß gelangt. Warum ich nicht jetzt einfach entschlossen abreiste?

»Denken Sie an Ali Babas Höhle«, sagte er, »Sie haben sie gefunden, niemand kann Sie Ihnen nehmen.« Seine Fürsorge berührte mich sympathisch. Er hatte das Recht, so zu reden. Natürlich kam es gar nicht in Frage, seinem Rat zu folgen. Es war ein väterlicher Rat, so etwas schiebt man zur Seite. Aber seine Überlegung, mich ans Meer zu bringen, kaum zwanzig Kilometer weit, leuchtete mir ein. Zwanzig Kilometer wollte ich mich gerade noch von Girmeler entfernen. Zur Not könnte ich zwanzig Kilometer sogar zu Fuß laufen und dennoch rechtzeitig zum Rendezvous zur Stelle sein. Das blieb beherrschbar. Aber auf Palms Rücksitz ließ mich während der ganzen mich sonst so entzückenden Talfahrt die Angst nicht los, unversehens Hüsseins Auto zu begegnen. Am liebsten hätte ich mir den Kopf mit einem Schleier nach Frauenart vollständig umhüllt. Wir erreichten dann die Hauptstraße, fuhren lange am Fluß entlang und waren bald in völlig veränderter Umgebung. Und im Fremden und Neuen wurde die Angst dann blasser.

Das Dörfchen Gelemis war vom Meer noch einige Kilometer entfernt, eine Ansammlung schäbiger Pensionen, in denen es im Sommer wohl sehr betriebsam herging, die aber jetzt zum großen Teil noch geschlossen waren. Palm quartierte mich in ein Haus ein, das er kannte. Meine Gegenwart hier sei jedenfalls erklärlich, dies sei ein Badeort, zwar außerhalb der Saison, aber dennoch ein plausibler Aufenthalt für Fremde.

»Wir sind an Girmeler eigentlich immer noch zu nahe«, sagte er, »die Leute hier sind von rastloser Mobilität. Wenn man eine Weile hier lebt, hat man jeden schon einmal an jedem Ort gesehen. Fühlen Sie sich nicht zu sicher!«

Ich dachte wieder daran, daß es neuerdings alte Männer waren, die mein Reisen günstig bestimmten: Hirsch hatte mich nach New York führen wollen, der alte Dragoman brachte mich nach Yakaköy, Ibrahim war immer zu jeder Fahrt gleich gut gelaunt bereit, und Herr Palm machte sich meine Sorgen zu eigen. War das nicht ein gutes Zeichen, daß mir die Hilfe aus dem Herrschaftsraum Saturns erwuchs, der sonst die Leute hindert, der die Pläne zunichte macht, der alles lähmt und hemmt? Mich förderte er. Mir half er zum mühelosen Ortswechsel. Es war, als ob diese Alten in Überwindung der Lebensmühen eine besondere Leichtigkeit erhalten hätten, die sie gern in meinen Dienst stellten. So einfach wird das Leben, schienen sie zu sagen, wenn man sich erst einmal durch alles hindurchgebissen hat.

Leere Stunden lagen vor mir, die reine Wartezeit. So bedeutungsvoll es war, was mich erwartete, so nichtig mußte alles sein, was davor lag. Und da war es, als habe Palm diese Leere noch steigern wollen, indem er mich in eine Gegend setzte, deren Kahlheit und Gestaltlosigkeit wie ein Versuch der Erde wirkten, die Verhältnisse auf einem fernen Stern ahnungsweise wiederzugeben. Das Meer war von Gelemis durch ein weites Dünengelände getrennt, eine hügelige Sandwüste ohne Wege. Anfangs sah man das Meeresblau wie einen schmalen Streifen über dem Sand, aber nach einer Weile Wegs verlor man es aus den Augen, es war wie der »Streif erlogener Meere«, der in der Wüste als Luftspiegelung auftaucht und mit jedem Schritt zurückweicht. Schon einmal war ich im Unwegsamen geradeaus gegangen, höchst zielbewußt allerdings, die Wunden von diesem Weg waren noch nicht verheilt. Hier lief ich ohne Ziel. Meine einzige Aufgabe war, unsichtbar zu sein. Und einsamer und damit auch vergessener wie in den sandigen Senken dieser Dünen hätte ich nicht sein können. Mochte Hüssein auch mit dem großen Wagen in Gelemis vor dem Teehaus vorfahren, um seine Langeweile mit einer Runde Dame oder Mühle zu beruhigen, hier würde er mich nicht finden. Das Schöne an diesen Naturmenschen – ich bezog Hüssein, den erfolgreichen Frankfurter Unternehmer, hier gleich mit ein – war ihre Berechenbarkeit. Aus der Natur machten sie sich nichts. Sie spazierten nicht einfach so in der Landschaft herum. Wenn sie frei waren, saßen sie im Kaffeehaus. Und was war das Grüne vor meinen Schritten? Eine Patronenhülse. Das war die Ausnahme bei den Naturmenschen. Sie jagten, und dann streiften sie sehr wohl auch durchs Unwegsame.

Zehn große Vögel stiegen vor mir auf. Ihr Flug hatte etwas Schwerfälliges, Mechanisches, sie waren wie großes altes Spielzeug zum Aufziehen und flogen so gerade wie Spielzeugflugzeuge und schnarrten dabei wie Karnevalsratschen, und dann sanken sie, als sei das alles schon zu viel und zu anstrengend gewesen, in einem Piniengehölz wieder dem Boden entgegen. Solche Gehölze gab es in der allgemeinen sandigen Kahlheit eben doch, weil die Erde das vollendet Tote nur mit starker menschlicher Unterstützung hervorbringt. Es ist erstaunlich, was alles in den Wüsten wächst und womöglich sogar blüht.

War Hüssein etwa Jäger? Ich traute ihm zu, im Kofferraum seines Autos eine perfekte schottische Jagdausrüstung mitzuführen, mit verschnürbaren Gummistiefeln und Jacken mit Lederplacken an den Schultern, wo der Gewehrkolben angelegt wird, aber ich glaubte nicht, daß er weit lief. Sein Gang hatte etwas Watschelndes, Plattfüßiges, jeder Schritt war ihm zuviel. Er war ein Zimmermensch, denn ich hatte ihn nie mit einer Jacke gesehen, immer nur das fliegende Hemd, an den Manschetten und am Hals geöffnet, weil es dort, wo er sich aufhielt, zu warm war.

Ein Käfer flog mich an, mit schwarzrot gefleckten Flügeln, den kannte ich schon von den Bergabhängen. Mit seinen Schildpattflügeln flog er weit über die Ebene bis hierher ins Unfruchtbare. Es gab im Sand sehr regelmäßige Spuren wie von einem Kettenfahrzeug, einem Panzer geradezu, allerdings nur mit einem Rad. Ich war fest überzeugt, daß es sich um eine Maschinenspur handelte, bis ich eine Schildkröte sah, die mit Arbeitsgebärde ihren Panzer durch die rieselnden Sandhaufen stemmte. Sie ließ in weitem Bogen diese Spur hinter sich, als sei es ihre Aufgabe, den Sand zu segmentieren. Meine Schritte waren viel ausdrucksloser, nur eine kleine Aufwühlung, die sich schon bald, vom Wind angeblasen, wieder einebnete. Hier fühlten sich auch ganz scheue Tiere unbeobachtet. In kurzem Abstand vor mir züngelte das plötzlich in die Höhe: zwei schwarze Schlangen mit metallisch starken Körpern richteten sich nebeneinander auf, als seien sie von der Flöte eines Schlangenbeschwörers dazu verführt, sie standen nebeneinander und schlangen sich dann ineinander zu einem Schlangenzopf, der in der Luft stand, lösten die Umschlingung und begannen sie noch schöner und ein wenig lockerer von neuem und standen auf der Sandhalde wie eine lebendige Bronzeplastik, ein Schlangenstab; der Anblick war nicht weniger schön als der weiße Stier, der lebende in der Schlucht und der marmorne in der Grotte. Die Landschaft brachte einfach solche Kunstwerke hervor, und wenn die Menschen diese Anregung nicht mehr aufgriffen, dann folgten die Tiere der Pflicht zur schönen Form. So flüsterte das, raschelte es, wehte es. Die Schlangen glitten wie schwimmend davon.

Es war jetzt Frieden in mir eingekehrt. Die Spannung verließ mich. Der Aufenthalt im Leeren hatte etwas Paradiesisches. Die Sonne hatte den Scheitelpunkt schon verlassen und brannte nicht mehr. Und nach einigen weiteren Schritten war ein Rauschen zu hören, als habe es die ganze Zeit schon gerauscht. Und nach einigen weiteren Hügeln und Tälern, in denen es nun schon fast gar keine Pflanzen mehr gab, war da das Meer. Der Strand war lang, er verlor sich nach beiden Seiten im Dunst. Auch hier war kein Mensch. Es lag in der Natur meiner ganzen Bewegung auf das Meer zu, nun weiter voranzudringen und auch in das Meer zu steigen und der sinkenden Sone entgegenzuschwimmen. Und so tat ich es auch, obwohl das Licht so blendete, daß die Augen schmerzten. Das Wasser erschien dunkel dagegen, eigentümlich rötlich, wie Tee so golden, und jetzt paßte es einmal, das Meer weinfarben zu nennen, solchen Wein konnte ich mir vorstellen. Der Blick zurück offenbarte ein riesenhaftes Landschaftstheater. Da waren die Schneeberge in der Ferne und die bedeutenden Abhänge in ihrem schwellenden Fluß zu Tal und Baumkronen, die wie grüner Schaum über den Dünen standen. Und dann die menschenleeren Flächen des weißen Sandes.

Nein, doch nicht ganz menschenleer. So klein wie eine schwarze Fliege kroch etwas langsam voran, in stetig stiller Bewegung, durch das Waten im Sand behindert, vom Meer auf die Dünen zu. Keine Eile war der Fliege anzusehen. Sie war wie die Schildkröte ganz still in die Arbeit der Fortbewegung versunken. Hatte der Mensch mich gesehen? Er interessierte sich jedenfalls nicht für mich, in diesen Weiten mußte man sich nicht begegnen. Er war dann bald auch vom ersten Dünenkamm verschluckt. Ich schwamm zum Ufer zurück. Ich dachte plötzlich doch an den fliegengroßen Mann.

Da lagen meine Kleider, wie ich sie verlassen hatte. Nur die

215

rückwärtige Tasche der Hose war aufgeknöpft, der Stoff um das Knopfloch herum noch eingedrückt. Daß zwischen dem offenen Knopf dieser Tasche und dem entfernt Strebenden ein Zusammenhang bestehen sollte, war mir einfach nicht vorstellbar. Daß die Tasche nun nicht mehr das dicke Geldpaketchen, das ich vorsorglich gerade eingewechselt hatte, enthielt, war wie Zauberei. Aber dann war es, als greife etwas nach mir. Das Land war immer noch menschenleer. Aber es war gar nicht menschenleer. Es war auf unheimliche Weise belebt. Der Fliegenmann hatte mich vielleicht auf dem ganzen Weg begleitet, um geduldig seine Chance abzuwarten. Lauernde, herumspürende Wesen hausten hier und hatten den Räuberblick auf mich gerichtet. Ich ging den Strand entlang, der sinkenden Sonne entgegen, die sich wie ein pochierter Eidotter verformte, als sie auf die Dunstschicht über dem Wasser stieß und in sie eintauchte; das sah aus, als leuchte sie unter Wasser in einem dunkleren Licht weiter. Es war jetzt nicht mehr schön am Meer. Am Ende des Strandes fand ich einen kleinen Teegarten, da erwarteten ein paar Männer den Abend bei ihren vergoldeten Teegläschen. Am Zaun lehnte ein Junge mit einer Baseballmütze und sah mich ausdruckslos an. Es war Fazli. Am Handgelenk trug er eine dicke goldene Uhr.

Der Diebstahl am Strand versetzte meiner Gelassenheit, die ohnehin dünn auf einem sich fest verspannten Gefühlsblock auflag, einen Stoß. Ich versuchte die heftige Unsicherheit, die mich befiel und die mit Verwirrung und Verstimmung verbunden war, sofort zu bekämpfen. Der Verlust dieses Geldes sei ein Opfer. Ich sei einverstanden damit, so redete ich auf mich ein. Und es war auch nicht der Geldverlust, der schmerzte, obwohl der Betrag hoch war und ich mich mit diesem Geld für alle Eventualitäten hatte rüsten wollen. Natürlich lag es nahe, Fazli zu verdächtigen, schon weil er so klein war, aber ich mußte mir eingestehen, daß ich den Fliegenmenschen zwar lange im Visier hatte, aber keine einzige Eigentümlichkeit, nicht einmal das Geschlecht sicher beschwören konnte. Es war ein Schlag, die Verhältnisse rund um mich herum so falsch eingeschätzt zu haben. Ich hatte mich allein gefühlt und war nicht allein gewesen. Dies brachte in der überreizten Verfassung, in der ich mich befand, nun alles ins Wanken. Vielleicht sah ich alles falsch. Vielleicht war ich überhaupt nicht imstande, die Signale der Wirklichkeit aufzunehmen. Vielleicht sandten sich die Leute hinter meinem Rücken schon Zeichen zu. Vielleicht war ich längst allseitig durchschaut. Vielleicht würde man bald schon mit dem Finger auf mich zeigen. Ich besaß keinerlei Rechte hier, meine einzige Chance war die Unsichtbarkeit. Aber war mir die Tarnkappe womöglich längst von meinem Kopf geflogen, im Dorngestrüpp hängengeblieben und von den Ziegen gefressen?

Zeynab machte mir, ohne das zu wollen, wieder Mut. Ihrem erneuten Flehen, ich möge aber wirklich nach dem Treffen mit Pupuseh abreisen, entnahm ich vor allem, daß Pupuseh daran festhielt, an »Nickels Grab« zu erscheinen. Nein, das Jammern der Freundin, so wohltönend es auch war, hatte bei mir keinen Erfolg. Und so ermannte ich mich denn, wie man sagt; es liegt etwas Gewaltsames in dieser Redensart, etwas von Wegdrücken und Herunterstoßen und Sich-mit-gewölbter-Brust-in-Positur-Setzen, obwohl die Besorgnisse nicht wirklich besiegt, sondern nur zum Schweigen gebracht sind. Es gab in diesem Badeort einen Taxihalteplatz, aber dort warteten zu viele Chauffeure jetzt untätig auf Gäste, und eine Fahrt mit einem dieser Taxis würde Kommentare auslösen, der Fahrer würde später berichten, wo es hingegangen war, das war nicht diskret genug. Aber der Pensionswirt hatte auch ein Auto. Mit diesem Mann machte ich mich auf den Weg, nachmittags um fünf, bei sattem Sonnenlicht und heftigem warmem Wind, der eine zerfahrene Stimmung erzeugte. Mit dem Auto war es nur ein kurzes Stück. Die Motorradfahrt nach Gelemis hatte sich wie eine kleine Reise hingezogen. Ich ließ mich von dem Mann auf der Hauptstraße absetzen, in der Nähe des Ladens, wo das Telephon stand. Hier bekam er sein Geld. Er war nicht erstaunt, daß er später nicht mehr gebraucht wurde. Was, glaubte er wohl, würde ich in diesem zugigen Straßendorf machen?

Es war jetzt sechs Uhr, das Sonnenlicht wurde wärmer und kupfriger. Im Telephonladen kaufte ich eine Taschenlampe, ein bulgarisches Fabrikat. Das Birnchen brannte nur flackernd, aber es gab keine Auswahl. Mein Plan war, den Feldweg nach

Girmeler hinaufzugehen, einen Weg von zwei Stunden, wie ich schätzte, weil auch ein beträchtlicher Umweg darin lag, und mich dann an die Grabruine anzupirschen. Dort würde ich warten. Es war besser, dort in einem Versteck schon länger vorher zu hocken, dann kamen wir nicht zur selben Zeit an, und Pupuseh erregte keinen Verdacht, wenn sie zu den verlassen scheinenden Steinen wandelte.

So brach ich denn auf, den Weg nach Girmeler kannte ich ja. Ich ging aber nicht auf dem Sträßchen, sondern oberhalb der Böschung, was anstrengend war und mit vielem Über-Wurzel-Klettern verbunden, aber auch klug, denn auf diesem einsamen Sträßchen, auf dem ich mit Ibrahim oder Palm nie einen Menschen gesehen hatte, kamen nun mehrfach Autos vorbei, staubbedeckt, so daß ich nicht in ihr Inneres sehen konnte. Kopftücher erkannte ich einmal von hinten, aber die Leute in den Autos hätten mich gewiß alle erkannt und mir womöglich angeboten, mich mitzunehmen. Der Weg stieg steil an, auf dem Motorrad war mir das nicht so aufgefallen. Ja, mir war, als bäume sich das Land vor mir auf, um mich abzuschütteln. Ich achtete darauf, mich nicht auf Flächen aufzuhalten, die aus der Entfernung einsehbar waren. Das hatte ich jetzt endlich gelernt. Wenn das Gebüsch niedriger wurde, duckte ich mich. Wenn eine kahle Stelle kam, beobachtete ich gründlich, mit klopfendem Herzen, im Schatten das mir einsehbare Blickfeld und strebte dann schnell wie ein streunender Kater in die nächste Deckung. Manchmal huschte ich und bewältigte viele Meter, dann wieder hockte ich unbewegt. Die Sonne sank allmählich. Es kam die Zeit des Büchsenlichtes, wenn alles überscharf vor Augen liegt. Da erhob sich noch weit entfernt, aber deutlich die grüne Spitze des Minaretts von Girmeler vor mir als Wegweiser. Hätte ich diese Turmspitze nicht gefunden, wäre mir nichts anderes übriggeblieben, als doch noch auf die Straße zu schleichen, auf die Gefahr hin, Muzafer in die Arme zu laufen.

In der Nähe dudelte Radiomusik, eine Frauenstimme sang einen türkischen Schlager, mit vielen traditionellen Elementen, Zupfinstrumenten und Trommeln, eine wehmütige Melodie, wie uns das als Westeuropäern mit unserer primitiven Dur- und Moll-Psychologie – Dur ist fröhlich, Moll ist traurig – vorkommen will. Da war ein sandiger Platz, auf dem ein Lastwagen stand. Die Türen der Fahrerkabine waren weit geöffnet. Auf dem Sand hatten drei Männer eine Decke ausgebreitet, einer machte Tomatensalat in einer Blechschüssel, die anderen tranken aus einer Flasche, vom rotgoldenen Licht übergossen und von dem Frauengesang eingehüllt. Ein Frieden ging von diesen Rastenden aus. Es war wie ein stilles kleines Fest, das hier gefeiert wurde. Ganz deutlich empfand ich, daß ich in diesen Kreis nicht hineingehörte, so anziehend und richtig, so lebensklug er da vor mir feierte und trank. Diese Männer waren mit sich im reinen. Da war nichts Unerledigtes, was sie irgendwohin zog, sie konnten sich diesem Augenblick hingeben. *Gúgele gúgele* nannte Nihat die Klänge, die der zahnlose Sänger auf dem Floß aus seinem Instrument herausgeholt hatte, *gúgele gúgele* war auch kein schlechtes Wort für die wehmütige, vielleicht in Wahrheit überaus heitere Radiomusik. Wenn das Begehren gestillt oder wenigstens geordnet war, fand das Dasein zu solchen Bildern, die vollkommen befriedigend das ganze Leben zu repräsentieren vermochten. Daß die Männer derart in ihrer Alltagsglückskapsel eingeschlossen waren, hatte einen großen Vorteil für mich. Ich kam leicht an ihnen vorbei. Keiner von ihnen wandte auch nur den Kopf.

Ich näherte mich Girmeler, indem ich einen großen Bogen um das Dorf schlug, denn das alte Grab lag, wenn man vom Tal kam, auf der anderen Seite. Da lag das Dorf, in der ihm eigenen Art ins grün bewachsene Erdreich gedrückt, so daß die rotgedeckten Steinhäuser wie in Mooskissen steckten. Die Leblosigkeit dort unten täuschte, das wußte ich wohl. Ich trat nicht aus den Büschen hervor. Ich benahm mich, als würde man schießen, wenn ich mich zeigte. Man würde im übrigen womöglich weit Schlimmeres tun.

Der Rauch, der von dort aufstieg, vermischte sich jetzt mit allgemein abendlicher Unschärfe. Das ganze Dorf versank in ein rauchiges Blau. Die einbrechende Dunkelheit entlarvte aber die scheinbare Ausgestorbenheit. Lichtpünktchen waren zu sehen, im Freien hing weiter weg auch eine große Lampe an schaukelndem Draht, wie vor Nihats Haus. Hier zogen sich Mäuerchen vom Dorf weg, ein Geflecht von ummauerten Feldern lag von hier oben aus vor mir. Es war, als seien diese Mäuerchen Reste alter Straßenzüge, als umgäben sie im Ackerboden begrabene Stadtviertel. Sie steckten das Gelände wie für eine größere Planung ab. Und so lag denn das aus der Ferne und von oben gesehen fast kirchengroße Grab mit seinen aus der Waagerechten gehobenen massiven Freitreppenstufen und den auf diese Stufen heruntergestürzten Blöcken der Schaufassade fast zentral am Ende eines großen von Bäumen umstandenen Ackers, wie an einem Bauplatz, wo gewichtige öffentliche Gebäude errichtet werden sollten. Von dem Grab war im übrigen jetzt nur noch wenig zu erkennen, die helleren Steine strahlten noch ein schwaches Licht ab, das offene Innere war vom Schwarz verschluckt.

Ich setzte mich auf einen Stein, wie ein Heckenschütze die gesamte Szenerie im Auge behaltend. Es war in dieser feuchten Geländefalte stickig und heiß. Ich befand mich am Rand eines unbewegten Luftblocks, in den ich, wenn ich schließlich abstieg, eindringen mußte. Viel Ungutes stand darin, als ob heute nachmittag in Girmeler Abfall verbrannt worden wäre, ein süßlicher, fauliger Geruch, angereichert mit seltsam schwefligen Schwaden, verbraucht wie aus dem Belüftungsgebläse eines Kaufhauses. Der Mond ging als schmale Sichel auf und erschien durch die dicke Luft dunkelgelb. Es war wirklich ein türkischer Halbmond, ein Himmelsemblem, und so kam der letzte Ruf des Muezzins aus den Lautsprechern des kaum dicker als eine Fahnenstange wirkenden Minaretts ganz passend, obwohl ich bei der Unmittelbarkeit und Härte des heiligen Schreis erschrak, als solle mit diesem Signal die Bevölkerung zur Jagd auf mich aufgerufen werden. Der Muezzin von Girmeler sang schön. Er schmückte die Suren des Gebets mit einer großen Koloratur wie eine Liebesarie. Hier vertiefte seine erstaunliche, weithin schallende Kunstleistung nur die Ruhe. Als er verstummte, gingen einige der gelben Lichtpünktchen aus.

Jetzt war es dunkel. Ich stand auf und ging nun mit entschlossenerem und unbekümmerterem Schritt voran, der aber vor allem mir selbst die innere Spannung verbergen sollte. Ich stolperte oft, einmal stürzte ich, fing mich mit den Händen auf und hatte kurz das Gefühl, mir die linke Hand verstaucht zu haben. Unterhalb der Bäume, an die ich mich lehnte, war etwas Großes, Schwarzes, eine undurchdringliche Masse. Das war das Grab, Nickels Grab, wie ich wiederum dachte. Jetzt hieß es, da hinunterzukommen, aber es zeigte sich, daß das Gebäude hinten tief im Gestrüpp steckte. Da war kein Durchkommen. Hier wagte ich, die Taschenlampe anzumachen. Das Lichtlein fiel auf das Ästegeflecht. Ich tappte weiter durchs Gehölz. Ich war jetzt sehr laut und ließ die Äste krachen wie ein Wildschwein. Zwischendrin hielt ich inne und lauschte. Mein Waldesrumoren stand isoliert in einer Landschaft reiner Stille. Jetzt geriet ich ins Rutschen. Ich glitt einen Berghang hinab. Dann zeigte sich ein Bild großer Schönheit: im reiner und kälter gewordenen Mondlicht lagen die Blöcke und Quader und Kuben auf einem Haufen wie weißer glänzender Marmor, von kräftigen Schatten plastisch gemacht.

Aus welcher Richtung würde Pupuseh sich nähern? Es war ihr wahrscheinlich unmöglich, auf Umwegen hierher zu gelangen, weil sie gewiß erst im letzten Augenblick das Haus verließ. Die Reihe der hohen Bäume am Rande des Ackers führte auf Girmeler zu. Darunter waren Hecken, die den Blick vom Dorf aus abschirmten. Es war noch eine Stunde Zeit. Ich ging jetzt um den Steinhaufen herum und bewegte mich dabei im vollen Licht. Ich glaubte das wagen zu dürfen. Auf der anderen Seite war ein Trampelpfad zwischen den Steinen den Hügel der einstigen Freitreppe hinauf geschaffen worden. Er war abschüssig, aber mit großen Schritten kam man dort auf die Höhe des Tempelplateaus, und dort ging es, über die umgestürzten monolithischen Türpfeiler hinweg, ins Innere. Und wenn man noch etwas weiter kletterte, stand man bald unter der hohen und hier ganz erhaltenen Wölbung im Dunkeln und schaute geschützt ins Hellere hinaus, und auch die Annäherung über diesen Trampelpfad zwischen den Trümmern der Treppenstufen war weitgehend verdeckt.

Ich verstand jetzt, warum Pupuseh dieses Grab als Treffpunkt bestimmt hatte. Kein Wetter würde mich hier vertreiben. Von hier überblickte ich, wer sich mir näherte, wenn man sich nicht im Baumschatten heranschlich. Der Boden war freilich hart, kratziges Gestein. Dieser Gedanke floß unwillkürlich ein. Es gab kein Lager aus Laub oder Tannenzweigen, um diese Riesenquader, die keine Barbaren und kein Erdbeben bisher zum Einsturz gebracht hatten, behaglich zu machen. Das Grab war eine majestätische Umgebung. Wir würden klein darin sein.

Jetzt kam die Wartezeit, auf die ich geistig eingestellt war. Ich hoffte auch, daß mein Schweiß trocknete, wo ich mich nicht mehr mühevoll voranbewegte. Ich setzte mich auf die an den

221

Wänden umlaufende hohe Bank, die ursprünglich wohl nicht zum Sitzen bestimmt gewesen war, denn meine Beine baumelten, aber ich stellte mir dennoch riesenhafte, wie tragische Schauspieler mit Masken verhüllte Tote vor, die hier als einbalsamierter Senat in ihrer Halle thronten.

Ich rekapitulierte meinen Weg hierher. Ich gestand mir ein, daß mich zwischendrin die Zweifel versucht hatten. War es nicht ein unerhörter Unsinn, den ich mir antat? Die Frage hatte ich mir öfter gestellt, man weiß das. Aber durchgehalten hatte ich dennoch. Ich hatte Pupuseh in Augenblicken der Einsamkeit und der beständig düpierten Sehnsucht kurze Zeit verraten, aber nur im Kopf und ohne daß ich eine Konsequenz auch nur erwog. Und ich war jetzt hier angelangt, hier, wo ich sein sollte. Dies war mein Ort. Ich konnte von allen Dingen auf der Welt nichts Besseres tun, als hier zu sein. Eine solche Gewißheit hatte es in meinem ganzen bisherigen Leben noch nicht gegeben. Zwangsläufigkeiten, denen ich mich unterwarf, Hindernisse, die ich ehrgeizig beiseite schaffte – ja, die kannte ich. Aber dies hier war etwas anderes. Mit meinem Willen hatte das nichts mehr zu tun. Dies hier stand in meinen Sternen, in einem leuchtenden, an den Himmel geschriebenen Plan, und diesem von ewig her gewollten Lauf war ich wie ein eigener kleiner Himmelskörper gefolgt und hatte durch Astralgehorsam Makrokosmos und Mikrokosmos zur Übereinstimmung gebracht: der Punkt, an dem diese Übereinstimmung bestand, war dieses Grabgewölbe. Ich verfiel in einen betrachtenden Zustand. Mir war, als hätte ich mein Ziel schon erreicht, als sei dies nicht der Anfang, sondern das Ende eines Weges. Empfand ich so, weil ich mich in einem Grab befand? Ich kann es nicht anders als ein Ewigkeitsgefühl nennen: starke Gegenwart, die aber kein Prozeß mehr ist, sondern aufgehört hat, sich fortzuentwickeln, als sei ich wie ein Kettenglied aus der Zeit herausgefallen und liege nun ohne Vorher und Nachher herum, und zwar in Anspannung und Wachheit, ohne zu denken, nur ruhend und zufrieden daseiend, schwebend eigentlich, obwohl ich den harten Stein, auf dem ich saß, wohl spürte.

Die Zeit verstrich. Es wurde finsterer. Das alles war mir gleichgültig. Vielleicht hatten die großen Toten sich hier auch einmal so wohl gefühlt, auf ihre Stadt in mächtiger Anwesenheit blickend mit immer geöffneten Augen. Der Mensch ist für solche Ewigkeiten freilich nicht gemacht, spätestens in der Eiseskälte der Morgendämmerung hätte sie ein Ende gefunden.

Ein schwarzes Tier, wie ein kleiner Hund, erschien plötzlich auf dem Steinhaufen, der den Eingang zum Grab abgrenzte. Es war aber kein Hund. Es bewegte sich mit phantastischer Leichtigkeit. Es flog mehr, als es sprang. Ein dünner feiner Klang war mit seinen übermütigen und ziellosen Sprüngen verbunden, von zarten Hufen. Es pirouettierte. Es wirbelte auf den abschüssigen Steinen herum und suchte sich immer den steilsten, um darauf zu stehen und um von dort aus dem Stand heraus auf den nächsten Stein zu fliegen. Dann hob sich ein Kopf in die Toröffnung. Ich stand auf. Der Schein einer Lampe traf mich. Mit leichten Tritten, aber langsam kam Pupuseh über die Quader zu mir herab.

Das Zicklein schoß auf sie zu und schmiegte sich zitternd an sie. Merkwürdig, daß sie mit diesem Zicklein zusammen kam, es war, als begleite sie ein Mensch. Sie beugte sich zu dem kleinen Wesen und hielt ihm ihre Fingerspitzen zum Knabbern hin. Ihr Haar war offen. Es floß ungekämmt auf die Schultern hinunter, als habe sie sich eben erst den Schleier abgenommen.

In den glückseligen Stunden des Wartens hatte ich keine Minute mit dem Bedenken verschwendet, was ich nun sagen würde. Wäre das denn notwendig gewesen? War die Situation in diesen Mauern nicht klar? Ich würde sie einfach in den Arm nehmen – aber da war das Zicklein und drückte sich an sie und an mich und war von fordernder Gegenwart.

»Ich habe auf dich gewartet«, sagte ich also.

»Ja?« antwortete sie.

Ein dummer Anfang, aber sie nahm das nicht übel, ihr »Ja?« war freundlich, sie interessierte das, daß ich gewartet hatte. Ich wollte nicht über sie herfallen. So war diese Begegnung ja nicht gedacht. Ich mußte Pupuseh ja nicht erobern. Ich mußte sie schon gar nicht »rumkriegen«, wie das so schön und plump heißt. Sie schenkte sich mir, das alles stand doch längst fest. Wir flossen aufeinander zu; unter beträchtlicher Gefahr, die sie nicht scheute und die sie mir selbstverständlich auferlegte, hatten wir uns hier gefunden. Wir wollten nur eines: daß diese Bewegung aufeinander zu nicht zum Stillstand kam, daß sie uns weitertrug, bis wir verschmolzen. Das Zicklein in seiner quirligen Liebesbedürftigkeit konnte eine solche große Bewegung

223

nicht ernstlich stören. Es gab nur eine winzige Stockung, die wir schnell überwinden würden.

»Ich liebe dich«, sagte ich. Das mußte ich jetzt doch sagen, dieses Wort mußte einfach nach der langen Sprachlosigkeit einmal fallen, und es war das größte Wort überhaupt und würde alle Stockungen hinwegschwemmen. Aber es war, wie wenn man mit voller Kraft einen Stein werfen will und sich unglücklich bewegt und zu kurz zielt und mit der geballten Energie den Stein sich nur gerade vor die Füße schleudert. Das größte Wort war heraus, aber es kam nicht richtig. Es hatte etwas schnell Herausgerutschtes, und nun war es gesagt, aber nicht richtig gesagt, und damit geriet Stroh in den Mechanismus unserer Anziehung.

»Ja?« sagte Pupuseh. Das klang geradezu traurig. Jetzt zog ich sie an mich, und sie wehrte sich nicht. Ihr Haar war unter meiner Nase und roch nach Holzfeuer und gesunder Haut und Tierfell. So standen wir eng aneinandergeschmiegt, aber sie umarmte mich nicht. So ging das eine ganze Weile, mir schlug das Herz vor Beklommenheit rasend. Dann ließ ich sie los und suchte in meinen Hosentaschen. Das Päckchen war weg. Ich hatte auf der Kletterpartie hierher bei meinen Stürzen das Päckchen verloren. Eine Sekunde der Panik. Dann war es doch da. Es war wie Hexerei. Jetzt gab ich es ihr.

»Für mich?«

Ich nickte. Sie beschäftigte sich mit dem Auspacken, sehr ernsthaft, das war jetzt wichtig. Das Papier fiel auf den Boden, das Etui klappte auf. Da lag die Kette, im Taschenlampenlicht sah sie, wie ich fand, besonders neu und häßlich aus.

»Das ist ein großes Geschenk«, sagte sie, indem sie das Wort »groß« betonte, ganz sachlich, es war nicht klein, sondern groß. Sie nahm die Kette heraus und wollte sie öffnen.

»Sie ist lang genug, um sie über den Kopf zu tun«, sagte ich. Die Kette lag auf ihrer Brust. Wo die Brüste wieder zurückwichen, hing sie frei in der Luft.

Ich täusche mich nicht: sie setzte mir keinerlei Widerstand entgegen. Sie war gekommen. Sie hatte sich in diese in den Augen ihrer Familie skandalöse Lage begeben, und sie zog sich daraus nicht zurück; mit der Offenheit, die ich an ihr kannte, war sie hier bei mir und sah mich an. Es war keine Zurückhaltung, kein Falsch an ihr. Ihre Stimme klang hell und ungeschmeidig, ein Zeugnis von Einfachheit und Ehrlichkeit. Aber verstand ich, was mir dies offene Gesicht sagte? Ich küßte sie jetzt. Sie zog sich nicht zurück. Ihre Lippen öffneten sich und waren feucht vom süßesten Säuglingsspeichel, von der flüssigsten Reinheit, ein ganz zarter Zwiebelgeschmack war auch dabei. Dies war ein Kuß der innigsten Verbindung. Meine Hände lagen auf ihrem festen runden Hinterteil. Ich spürte durch den Pumphosenstoff ihre dünne Unterhose. Es schnitt nicht ein, sondern lag wie ein Hauch auf ihrer Haut. Sie wehrte sich nicht. Ich hatte das Recht, sie überall zu berühren.

»Ich fühle, daß du mich liebst«, sagte ich.

»Ja?« antwortete sie.

Welch ein Dialog! Und doch ist es mir unmöglich, ein Wort davon zu vergessen. Nein, ich weiß – sie war mit großer Gewalt zu mir hingezogen. Ich war nur nicht die einzige Kraft, die an ihr zog. Sie stand in der Mitte, und es wurde mit Seilen an ihr in die entgegengesetzten Richtungen gezogen, und so hoben sich die Kräfte auf, und Pupuseh stand wie verzaubert, bewegungsunfähig in der Mitte auf ihrem Platz und wartete, daß sich dies Patt löste. Bei mir war das anders, mich zog es nur zu Pupuseh. Alles andere war zu schwach gewesen, mich zu halten. Konnte ich ihr das vorwerfen? Sie ließ sich von meinen Händen halten, solange es möglich war. Sie hörte sich meine idiotischen Phrasen an. Meine Worte enttäuschten sie nicht. Sie war darüber erhaben. Sie legte die Kette an, die uns aneinander fesseln sollte. Ich weiß, daß auch sie das so verstand. Aber dann fühlte ich sie starr werden und wußte, daß etwas geschehen war. Ich drehte mich um, da sah ich auf dem Steinhaufen die Silhouette eines großen Mannes, der eine Sichel in der Hand hielt. Wie ihr Zicklein so schnell löste sich Pupuseh aus meinen Händen und sprang sicher über die Felsen davon.

NEUNUNDZWANZIGSTES KAPITEL

Ich machte nicht einmal den Versuch, ihr hinterherzulaufen. Es wäre auch aussichtslos gewesen. Sie kannte diese Steine natürlich seit langem und war nicht auf den kleinen Trampelpfad angewiesen. Aber das war nicht meine Überlegung. Ich war gelähmt. Es gelang mir nicht einmal, mit dem Kopf dem Lichtstrahl aus der

Taschenlampe des Mannes auszuweichen, der mich streifte. Der Mann brauchte das Licht, um seinen Füßen zu leuchten. Er näherte sich langsam. Das Klettern fiel ihm nicht leicht. Aber es war nicht nur Furcht, die mich daran hinderte, irgend etwas zu meiner Verteidigung zu unternehmen. In der aus glatten Quadern gefügten Grabhalle gab es keinen Ausweg, außer an dem Mann vorbei, und keine Waffe, nicht einmal ein Stein von handlicher Größe lag da herum. Ich fühlte auch eine Art Neugier, was nun geschehen würde. Dies war der Preis, den ich für mein Treffen mit Pupuseh bezahlen mußte. Ein solches Treffen gab es natürlich nicht umsonst. Wer darin einwilligte, willigte auch in die Folgen ein. Es war mir von Herrn Palm und Zeynab eindringlich klargemacht worden, daß es gefährlich war, sich Pupuseh zu nähern. Worin solche Gefahren bestanden, fragte ich mich nicht. Aber ich nahm sie hin. Ich bereute keinen Atemzug lang, hierhergekommen zu sein. Ich bereute und fühlte mit einem knappen Schmerz, einem Stich, daß ich das Zusammensein mit Pupuseh nicht besser genutzt hatte – aber wozu? Dieses Zusammensein war nur ein Fragment, so fühlte ich deutlich, nicht weil Pupuseh sich mir entzogen hätte, sondern weil es mir nicht gelungen war, mich auf der Höhe meiner Empfindung für sie zu halten. Aber nun stand ich wieder darauf. Es war alles ganz einfach jetzt. Und daß ich einen Schritt zurücktrat, als der Mann vor mir stand und mir ins Gesicht leuchtete, war kein Ausweichen, nur ein Reflex wegen der Blendung. Vor mir war alles schwarz, und aus dieser Schwärze würde die nächste Prüfung geboren werden. Vielleicht traf mich jetzt ein Schlag mit der Sichel. Zugleich war da immer noch eine durch nichts begründete Hoffnung, ein freudig gespanntes Lebensgefühl, denn alles, was geschah, verband mich enger und enger mit Pupuseh. Verzerrt habe ich in die Taschenlampe geguckt, aber ich halte für möglich, daß in dieser Grimasse auch ein lächelndes Element enthalten war.

Es geschah nichts. Die Lampe blieb auf mich gerichtet. Der Mann atmete schwer, vom Klettern wahrscheinlich. Es war immer noch schwül, und die Nachtluft ließ die Luftfeuchtigkeit sich überall niederschlagen. Die Steine schwitzten.

Es kam dann ein Geräusch, das mich alarmierte, ein metallisches hartes Klingen auf dem Boden. Etwas Schweres aus Eisen war gefallen. Die Lampe senkte sich. Der Mann schien zurückzuwanken. Hinter ihm war die hohe Bank, auf der ich gesessen hatte. Er versuchte, da hinaufzukommen, aber es gelang ihm nicht. Langsam sackte er an den Steinen entlang auf den Boden. Eine fremdländische Stimme sagte auf deutsch: »Mir ist schlecht.« Und jetzt wagte auch ich meine Funzel aus Bulgarien anzuknipsen.

Hüsseins Gesicht, das Gesicht meines Wäschetürken, war im Schein dieser Lampe noch runder als sonst. Seine Augen waren Kugeln, die dunklen Schatten darunter waren weich und voll und betonten wie Schminke deren Kreisförmigkeit. Auch sein Mund mit den weichen Fischlippen war rund geöffnet. Ein erschrecktes Staunen, ein Vor-den-Kopf-Geschlagensein drückte diese Maske aus. Und diese Miene blieb erhalten, obwohl Hüssein längst mit einer anderen, nicht minder heftigen Regung beschäftigt war. Seine bräunliche runde Patschhand, mit der ich ihn im Wäschehaufen hatte fischen sehen, lag auf seinem Herzen. Mein Lämpchen brachte nur ein schwaches goldfarbenes Licht hervor. Sonst wäre die schlimme Bleichheit seiner Haut unter der Bräune noch deutlicher gewesen. Wie lange dauerte dieses Gegenüber? Ich wagte nicht, mich ihm zu nähern. War dies eine echte Schwäche oder eine Finte? Da lag die große Sichel, ein Schlag von ihr erzeugte die *disiecta membra*, von denen Palm mit Blick auf seine zerschlagenen Antiken so gern sprach. Aber Hüssein hörte nicht auf, mich fern und staunend anzusehen. Das Zusammenfügen der Welten wollte nicht gelingen. Hier im Inneren Lykiens in diesem Grab in tiefer Dunkelheit auf mich zu stoßen, dem er jahrelang die Hemdenpakete über die Theke gereicht hatte, war wie ein Hohn der Sinne. Wenn die verschiedenen Wirklichkeiten, die man wahrnahm, derart untereinander verbunden waren, wie weit verstreute Pilze, dann durfte man keinem Eindruck mehr trauen. Das Nicht-Zueinandergehörende hier vereint zu finden war für ihn mit einem seinen Lebensgrund erschütternden Schock verbunden. Der Schlag, den er mir hatte geben wollen, hatte ihn mit voller Wucht getroffen. Aber er durfte solche Schläge nicht mehr erhalten. Er war für einen einzigen solchen Schlag zu schwach. Würde er die Sichel noch einmal ergreifen?

»Bitte gehen Sie nicht weg«, sagte Hüssein leise, »ich habe Angst, allein zu bleiben«.

Er suchte in seiner Hosentasche und fand schließlich eine

kleine Sprühflasche. Er sprühte sich etwas auf die Zunge. Ich setzte mich neben ihn und berührte seine Hand, die schlaff auf dem Boden lag. Sie war schweißnaß und kalt.

Wir saßen schweigend nebeneinander. Ich ließ meine Hand auf seinem Handrücken liegen, und er hatte wohl nichts dagegen, machte jedenfalls keine Bewegung. Dies war das dritte Kapitel meines Aufenthaltes in diesem Grab. Das Warten war das Erwartete, Pupusehs Erscheinen das Erhoffte, das Sitzen bei Hüssein das Unerwartete, aber das im Ergebnis vielleicht Wichtigste an diesem Erlebnis. Ich kam nicht zu kurz, mir wurde viel gewährt. Ich hatte Pupuseh gesehen und berührt. Sie war dagewesen, um sich alles anzuhören, was ich zu sagen hatte. Sie war offen für mich gewesen. Jetzt war sie mir wieder entzogen. Hatte ich versagt? Wartete sie dort draußen? Rechnete sie mit einem Kampf? Holte sie Hilfe? Aber wie konnte sie das wagen, ohne ihr Geheimnis aufzudecken? Es war, als hätte Hüssein meine Gedanken erraten.

»Bitte, bleiben Sie hier«, sagte er wieder, jetzt mit eigentümlich starker Stimme, »sie ist längst fort. Sie kommt nicht zurück.«

Es lag eine unerschütterliche Gewißheit in seinen Worten, auch der Stolz, Pupuseh zu kennen. Das hatte er mir voraus. Er kannte Pupuseh. Nein, rief ich in meinem Innern, auch ich kannte sie, kannte alles, was es von ihr zu kennen gab. Wie ein aufgeschlagenes Buch lag sie vor mir. Ihre Seele hatte sich in die meine hineingewunden. Ich glaubte, ihren Herzschlag zu hören. Ich besaß das Wort, ihren Namen, den ich früher für einen schönen Namen hielt, bis mir jedes Gefühl für seine Schönheit abhanden kam und er einfach der Frauenname schlechthin wurde, und in diesem Namen war sie ganz und gar gefangen. Er enthielt sie, ich mußte ihn nur denken, um sie ganz in mir zu fühlen. Konnte Hüsseins Kenntnis sich damit vergleichen?

»Ich habe geglaubt, ich hätte Sie verjagt«, sagte er nun traurig, aber es lag kein Angriff gegen mich in diesen Worten. Die Trauer bezog sich auf mehr, auf eine ausgedehnte Szenerie, die ihm in dieser Dunkelheit vor Augen stand. »Sie waren ja nicht der einzige«, sagte er ruhiger, »das war nicht so leicht, das Aufpassen auf Pupuseh. Ein Kerl war wie Sie, er ist ihr bis in unsere Wohnung nachgelaufen, das ist ihm nicht gut bekommen.«

»Ich war nicht in Ihrer Wohnung«, sagte ich.

»Aber Sie waren dort bei uns im Park …«

»Das war ein Zufall.«

Glaubte er mir? Es war ihm nicht so wichtig. Er interessierte sich jetzt überhaupt nur wenig für mich, solange ich bei ihm blieb. Etwas stieg in ihm auf, ein Seufzen. Es war still. Mir war, als unterdrücke er ein Schluchzen. Weinte Hüssein?

»Ich dachte, ich habe noch Zeit. Ich dachte, ich erhole mich und habe wieder Kraft.« Das war ausdruckslos vor sich hin gesprochen. Er sprach jetzt mehr ins Leere, nicht wirklich an mich gerichtet, obwohl weiter auf deutsch, jetzt sehr gebrochen allerdings, er gab sich keine Mühe mehr, die Sätze richtig zu formen, aber ich verstand ihn trotzdem. Ihm tat sich plötzlich auf, daß seine Krankheit ihn nun nicht mehr losließ, daß sie die schwarze Sichel um seinen Hals gelegt hatte und er schon weniger Luft bekam. »Die Zigaretten …« Er beklagte, sie geraucht zu haben. Das war wie ein Zitat seiner verbindlichen Gespräche mit den Wäschereikunden in dieser einsamen Abrechnung, ich meinte auch wahrzunehmen, wie er die Achseln zuckte. Er schob sein Unglück nicht auf die Zigaretten. Sie waren hinzugekommen. Er war ein nervöser Raucher.

»Es war alles zuviel.« So hatte ich ihn kennengelernt, das war eine der ersten persönlichen Bemerkungen, die er zu mir machte, damals schob er seine Überlastung auf den Verkehr und die schlechte Luft von Istanbul. Aber die Auspuff- und die Zigarettenrauchschwaden waren nur ein Schleier gewesen, hinter dem sich das Lebensunglück verbarg.

»Zuviel Arbeit, nie frei, immer geschuftet.« Wenn er das jetzt sagte, dann stimmte das. Wieso sollte er mir jetzt mit seiner Geschäftigkeit imponieren wollen? Und doch war er mir immer als ein Bild der Lässigkeit erschienen, mit seinen hochgeschlagenen Manschetten, ein Improvisator, der immer nur gerade schnell einmal eine Blitzkontrolle vornahm, aus dem Vergnügen heraus einen Schachzug ins Geschäft tat und sich wieder davonmachte, ein Spieler, der das Getriebe seiner Maschinen mit geschickten Anstößen, nicht mit Trampelarbeit am Laufen hielt.

»Der Ärger mit meiner Frau.« Das ging schon eher an die Substanz seiner Kraft. Hatte er seine Ehe wie seine Wäscherei betrieben, indem er ihr mit gelegentlichen Besuchen versuchte die erforderlichen Impulse zu geben und sich dann wieder abwandte? Wann war das leichtfließende Leben versickert, wann war die Trockenheit an die Stelle des schnellen glitzernden Stroms getreten? Hüssein hatte doch eine liebenswürdige Ausstrahlung – wann war seine Frau dafür unempfindlich geworden? Wann hatte sich die Heiterkeit des mühelosen Wechsels, die glatte Organisation der erotischen Freude in Verkrampfung und Stauung und Schmerz verkehrt? Lange hatte er geglaubt, daß es nun immer so weitergehen werde: mit bohrendem Zank, außerehelichen Ausflügen, oberflächlichen Versöhnungen, der allmählichen Durchdringung des ganzen Lebens mit Wermut, bis er sich nicht mehr daran erinnern konnte, daß es auch einmal reinschmeckende Zeiten gegeben hatte, und das Leben, wie es war, für das Normale hielt. Dann kam Pupuseh.

»Wie kam Pupuseh?«

Das war eine Rettungsaktion, ein verwandtschaftliches Notkommando in letzter Minute. Muzafer war in großer Bedrängnis. Er hatte Pupuseh mit einem reichen Jungen verlobt. Die Verbindung war mehr, als die Familie je hoffen durfte, eine große Partie. Und dann kam da, kurz vor der Hochzeit, plötzlich ein anderer und meldete seine Ansprüche an. Der Wahnsinnige wollte das Rad herumreißen und die Verlobung sprengen, und es entstand ein riesiges Geschrei, und auf einmal kam auch Gewalt ins Spiel, und zwischen der Familie des Verlobten und der des Störenfrieds kam es zu Drohungen, und es kam zu einer polizeilichen Untersuchung. Es hieß, es habe da gar ein ganz böses Attentat gegeben. Nun, Muzafer war Manns genug, vieles zu ersticken, eine Decke über die aufschießende Stichflamme zu werfen, aber das Ergebnis kam dennoch einer Katastrophe gleich. Die Verlobung platzte, der Herausforderer wurde zur Armee eingezogen und fiel in einer Polizeiaktion gegen ein kurdisches Dorf, der reiche Junge ging allein nach Amerika und studierte dort. Und Pupuseh?

»Sie sagte nichts. Als der Kampf um sie begann, wurde sie stumm. Der Kleine, der sie haben wollte, sagte, sie habe ihm Hoffnung gemacht. Sie hat dazu nichts gesagt. Sie hat sich nicht verteidigt, und sie hat niemanden beschuldigt.«

Ich war von der Wahrhaftigkeit dieser Schilderung augenblicklich überwältigt. Ja, so war sie. Sie wehrte sich nicht, und sie hatte sich gewiß nichts vorzuwerfen. Sie war so offen, so ohne Falsch, sie war in ihrer Schönheit so ohne Kälte und Berechnung, sie war so rein wie die rauschenden Bäche, die Girmeler umgaben, unfähig, eine Intrige einzufädeln, und unwillig, sich als Opfer zur Wehr zu setzen.

»Sie war unschuldig«, sagte ich.

In Hüssein kehrte ein wenig Lebenskraft zurück. Er wurde geradezu lebhaft. »Natürlich war sie unschuldig! Pupuseh ist vollkommen unschuldig! Sie ist so schön, da werden die Leute verrückt. Ich bin auch verrückt geworden. Sie sind auch verrückt.« Das klang geradezu herzlich. Er nahm mich bei sich auf.

Vor allem aber hatte er Pupuseh aufgenommen. Es war wichtig, daß sie Girmeler sofort verließ; die Affäre hatte viel Aufmerksamkeit erregt, und die Familie des einstigen Bräutigams war aufgeplustert vor Zorn und alles andere als beruhigt. Und wie es aussah, war Pupuseh nun erst einmal überhaupt nicht zu verheiraten, und Muzafer mußte auch an seine eigenen Töchter denken und verbreitete überallhin Besänftigungen, auch finanzieller Art, die nahm er Pupuseh besonders übel. Sie sollte nun also in Deutschland arbeiten und ein wenig von dem Schaden, den sie angerichtet hatte, zurückverdienen. Von Pupuseh kam kein Wort der Klage. Sie war stolz. Als Kind war sie schon einmal mit ihren Eltern ein paar Jahre in Deutschland gewesen, sie hatte Sprachkenntnisse, auf die sie aufbauen konnte. Sie lernte schnell. Hüssein nahm sie in seine Familie auf. Dort gab es zwei Mädchen, die etwas jünger waren, aber in Deutschland geboren, mit denen übte sie ihr Deutsch, unsystematisch, aber mit gutem Gedächtnis.

»Kein Wort, das wir gebraucht haben, hat sie je vergessen.« Sie lachte mit den Mädchen. Wenn Hüssein nach Hause kam, fand er die drei lachend vor. Damals war schon lange in der Familie von niemandem mehr gelacht worden. »Meine Frau hat früher begriffen als ich, was los war.« Die Frau hatte einen guten Blick für ihn. Sie sah, daß er verzaubert war, wenn er Pupuseh betrachtete. Also versuchte sie, das Mädchen aus dem Haus und der Wäscherei zu vertreiben. Wenn sie in diesem Stadium behutsam geblieben wäre und mit kalter Überlegung eine List ins Werk gesetzt hätte, wäre Pupuseh zum größten Bedauern Hüsseins noch zu entfernen gewesen. Statt dessen verlor sie die Nerven. Sie versuchte, Hüssein unter Druck zu setzen.

Sie griff Pupuseh an. Sie bezichtigte sie, Hüssein verführen zu wollen. Pupuseh sagte nichts. Sie verhielt sich wie in Girmeler, als es um ihre Ehre und ihre Zukunft ging. Aber in ihren Augen blitzte die Verachtung. Hüsseins Frau brach in Tränen aus. Hüssein jedoch wurde sich klar, wie es um ihn stand. Von diesem Tag an warb er um Pupuseh.

»Was hat sie dazu gesagt?«

»Sie hat nur gesagt: du mußt mit Muzafer sprechen. Aber wie konnte ich mit Muzafer sprechen, solange ich verheiratet war?«

Vor allem brauchte er jetzt viel Geld. Die Frau mußte abgefunden werden, Muzafer mußte ein eindrucksvolles Angebot bekommen, das seine Bedenken wegfegte. Muzafer war streng. Er mochte keine Scheidung. Aber Hüssein war voller Hoffnung. Noch niemals war er so sicher gewesen, die richtige Frau gefunden zu haben. Er dachte nur noch an Pupuseh.

»Und Pupuseh?«

Ja, sie war einverstanden.

»Sie war einverstanden?« Diese Frage sprach ich etwas zu heftig aus.

Hüssein keuchte leise. Er nahm noch einmal die Sprühflasche heraus und sprühte auf seine Zunge. »Seltsam«, sagte er, »sonst hilft es«. Ausführlich, so daß keine Zweifel geblieben wären, konnte er mit Pupuseh nicht sprechen, sie verwies ihn immer an Muzafer. »Ich habe sie respektiert.« Auch hier fühlte ich, daß er die Wahrheit sprach. Es fiel ihm nicht leicht, sie auszusprechen. Es war vermutlich das erste Mal, daß er gegenüber einer Frau diese Mischung aus Sehnsucht und Wahrung des Abstandes aus Liebe empfand. Und Pupuseh vermochte dieses Gefühl auszulösen, sie entwaffnete durch vollständige Waffenlosigkeit.

»Dann kam die Operation in Istanbul.« Er hatte Herzschmerzen und ließ sich untersuchen. Der Arzt riet zu einer Erweiterung der Herzkranzgefäße. Er müsse aber auch seinen Lebensstil ändern, dann könne er ihm Hoffnung machen. »Ich war doch schon voller Hoffnung. Ich hätte alles mit mir machen lassen.«

Als ich Pupuseh kennenlernte, war er gerade erst aus Istanbul zurückgekehrt. Es ging ihm nicht gut. Seine Frau hatte während der Krankheit versucht, ihn wieder in die Hand zu bekommen, so sagte er mit ganz leichter Ironie. Als sie in Frankfurt sah, daß sich an seiner Haltung nichts verändert hatte, griff sie zum letzten Mittel. Sie alarmierte Muzafer. Ein Vetter von Muzafer holte Pupuseh ab, nachmittags aus der Reinigung, der Koffer war schon gepackt. Sie bekam keine Minute Besinnung. Die Wäscherei wurde einfach abgeschlossen, am hellichten Tag.

»Hat sie Ihnen irgendeine Nachricht zukommen lassen?«

»Nein.« Er hatte damit auch nicht gerechnet. So etwas machte sie nicht. Wer mit ihr sprechen wollte, kam zu ihr. Auch damit hatte er recht, und genauso hatte auch ich es gemacht.

»Wie haben Sie uns gefunden?«

Den Rat, hier nachzusehen, hatte Fazli gegeben. Pupuseh habe erklärt, nach einem Zicklein suchen zu wollen, das sie mit der Flasche großzog, und sei dann auf das Grab zugegangen. Das mache sie oft. Sie sitze gern allein in diesem Grab.

»Und warum sind Sie überhaupt heute abend erschienen?«

Es war die einzige Gelegenheit »Das wissen Sie doch! Übermorgen ist es zu spät!« Dabei sah er mich mit den großen runden Augen an, und es war mir, als seien sie aus den Höhlen getreten und hätten gar kein Fleisch mehr um sich herum. Sie brannten, und zugleich wirkte das Gesicht unendlich schwach. Muzafer war mit Fatma nach Islamlar gefahren, dort wurde eine Hochzeit gefeiert. Das hatte Pupuseh ihm ausrichten lassen.

»Sie hat es ausrichten lassen?«

Fazli war der Überbringer.

»Sie hat wirklich gesagt, Sie sollen kommen?«

»Sie hat gesagt, Muzafer sei nicht zu Hause.«

Wie sehr ich jede meiner Fragen heute bereue, diese geflüsterte Inquisition, mit der ich ihn nicht zum Atmen kommen ließ. Hätten wir doch geschwiegen und schweigend die Stunden abgewartet, die uns noch vom Sonnenaufgang trennten. Aber ich wollte Gewißheit aus ihm herauspressen, und er wollte sprechen, obwohl es ihn übermäßig anstrengte. Er hatte Muzafer um eine Unterredung gebeten, aber der verweigerte ihm jede Gelegenheit, seinen Wunsch auch nur vorzutragen. Als Muzafer ihn sah, drohte er mit seinem Jagdgewehr und verbot ihm, näher zu kommen. »Muzafer kann hier machen, was er will.«

»Sie wollten Pupuseh heute nacht entführen?« Das war die

Einsicht, die mich wie ein Blitz überfiel. Ich bekam kein Wort mehr heraus. Er wollte tun, was ich gleichfalls hätte versuchen müssen. Ich hatte alles vertan. Pupuseh war kein romantisches Schaf, mit dem man beim Mondschein süßliche Unterhaltungen führte: »Ich fühle, daß du mich liebst.« Wenn sie hierherkam, dann in der Erwartung, daß etwas geschah, etwas Nicht-rückgängig-zu-Machendes. Das war ihre Natur, und sie hatte darauf vertraut, daß ich von derselben Natur sei, von Gefühlen, die sich nur in Taten ausdrücken.

»Ich habe nur einen Trost«, sagte Hüssein und lachte leise. »Sie werden sie auch nicht bekommen.«

»Wieso nicht?« In dieser entrüsteten Frage war schon viel Panik enthalten.

»Ach, das wissen Sie noch nicht? Hat es Ihnen niemand gesagt? Sie sprechen doch schon ein bißchen Türkisch?«

»Was gesagt?«

»Daß Pupuseh übermorgen verheiratet wird. Ein junger Ingenieur ist der Bräutigam, er ist von weit her, Muzafer hat lange suchen müssen. Er wird mit Pupusehs Mitgift hier eine Forellenzucht gründen, ein solider junger Mann ...«

Jetzt griff er sich wieder ans Herz. Die andere Hand umklammerte die meine. Mit ihm sah ich alles vor mir: Pupuseh verkauft, verheiratet, weggenommen, und die Verlassenheit und Trostlosigkeit eines ganzen Lebens, das die Sonne gesehen hatte. Jetzt wußte ich, worin genau meine Chance gelegen hatte, als Pupuseh zu mir kam und mir die einzig mögliche Gelegenheit gab herauszufinden, was sie wirklich empfand. Und nun seufzte Hüssein noch einmal wie unter großen Schmerzen und drückte meine Hand noch einmal, und mich befiel Angst. Wann genau er seine Seele aushauchte, weiß ich nicht. Es war schon eine Weile still, und nun wurde seine Hand schlaff und immer kälter, und dann begriff ich, daß ich wirklich allein war.

DREISSIGSTES KAPITEL

Man mag es als Zeugnis eines wahrhaft monströsen Egozentrismus empfinden, aber ich nehme mir das Recht heraus und bin auch vollständig davon überzeugt, Hüsseins Tod als ein großes Zeichen, einen mir zugedachten Hinweis auffassen zu müssen. Damit meine ich nicht seine Herzschwäche, die ihn daran hinderte, die Sichel gegen mich zu erheben. Ich glaube jetzt, daß er diese Sichel ohnehin nicht gegen mich gewandt hätte. Ich vermute, daß er sie auf dem Hof von Muzafer oder sonstwo hat herumliegen sehen und bei seinem Weg ins Dunkle etwas in der Hand haben wollte, auch in Erinnerung an Muzafers Jagdgewehr. Aber daß er es war, der mir Pupusehs Geschichte und Zukunft, ihre Hochzeit mit Ünal verkündete, und dies alles, während er mit dem Tode rang, entfernte jedes gemeine Gefühl schon mit der Wurzel aus meinem Herzen. Ich beweinte ihn in der Finsternis mit einigen unwillkürlich aufsteigenden Tränen. Er war aus Liebe gestorben, und das galt auch, wenn man seine schlechte Gesundheit und die gefährliche Operation und sein unvernünftiges Betragen in Rechnung zog, denn das alles stand mit seiner Liebe zu Pupuseh und dem Versuch, dem Leben noch einmal eine Wendung zu geben, in Verbindung. Vor diesem Ende hatte ich kein Recht, entrüstet und enttäuscht oder unbefriedigt oder gar zornig auf wen immer zu sein, und ich war es auch nicht, keinen Augenblick lang, das Sitzen neben Hüsseins Leichnam reinigte mich vollständig. Herr Palm und Zeynab waren gleichfalls von Anfang an in diese Ehepläne eingeweiht gewesen und hatten es nicht übers Herz gebracht, mich aufzuklären, aber mußte ich ihnen nicht dankbar sein? Sie hätten mich um diese Nacht in dem alten Grab gebracht.

Jetzt fiel mir auch ein, warum ich den mächtigen einsamen Tempel in Gedanken immer »Nickels Grab« nannte. In Shakespeares Rüpelspiel von Pyramus und Thisbe sprechen Zettel und Herr Peter Squentz statt vom Grab des Ninus, wo die Geliebten sich außerhalb der Mauern Babylons verabreden, nur von »Nickels Grab«. Und lag nicht wirklich ein Element der Posse in diesem Wettlauf der Verehrer Pupusehs zu dieser Ruine, um die längst Vergebene, längst Verlobte noch in letzter Minute für sich zu gewinnen – der eine Held in tumber Ahnungslosigkeit und seliger Benommenheit, der andere schon so schwach, daß er zum Rendezvous kaum mehr kriechen konnte?

Aber nun war gar nichts Peinliches oder Komisches oder Groteskes mehr da. Hüsseins Tod enthüllte mir mitten in der Nacht die Landschaft, in der ich mich befand. Die Nebel stiegen auf, und alles lag vor mir. Die weite Ebene und die zu Tal wallenden Hänge und die weißen Spitzen und Pupuseh in der Mitte, schweigend, aufrichtig, ungeschützt, in einen eigentümlichen Schlaf bei offenen Augen versunken. Und diese »Gazelle«, diesen »strahlenden Vollmond«, wie es in Palms orientalischen Märchenbüchern hieß, bekam nun Ünal, den ich mir wahrlich oft genug vor Augen geführt habe, ohne die mindeste Bosheit, wie ich hoffe, und ich empfand auch jetzt nichts Feindseliges gegen ihn und schob das, was sich da dennoch im Untergrund regte, erfolgreich weg.

Man konnte Pupuseh nicht verdienen. Ich hätte sie gleichfalls nicht verdient, und Hüssein eigentlich erst, nachdem er für sie gestorben war, wenn man mir diesen Gedanken verzeiht. Jetzt sah ich, daß sie allein es war, die dem Mann, mit dem sie sich verband, sein entscheidendes Charakteristikum hinzufügte. Bei dem Blättern in meinem kleinen türkischen Wörterbuch hatte ich in dem aufs Äußerste reduzierten grammatischen Anhang eine Eigentümlichkeit der türkischen Sprache aufgeführt gefunden, die Herr Palm mir bestätigte. Das Hilfsverb »sein« ließ sich im Türkischen nicht ohne Bezeichnung, was oder wie oder wer etwas sei, verwenden – ein philosophisches bloßes »Sein« oder gar noch ein »Seiendes« war überhaupt nicht übersetzbar, und damit, so sagte Palm, fielen eine Fülle gefährlicher, im reinen Denken angesiedelte Abstraktionen von vornherein weg; man könne die türkische Sprache nicht ohne Rücksicht auf die Anschaulichkeit in die Eiswüsten der Theorie hineintreiben. In meinem Erlebnis jetzt bestätigte sich dies türkische Sprachgesetz: »Ich bin« vermochte ich nicht zu sagen und zu denken – wer war ich? »Ich bin der Mann, der Pupuseh liebt« – so war es richtig, das war eine Definition.

Ich wartete, bis das erste weiße Licht über das Feld und zwischen den Bäumen hindurch floß. Dann verließ ich Hüssein, der zusammengesunken im Staub lehnte. Die Sichel nahm ich mit und warf sie draußen ins Gebüsch, damit erst gar kein Verdacht von Gewalttat oder geplanter Gewalt aufkam. Meine Lage war prekär. Wenn man mich hier fand, würde es viele Fragen geben. Und so kletterte ich denn wieder um das Grab herum auf den Hügel, der dahinterlag, und machte mich in frostigster Morgenluft, bis auf die Knochen durchgefroren, auf den Weg nach Yakaköy.

Inzwischen kannte ich mich aus. Auf jeden Fall war diese Zeit dazu gut gewesen, die Gegend zwischen Girmeler und Yakaköy kennenzulernen. Auf dem anstrengenden Weg dachte ich überhaupt nichts. Ich rückte einfach von Hindernis zu Hindernis voran, überwand sie und marschierte weiter. Von fern sah ich Seliha und ihre Töchter auf einem kleinen braunen Feld arbeiten. Sie hackten dort etwas. Nihat saß mit Ibrahim unter der Platane. Die beiden kehrten mir den Rücken zu. Unbemerkt schlich ich mich in mein Haus. Der Kamin war kalt, aber in dem engen Alkoven schlief ich unter warmen Decken sofort ein.

Ich hatte keinen Photoapparat dabei. Ich verabscheue ohnehin dies aufgeregte Dokumentenproduzieren durch unablässiges Knipsen, die meisten Lichtbilder sind Nicht-Bilder, aber ich habe auf meiner Reise nach Lykien zu Pupuseh zwei Photographien gemacht, ohne Apparat, wie gesagt, mit dem Gehirn aufgenommen, und beide Bilder sind mir immer gegenwärtig, wenn ich sie betrachten will. Im Vergleich zu Papierphotos haben sie noch den Vorteil, daß sie nicht herumgezeigt und durch Teilnahmslosigkeit beleidigt werden können und daß bei jedem neuen Betrachten auch ein neues Detail auf ihnen erscheint, das ich glaubte vergessen zu haben.

Das eine Bild zeigt einen Augenblick der Trauerfeier für Hüssein. Sie kündigte sich durch einen Schmerzensschrei auf dem Hof an. Ich schaute aus dem Fenster, es war schon Nachmittag, und sah Seliha mit den Töchtern im Gefolge laut weinend vom Hof weglaufen. Ich verstand gar nicht, daß dieser Schrei und dieses Weinen Hüssein galten, den Nihats Frauen nur flüchtig kannten. Und solche Schmerzensschreie und Tränen gab es jetzt auf vielen Höfen der Umgebung, und auf den Feldwegen und Sträßchen setzten sich die Züge in Bewegung, die Traktoren mit den Anhängern, die überfüllten Autos, die Motorräder mit weiß verschleierten Frauen auf dem Rücksitz, und als ich mit Palm schließlich in Girmeler ankam, zeigte er mir, von einer Mauer herunter, die Versammlung in Muzafers Hof zwischen den alten Steinen. Dies ist mein Bild: sechzig oder siebzig oder hundert Frauen mit weißen Kopftüchern, auf dem Boden hockend, die große Möwenschar, alle in dieselbe Richtung blickend, die Vogelschar, die um das Haus des Toten lagerte und wartete, wie zu den Zeiten der Lykier, deren Seelen durch geflügelte Wesen abgeholt wurden. Die Männer mischten sich in dies Trauergeschäft nicht ein, in diese wahrhafte Seelsorge, die auch etwas Wochenpflegehaftes hatte, sondern standen ernsthaft und ruhig entfernt. Hüssein wurde hier aus seinen zerfahrenen Lebensumständen, seiner Unordnung, seinen Plänen, seinem Zwischen-den-Kontinenten-Hin-und-Her-Schwanken regelrecht heraus- und in die angestammte Welt zurückgeholt. Auch Pupuseh muß unter diesen Frauen gesessen haben. Fiel ihr das Weinen und Klagen leichter als den anderen Frauen? Es ging jedenfalls in diesem Chor auf, und das war gut so.

Das zweite Bild ist auf Pupusehs Hochzeit entstanden, ein paar Tage später. Palm führte mich auch dorthin. Meine Rolle habe ich bis zum letzten Augenblick durchgehalten. Ich darf mich rühmen, Pupuseh in Lykien keinen Augenblick belastet zu haben. Die Festgesellschaft, die zum Gratulieren gekommen war, glich einer Volksversammlung. Viele Männer hatten dunkle Anzüge an, von Ünals Seite wohl waren auch Frauen ohne Schleier erschienen, mit modernen Frisuren und in Kostümen mit großen Goldknöpfen. In dem Gewimmel stand nur das Brautpaar still. Es war wie in einem Bienenstock, wo die vielen Bienen um die unbewegte Königin unterwegs sind. Ünal sah kühner aus denn je, mit wasserklaren Augen durchschnitt er die Festgesellschaft, in die Zukunft seiner Forellenbecken blickend. Er schwitzte etwas. Das gab ihm das Aussehen eines siegreichen Wettläufers. In seinem steifen Anzug wirkte er besonders jugendlich, auch mager, er war vielleicht kaum ein paar Jahre älter als Pupuseh. War es nicht völlig in Ordnung, daß sie einen solch soliden, sportlichen, tüchtigen Mann heiratete, der etwas auf die Beine stellen wollte und nicht verliebte Seufzer ausstieß? Dies war nicht nur nach Muzafers Kalkulation eine vernünftige Verbindung. Ja, ich fragte mich, ob ich, an Ünals Stelle dort stehend, auch eine so gute Figur gemacht hätte. Mit grausamer Lust an der Selbstzerfleischung gestand ich mir ein, daß nichts in den Augen Pupusehs und ihrer Familie für mich sprach, nichts als meine Empfindungen für sie. Und so ging ich denn auf sie zu – barfuß auf Glasscherben schreitend, solch ein Gefühl war das –, um ihr meine Glückwünsche auszusprechen. Sie trug ein richtig europäisches weißes Brautkleid mit Rüschen und enger Taille und durchscheinenden Schichten und glänzenden Schichten, ein Jungmädchentraum, und heute kein eng anliegendes Kopftuch, sondern eine um den Kopf herumliegende geflochtene Frisur; den Brautschleier hatte Ünal ihr während der Zeremonie abnehmen dürfen, da war sie bleich und schön und todernst aus den weißen Falten aufgetaucht, mit krebsrot gemaltem Mund, der etwas Blutiges mitten ins Gesicht setzte. Die Beschenkung des Hochzeitspaares ging archaisch-praktisch vor sich. Man steckte der Braut den Geldbetrag, den man ihr schenkte, mit einer Stecknadel ans Kleid, und wegen der in der Türkei herrschenden Inflation sahen auch kleinere Summen in zusammengefalteten, aufgeblätterten, schmutzigen Geldscheinbündeln noch stattlich aus. Als ich an die Reihe kam, fand ich Pupuseh schon über und über mit Geld besteckt; ihr ganzer Rock, das Mieder, die Schultern schienen sich in zitternden und sich auffaltenden grünlich abgegriffenen Scheinbündeln zu bewegen. Aus dieser Roberonde aus zusammengeknülltem Papier stieg ihr Hals, und ihr Gesicht rührte sich nicht, als ich, auf der Suche nach einem freien Plätzchen, vor ihr niederkniete, um ein Bündel mit der von Fatma fürsorglich gereichten Stecknadel anzuheften. Unablässig zuckten die Lichtblitze der Kameras, unter denen Pupuseh immer blasser wurde. In Ünals Augen erzeugten sie einen Reflex, der sie wie Glasaugen erscheinen ließ. Und dennoch – wäre ich jetzt im Besitz von Ala-ed-Dins Wunderlampe gewesen, die den allmächtigen Mahrid herbeirufen konnte, ich hätte wohl doch nicht wie Ala-ed-Din gehandelt, der den Sohn des Wesirs in der Hochzeitsnacht aus dem Bett der Prinzessin Badr-el-Budur auf den Abtritt befördern ließ. Ich hätte Ünal dieses Schicksal nicht bereitet, obwohl man nicht für sich garantieren kann, wenn man allmächtig ist. Ich hätte mich nicht dazu berechtigt gefühlt. Pupuseh war ihm zugefallen, und es hätte einer außerordentlichen Leistung bedurft, um in diesen Lauf einzugreifen, und diese außerordentliche Leistung hatte ich nicht erbracht. Und so schüttelte ich ihm denn etwas betreten die Hand, was er in seiner Erschöpfung kaum mehr wahrnahm, und verließ das Paar.

Auf meinem Weg nach Deutschland hatte ich noch einmal Gelegenheit zu staunen, wie genau ich geführt worden war. Mein Flugschein sah als Tag der Rückreise den Tag nach Pupusehs Hochzeit vor. Ich hatte mich mit den Erlebnissen dieser

Liebesexpedition im genauen Rhythmus einer genormten Ferienreise gehalten. Und so blieb denn auch die Ausbeute dieser Tage in Grenzen; ich brachte eine kleine Narbe an der Stirn und ein französisches Küchenmesser aus dem vorigen Jahrhundert nach Deutschland mit. Zurück ließ ich eine Zukunft.

In Frankfurt holte Zeynab mich vom Flughafen ab.